知念実希人

魔弾の射手
天久鷹央の事件カルテ
完全版

実業之日本社

実業之日本社文庫

目次

時計山病院　屋上見取り図

屋上

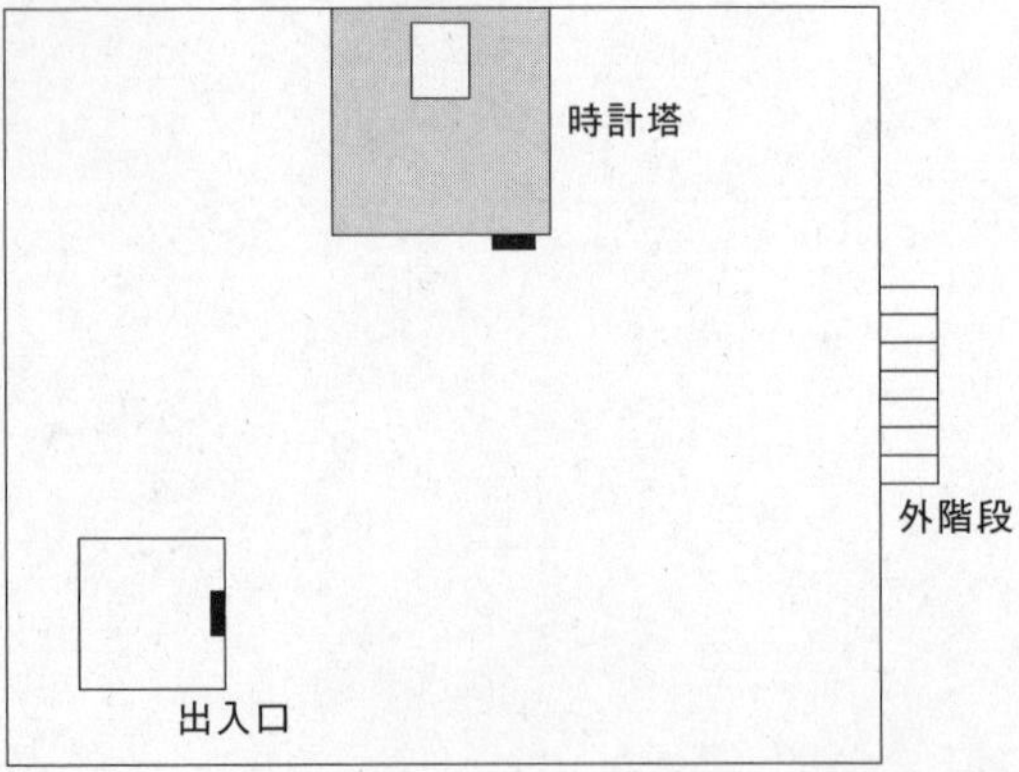

時計塔

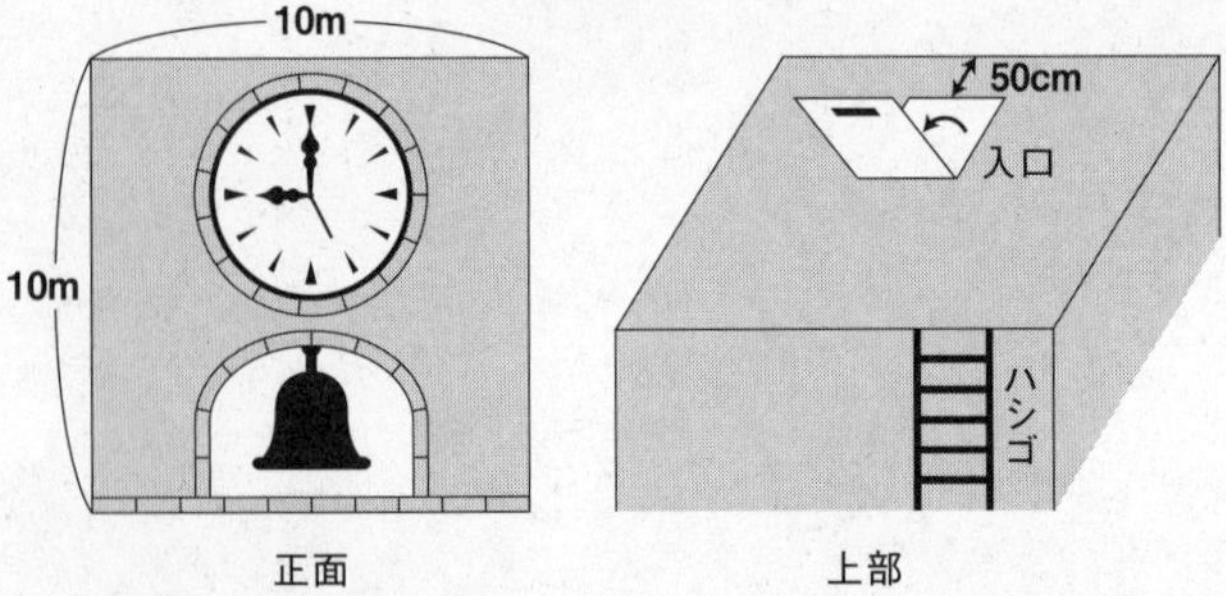

魔弾の射手

The Invisible Bullet

天久鷹央の事件カルテ

［完全版］

プロローグ

鉄梯子《てつばしご》の表面を覆《おお》い尽くしている赤錆《あかさび》が掌《てのひら》の皮膚に食い込む。女は顔をしかめつつ四肢を動かし、慎重に梯子をのぼっていく。足をかけている部分から、重さに抗議するような軋《きし》みがぎしぎしと響き、精神を炙《あぶ》る。

十年以上放置されていた建物。この錆びついた鉄梯子もいつ壊れるかわかったものではない。

恐怖を必死に押し殺しながら数メートルの梯子をのぼり切った女は、コンクリートの屋根の上で四《よ》つん這《ば》いになると大きく息を吐く。夏の足音が聞こえてくる季節、空気はじっとりと湿っていた。暑さ故《ゆえ》か、それとも緊張からか、額からは止《と》め処《ど》なく汗が噴き出してくる。頰を伝った汗があご先から滴《したた》り落ち、コンクリートのうえに大きな染《し》みを作った。

手の甲で額を拭《ぬぐ》ってから立ち上がったとき、新緑の香りを孕《はら》んだ強い風が吹いた。女はスカートのポケットに入れていた手を出し、顔の横で髪を押さえる。

顔の横に手を置いたまま、女は屋根をゆっくりと進んでいく。梯子を上がるため、パンプスは屋上に脱いできた。薄地のストッキングを通じて、足の裏に冷たく硬い感触が伝わってくる。

屋上に設置された巨大な電動式の時計台。数キロ先からも見える、一辺十メートルほどもある立方体の設備の屋根の上に女はいた。

都心から離れた住宅地であるこの周辺は、高い建物が少ない。遥《はる》か遠くまで夜景が広がっていた。

屋根の端までやって来た女は、おそるおそる身を乗り出して下を覗《のぞ》き込む。遠くに雑草に覆われた地面が見えた。

吸い込まれていくような錯覚を覚えて、女は慌《あわ》てて身を引く。この時計台の屋根には転落防止用の柵《さく》が設置されていなかった。間違って足を滑らせたりすればひとたまりもない。

髪を押さえるように顔の横に手を当てたまま、女は視線を落としながら屋根を歩き続ける。長年使われていないため、この建物には電気も通っていない。薄い月明かりと、街からのわずかな光しか届かない屋根の上は暗かった。女は腰を曲げ、コンクリートの床を凝視しながら歩き回る。数分、徘徊《はいかい》を続けた女は、屋根の隅の質感が他の部分と違っていることに気づいた。

あそこかもしれない。急いで移動していくと、コンクリートの床に取っ手のついた鉄の扉が埋め込まれていた。ここに違いない。

「あった！」

歓喜の声を上げた女は、片手で取っ手をつかんで手前に扉を開けていく。その扉は、百二十度ほど開いたところで、勝手に固定された。その下に、時計台の内部へと降りる薄暗い階段が姿を現わした。

女は慎重に開いた扉をまわりこんでいく。階段を降りるためには、扉の向こう側から入る必要があった。しかし、そちらは屋根の端になっていて、足場はわずか五十センチほどしかない。

間違っても足を滑らせないように気をつけないと。

「よし、入ろう」

そう口にした瞬間、胸の真ん中を衝撃が走った。なにが起こったか分からなかった。ただ、心臓を『何か』に貫かれたような感覚があった。

力が入らない。全身の筋肉が弛緩《しかん》していく。重力に抵抗できなくなった体が、糸が切れた操り人形のように力なく崩れ落ちていく。

朦朧《もうろう》とする意識の中、女は眼球だけ動かして自分が倒れこもうとしている方向に視線を向ける。コンクリートの床が途切れたその先には、虚空《こくう》が口を開けていた。

落ちる……。このままじゃ、転落する……。

恐怖が頭にかかっていた靄《もや》をわずかに晴らす。倒れこみながら女は必死に手を伸ばし、時計台の内部へと降りる階段を摑《つか》もうとする。

指先が最初の段に触れた瞬間、脱力した体が屋根の端から零《こぼ》れ落ちる。全身を呑《の》み込もうとする重力に、指先の力だけで対抗できるはずもなかった。

巨大な猛獣に襲われたかのように、女の華奢《きゃしゃ》な体は空中へと引きずり込まれた。

なにが起こったんだろう？　いったいなんでこんなことになってしまったんだろう？

頭が恐怖と疑問で満たされる。地面が急速に近づいてくる。

由梨《ゆり》……。

一人娘の微笑《ほほえ》みが脳裏をよぎった刹那《せつな》、女の意識は漆黒の闇《やみ》に塗りつぶされた。

第一章　廃病院の呪い

1

マウスを動かすと、画面を埋め尽くすスポーツカーの写真が上へと流れていく。一台の車が目にとまりスクロールを止めるが、その写真の下に記されている価格を見て、僕、小鳥遊優《たかなしゆう》は深いため息をついた。

「なにをため息なんかついているんですか、小鳥《ことり》先生。おっさん臭いですよ」

少し離れた位置に置かれたソファーに腰掛け、にやにやとスマートフォンを眺めていた鴻ノ池舞《こうのいけまい》がからかうように言った。

「うるさいな、ほっとけよ」

「あれ、機嫌悪いなあ。どうしたんですか、せっかく私と当直だっていうのに」

「お前と当直だからだよ」

疲労感をおぼえた僕は、もう一度深いため息を吐いた。

東京都東久留米《ひがしくるめ》市の地域医療を担《にな》う基幹病院である天医会《てんいかい》総合病院、その救急部の奥にある医師控室で、十五分ほど前から僕と鴻ノ池は休憩を取っていた。

とある事情があり、外科医から総合内科医へ転向した僕は、去年の七月から出向という形でこの病院の統括診断部に勤務している。ただ、人使いの荒い上司の命令で週に一回は、猫の手も借りたいほど忙しい救急部に〝レンタル猫の手〟として貸し出され、救急当直を務めることになっていた。そして、今日がその当直日だ。

べつに救急当直は嫌ではない。忙しくてつらい勤務だが、外科医としての腕が鈍ることを防ぐことができる。問題は、今日一緒に当直をしている研修医だった。

天医会総合病院では研修医はどの科を回っていても、救急部の当直業務を行うことになっている。つまりは、救急医一人、研修医一人の当直体制だ。そして、今日、僕の下についたのが二年目の研修医である鴻ノ池舞だった。

鴻ノ池は僕の〝天敵〟だった。なにかにつけてからかってくるわ、上司である統括診断部の部長と僕を無理やりくっつけようと画策するわ、果てはその噂《うわさ》を院内に流して僕の恋路を邪魔してくるわ。思い出しただけで腹が立ってくる。研修医の中で、僕を〝小鳥〟というニックネームで呼ぶのも、こいつだけだ。

「まったぁ、素直じゃないんだから。私と小鳥先生の仲じゃないですか」

ソファーから勢いよく立ち上がった鴻ノ池は、救急部のユニフォームに包まれた体を妙に艶《つや》っぽくくねらせながらにじり寄ってくる。

「どんな仲だよ」

近づいてきた鴻ノ池の顔を、僕は鷲摑《わしづか》みにする。掌《てのひら》の下から、「うにゃ」と声が聞こえてきた。

「もう。一緒に張り込みして、放火犯を捕まえたじゃないですか。それにお互いの絶体絶命のピンチを助け合ったでしょ」

両手で僕の手を摑んで(微妙に手首の関節を極《き》めながら)外した鴻ノ池は、にっと口角を上げる。たしかにその通りなので、反論ができない。

鴻ノ池が『透明人間による密室殺人』で容疑をかけられたときは、上司と協力して彼女の無実を証明したし、数週間前の『呪いの人体自然発火現象』では炎で包まれた蔵に閉じ込められた僕を、鴻ノ池が救ってくれた。

「というか、お前、僕が救急当直のとき、やけに高確率で当直にあたってないか?」

旗色が悪くなってきたので話題を変えると、鴻ノ池は得意げに救急部のユニフォームに包まれた胸を張った。

「予定表を見て、小鳥先生が担当するときを選んで当直の希望日を出していますから」

「なんでそんなことを……」

「えー、どうせ当直するなら、楽しい方がいいじゃないですか。小鳥先生と一緒なら、色々と話ができるし、あと、からか……」

慌《あわ》てて言葉を切った鴻ノ池は、両手で口を押さえる。

……いまこいつ、「からかったりできるし」とか言いかけてなかったか？

「まあ、そんなわけで、パソコンなんていじってないでお話ししましょうよ、お話。せっかく患者さんも途切れてるんですから」

早口でまくしたてて、鴻ノ池はごまかそうとする。

当直業務がはじまった午後六時から重症患者が連続して搬送されてきて、救急部は戦場と化した。午後九時半過ぎになってようやく患者が途切れ、僕と鴻ノ池は医師控室で軽い夕食をとり、つかの間の休憩に入っているところだった。

「話って、なにをだよ？」

お前と話していると、休憩中なのに疲労が溜《た》まっていくんだけど。

「恋バナ！」

「嫌だよ！」

「えー、どうしてですか？　恋バナ楽しいじゃないですか。最近どうなんですか、鷹《たか》央《お》先生との関係は」

案の定、上司である天久《あめく》鷹央の名前を出され、僕はげんなりする。

「なんもないって。僕と鷹央先生はそんなんじゃないって、何度言えば分かるんだよ」

「何度言っても分かりませんよ。お二人をくっつけることは、もはや私のライフワークと言っても過言じゃないですからね」

「勘弁してくれよ……」頭痛をおぼえた僕は、額を押さえる。

「そういえば小鳥先生、さっきからパソコンでなにを必死に見てるんですか？」

「べつになんでもいいだろ」

「エロいやつ？」

「そんなわけあるか！　中古車のサイトだよ」

数週間前、『火焔の凶器事件』の際、研修医時代から数年間、苦楽を共にしてきた愛車のRX－8が無残な最期《さいご》を遂げてしまっていた。

「あー、あの車、こんがり焼けちゃいましたもんね」

「やめて……、焼けたあいつの姿を思い出したくない……」

「大げさな……。車好きも行き過ぎると気持ち悪いですよ。あっ、この車かっこいい」

僕の肩越しにディスプレイを覗《のぞ》き込んだ鴻ノ池は、はしゃいだ声をあげてマウスをクリックする。画面いっぱいにアストンマーチンのクーペが映し出される。

「これって、あれですよね。007が乗っているやつ。小鳥先生、これにしましょうよ」

「お前な、値段見ろよ。二千万以上するんだぞ。そんな金がどこにあるんだよ」

「思い切ってローンで！」鴻ノ池は拳《こぶし》を握りしめる。

「無茶言うな！」

声を張り上げた僕は自分の肩を揉《も》む。疲労していたところで食事をしたせいか、軽い眠気をおぼえていた。

「お前と当直していると普段の倍は疲れる気がするよ。まだ前半戦なんだから、もうちょっと省エネで行こうぜ」

「アイアイサー！　これからまた熱い夜になるかもしれませんしね」

「不吉なこと言うなって。できればこのまま搬送もなく、静かな夜を……」

　そこまで言ったとき、首からぶら下げていた院内携帯がけたたましい着信音を奏《かな》ではじめた。一瞬で眠気が吹き飛ぶ。鴻ノ池が「ほら、熱い夜になった」と肩をすくめた。

　この院内携帯は救急隊からの直通回線だった。三次救急患者、つまりは最重症レベルの患者の搬送依頼のときのみ、この回線に連絡が入る。僕は素早く通話ボタンを押した。

「はい、天医会総合病院救急部！」

『こちら石神井《しゃくじい》救急、患者の受け入れをお願いいたします』

院内携帯から切羽詰まった声が響いてくる。

「受け入れ可能です！　どのくらいでつきますか？」

僕は椅子《いす》から立ち上がりながら答える。一刻も早い治療を必要としている三次救急患者の搬送において、状況を聞いてから受け入れの可否を判断するような余裕はない。まずは受け入れを決定し、救急車を病院に向かわせながら状況を聞き出すのが定石だった。

『十分程度で到着予定です。患者は四十代の女性。所持品の定期入れより名前は時山《ときやま》恵子《けいこ》さんと推測。そちらの病院の受診票も定期入れの中に入っていました』

受診票を持っていたということは、この病院にかかったことがあるのか。僕はメモ用紙に『トキヤマケイコ　かかりつけ患者？』と走り書きする。それを見て、鴻ノ池がわきにあった電子カルテで、素早く該当する患者を探していく。

『十数階建ての建物から転落したらしく、現在心肺停止状態。右大腿《だいたい》と右上腕に開放骨折を認めます』

救急隊員が早口で続けざまに情報を送ってくる。

転落して心肺停止か。かなり厳しい状況だ。頬が引きつってしまう。

「何階から転落したかは分かっているんですか?」

『いえ、不明です。二十一時四十八分に「女性が建物から飛び降りたかもしれない」と救急要請、五十六分に現場に到着したところ患者を発見。その時点ですでに心肺停止でしたので、蘇生《そせい》術を開始しております』

飛び降りたかもしれない? 救急隊員のセリフに違和感をおぼえるが、詳しく確認している余裕はない。十分後には救急車が到着するのだ。それまでに、処置の準備をはじめておかなくては。

「了解しました。お待ちしております」

通話を終えた僕は、「どうだ?」と横目で鴻ノ池を見る。

「たぶん、この患者さんだと思います」

鴻ノ池が指さす電子カルテには、『時山恵子』という四十二歳の女性の診療記録が表示されていた。

「膵臓癌《すいぞうがん》のステージⅣ……か。四十代では珍しいな」

素早く記録に目を通した僕は、低い声でつぶやく。

そこに記されていた情報によると、時山恵子という女性は、半年ほど前に進行した癌が発見され、現在化学療法を受けているということだった。化学療法は順調に効果を発揮しているようだが、おそらく余命は一年前後といったところだろう。大学病院に勤めていた時代、外科医として多くの膵臓癌患者を診察してきた経験が、そう告げる。

「とりあえず、受け入れ準備をするぞ」

鴻ノ池を促した僕は、控室を出る。救急部に入ると、情報を求めて看護師たちが近づいてくる。

「小鳥先生、状況は？」

ついて来た鴻ノ池がそばにあった処置台から防護ガウンを二つ手に取り、そのうちの一つを僕に手渡す。その姿からは、おちゃらけた雰囲気は完全に消え失せていた。

「建物から転落して心肺停止状態、右の大腿と上腕に開放骨折。十分以内に到着予定」

受け取った防護ガウンのビニール袋を破りながら、僕はスタッフたちに端的に情報を伝える。救急部の看護師たちが受け入れの準備を整えるため、処置室に向かう。

「脳神経外科と整形外科の当直医を呼び出してください。すぐに輸血が必要になるかもしれないから、輸血部と臨床検査部、あと念のため手術部にも一報を入れてください」

鴻ノ池が受付の職員に的確な指示を飛ばしていく。普段は厄介だが、医師としては極めて有能なやつだ。こういうときには頼もしい。

防護ガウンを身につけながら処置室に入った僕と鴻ノ池は、看護師たちとともに受け入れの準備を整えていく。天井から下がっている点滴棒に生理食塩水のパックをセットし、蘇生用の用具や薬品を処置台の上に並べ、人工呼吸器の用意をしておく。移動式のレントゲン装置やポータブルエコーを持ってきたところで、サイレン音が聞こえてきた。

僕たちは処置室の奥にある自動扉を開けて病院の外に出る。すぐに救急車がやってきて停車した。後部扉が開き、救急隊員が降りてストレッチャーが引き出される。ストレッチャーに横たわり、救急隊員から心臓マッサージと人工呼吸を受けている患者を見て、マスクに覆《おお》われた口から「うっ」と声が漏れてしまう。想像よりもはるかに患者の状態は悪かった。見ると、隣に立つ鴻ノ池も表情を引きつらせていた。

四肢はあらぬ方向に曲がり、腰にも大きな歪《ゆが》みが見られる。おそらくは骨盤が砕けている。救急隊員が両手で胸を押し込むたびに、右の胸郭が大きくへこむ。肋骨《ろっこつ》もあらかた折れているのだろう。人工呼吸のため口に当てられたアンビューバッグのマスクから血が漏れだしていた。つぶれた肺からの大量の出血が口から噴き出しているのだろう。

……助からない。何千人もの救急患者を見てきた経験がそう告げる。しかし、だからといって治療しないわけにはいかなかった。医師が諦《あきら》めたら、万に一つの可能性も潰《つい》えてしまうのだ。

僕と鴻ノ池は、救急隊員とともにストレッチャーを引いていく。処置室に入り患者の体をストレッチャーからベッドに移動させた僕たちは、救急隊員から治療を引き継いだ。

一縷《いちる》の望みにかけて必死に手を動かしていると、若い救急隊員がぼそりとつぶやいた。

「また、あの病院に喰われたのかよ。本当にどうなってるんだよ」

「また？　どういうことですか？」

挿管《そうかん》した気管内チューブを人工呼吸器に接続しながら僕は訊《たず》ねる。治療のためにはどんな些細《ささい》な情報でも知っておく必要がある。

救急隊員は「いや、それは……」としどろもどろになる。

「いいから言ってください！」

余裕のない状況で言い淀《よど》む救急隊員に苛立《いらだ》ち、声が大きくなってしまう。救急隊員は首をすくめると、歯切れ悪く話しはじめた。

「この患者さんが転落した西東京市の建物、十年以上前に潰《つぶ》れた廃病院なんです。で、そこが呪《のろ》われているっていうか、病院が人を喰い殺す……そういう噂が……」

「はあ？　どういうことですか？」

僕は人工呼吸器を設定し、電源を入れた。

救急隊員は目を伏せると、怪談でも語るかのようなおどろおどろしい口調で言った。

「ですから、この患者さん以外にも、その廃病院から飛び降りて死んでいる……、自殺している人がいるんです。何人も……、何人も……」

動き出したポンプが酸素を送り出す低い駆動音が、僕にはなぜか獣の唸《うな》り声のように聞こえた。

2

「本当に熱い夜になっちゃいましたねぇ……」

ソファーに横たわった鴻ノ池が、覇気のない声で言う。椅子の背もたれに体重を預け、呆然《ぼうぜん》と天井を仰いでいた僕の口から「ああ……」という返事なのか嘆息《たんそく》なのか、自分でも分からない声が漏れる。

鴻ノ池の言うとおり、熱い夜だった。午後十時ごろに搬送されてきた転落した女性患者を皮切りに、心筋梗塞《こうそく》、重症交通外傷、痙攣《けいれん》重積発作、絞扼性《こうやくせい》イレウス、食道静《じょう》脈瘤《みゃくりゅう》破裂による大量吐血など、重症患者が次々に搬送されてきて、僕と鴻ノ池は一睡もできぬまま朝を迎えた。午前九時前のいまになって、ようやく最後の重症患者を病棟に引き継ぎ、一息入れることができていた。

救急当直は忙しいことが多いが、ここまで立て続けに患者が搬送されてくることは珍しい。一晩中動き回ったせいで精も根も尽き果て、気を抜けば口から魂が出ていってしまいそうだった。

「なんか小鳥先生と当直したときって、普通の当直より忙しい気がするんですよね。先生、なんか悪いものに憑《つ》かれたりしていません？　そうなら、お祓《はら》いとか行った方がいいですよ」

「人聞きの悪いこと言うなよ。普段はそんなに忙しくない。どちらかと言うと、お前と当直するときに限って、重症患者が何人も搬送されてくる気がする」

「じゃあ、私たちがペアを組むとダメなのかもしれませんね。今度、二人でお祓い行きましょうか？」

「そうだな、いい神社を見つけといてくれ。呪いとか解くのが得意な神社を」

疲労で頭が回っていない僕たちは、中身のない会話を続ける。

「呪いと言えば、救急隊員がなんか変なこと言っていましたね」

鴻ノ池がソファーから身を起こした。僕も背もたれにかけていた体重を戻す。

「ああ、あの転落死した患者さんの件か」

結局、三十分以上蘇生を試みたが、一度も心拍が再開しないまま患者は死亡していた。病死ではないので所轄《しょかつ》署である田無《たなし》署に連絡を入れ、やって来た警官に状況を説明した後、遺体は地下にある霊安室へと移された。遺族にはすでに連絡を入れているらしい。朝には病院に到着予定だと聞いている。

「あの人、やっぱり自殺だったんでしょうか？」

ソファーに腰掛けた鴻ノ池がつぶやく。

「警官の態度はそんな感じだったな。病気を苦に自殺する人は少なくないしな。まあ、警察がしっかり実況見分をしてるだろ。もし事件の可能性があれば、これからそれなりの動きがあるさ。遺体を司法解剖に回すとかな」

「事件の可能性って、殺人とかそういうことですか？」

「知らんよ。なんにしろ、僕たちにはかかわりがないことだ。あとは警察に任せ……」

そこまで言った僕は不吉な予感をおぼえ、鴻ノ池を睨《にら》んだ。

「お前まさか、鷹央先生に報告するつもりじゃないだろうな？」

「え……？　えー、なんのことですか？」鴻ノ池の目が泳ぐ。

「マジでやめろよ。呪いの廃病院とか、あの人の大好物だろ。絶対に目を輝かせて調査に行くとか言い出すぞ」

「目がキラキラしている鷹央先生とか、可愛《かわい》いじゃないですか！」

開き直りやがった。

「暴走モードになったあの人のお守をするの、僕なんだぞ。いつもあの人に振り回されて、胃に穴が開きそうになっているんだよ」

「大丈夫です。いま外科を回っていますから、胃穿孔《せんこう》を起こしたら、私が執刀させてもらえるように頼みます」

「どこが大丈夫なんだよ！　お前に腹をかっさばかれるぐらいなら、自分で執刀するよ！　あのなぁ、今回の件は実際に人が亡《な》くなっているんだぞ。興味本位で首を突っ込んだりしたら、遺族に失礼だろ」

僕の説教に鴻ノ池ははっとした表情を浮かべた。

「……ですね。すみません、眠っていないせいか、ちょっとテンションの調節が出来なくなっていて」

「分かればいいよ。まあ気にするな」

おかしなことに巻き込まれそうな気配をうまく打ち消した僕が鷹揚《おうよう》に頷《うなず》くと、俯《うつむ》いていた鴻ノ池はぱっと顔を上げた。

「でも、鷹央先生には言わないにしても、呪いの廃病院っていうのがどういうものかくらいネットで調べてみませんか？」

「お前なぁ……」

「いや、小鳥先生の言いたいことは分かりますよ。けれど、昨日搬送されてきた患者さんは、実際にその廃病院から転落して死亡したんですよ。情報を確認するのは、担当した医師としての仕事なんじゃないですか？」

「どう考えても警察の仕事のような気がするんだが……」

そうは思ったが、疲れすぎて体中の血液が水銀に置き換わったようないまの状態で、鴻ノ池と議論すること自体が面倒だった。僕は「好きにしろよ」とかぶりを振る。

「じゃあ、好きにさせてもらいますね」

快活に言ってソファーから立ち上がった鴻ノ池は、軽い足取りで近づいてくると、僕の隣に立ってノートパソコンを開いた。

「お前、元気だな……」

「少しだけ休めましたからね」

「休めたって言っても三十分程度だろ。よくそれだけで回復できるな」

「そりゃ、若いですから」横目で僕を見ながら、鴻ノ池は唇の端を上げた。

「……五、六歳しか違わないだろ」

「二十代と三十路《みそじ》の間には、決して越えられない深い谷が横たわっているのです」

なんか失礼なことを言われている気がするが、たしかに最近疲れが抜けにくくなっている気がする。

「お前の三十歳の誕生日は、盛大にお祝いしてやるよ」

「廃病院、呪い、西東京市、っと。私は三十歳になんかなりません。永遠の二十代です」

痛いことをつぶやきながら、鴻ノ池は検索サイトでキーワードを打ち込んでいく。

「あ、ありました。これですね、『時計山病院の呪い』」

ディスプレイを見ると、検索結果が並んでいた。たしかにどの結果にも『時計山病院』という文字が躍っている。鴻ノ池が一番上にある検索結果をクリックすると、やけにおどろおどろしい雰囲気のホームページが出てきた。どうやら、オカルトの専門サイトのようだ。

「えーっと、なになに。時計山病院の呪いとは、東京西部にある時計山病院の屋上から、飛び降り自殺が連続している現象のことを指す。戦前、現在の西東京市に建てられた時山病院は、小高い丘の上に建ち、また屋上に巨大な時計台が備え付けられていることより、やがて『時計山病院』と名前を変えた」

鴻ノ池は画面をスクロールさせながら説明を読んでいく。

「十一年前、その時計山病院で医療ミスが起こり、被害者である女性が屋上にある時計台の上から飛び降りて自殺するという事件が起こった。マスコミは女性の主治医であり、病院の院長でもあった時山剛一郎《ごういちろう》を徹底的に糾弾、毎日のように病院に押しかけた。精神的に追い詰められた時山院長は、事件の半年後に、被害者である女性のあとを追うかのように、時計台から身を投げて命を絶った。……いやあ、なんか悲惨な話ですね」

鴻ノ池のつぶやきに、僕は「だな」と生返事をする。

「一連の事件で近隣からの評判が落ちた時計山病院は患者が激減し、経営が破たんして廃院となる。しかしその後、病院に幽霊が出るという目撃情報が出はじめ、院長が自殺したのは、医療ミスにより自殺した女性の霊の呪いだったのではないかと言われるようになった。その霊は院長を呪い殺すだけでは成仏《じょうぶつ》することができず、いまも生者を病院に誘い込んでは、時計台の上から飛び降りさせていると噂されている。事実、廃院になったあとも時計山病院の時計台からは飛び降り自殺をする者が後を絶たず、すでに十人を超える人々が犠牲になっているのだ。いまも廃病院を彷徨《さまよ》っているであろう女性の霊がその怒りを鎮《しず》めるまでには、あとどれだけの生贄《いけにえ》が必要なのだろうか。ですって」

説明文を読み終えた鴻ノ池が声をかけてくる。僕は「ふーん」と首を鳴らした。

「なんですか、その気のない返事は。十人以上も飛び降りているなんて、さすがに異常じゃないですか？」

「そこに書かれていることが正しいなんて保証はどこにもないだろ。と言うか、面白おかしく脚色して適当なことを書いている可能性が高い」

僕が反論すると、鴻ノ池は「まあ、そうですけど」と頬を搔《か》く。

「実際にたくさんの人が自殺していたとしても、べつに不思議でもなんでもない。人生に絶望して自殺しようとしている人がもしこの噂を知っていたら、そこに行けば楽になれると思ってしまう。こういう言い方は嫌だが、その時計山病院はある意味『自殺の名所』として名が上がっちゃったんだよ。富士の樹海みたいにな」

「まあ、普通に考えたらそういうことなんでしょうね」鴻ノ池は後頭部で両手を組む。

「ただ、一つ気になることがあるな……」

「この病院のもともとの正式名称ですよね。時山病院。昨日、搬送されてきた患者さんの苗字《みょうじ》も時山でした。もしかしたらあの患者さん、十一年前に自殺したっていう院長の身内なのかもしれませんね」

「かもな。関係者だからこそ、その時計山病院に行って、そして転落した。まあ、なんにしろ、あとは警察の仕事だ。さて、そろそろ引き継ぎの時間だ。さっさと交代して病棟に上がろうぜ」

僕がそう言ったとき、救急部に繋《つな》がるドアの向こう側から言い争うような声が聞こえてきた。女性の感情的な声が響いてくる。

「なんか、トラブルですかね」

「トラブルって、患者もいないのに？」

首をひねっていると、ノックもなく勢いよく扉が開き、若い看護師が顔を覗かせる。

「小鳥遊先生、ちょっと来てください」

「来てくださいって、なにが？」

戸惑っていると、部屋に入ってきた看護師が救急部ユニフォームの袖《そで》をつかんで「いいから早く来てくださいって」と、引っ張りはじめる。

「分かった。分かった、行くって」

看護師に引かれて救急部に行くと、救急部の奥にスーツ姿の男が仏頂面《ぶっちょうづら》で立っていた。無精ひげの生えたいかつい顔、しわの寄ったスーツに包み込まれた熊《くま》のような体《たい》軀《く》、見知った男だった。

「成瀬《なるせ》さん？」僕は目をしばたたかせる。

彼は、田無署刑事課に所属する成瀬隆哉《りゅうや》という刑事だ。これまで、（うちの上司が無理やり首を突っ込んだ）いくつかの事件で顔を合わせ、知り合いになっている。

成瀬の前には黒髪をポニーテールにしたブレザー姿の少女が立って、なにやら怒声を上げていた。おそらくは高校生ぐらいだろうか、幼さが残るその顔は真っ赤になり、怒声充血した瞳《ひとみ》には涙が浮かんでいる。少女の後ろでは、太った中年男性が露骨に面倒くさそうな表情を浮かべている。

「ねえ、あの男の人の頭って、かつらじゃないですか？」

鴻ノ池が耳打ちしてくる。言われてみると、中年男性の側頭部で、髪の流れが微妙に変化していた。鴻ノ池が言うとおり、たしかにかつらをかぶっているのだろう。

「ほっといてやれよ。そんなの個人の自由だろ」

「すみません。しかし、誰なんでしょう？　たしか、あの熊みたいな男の人は刑事さんでしたよね。残りの二人は？」

成瀬とは面識のある鴻ノ池がつぶやくと、看護師が「ご遺族です」と言った。

「ご遺族って、誰のですか？」鴻ノ池は小首を傾《かし》げる。

「時山恵子さん、昨日転落して搬送されてきた患者さんのですよ」

「ああ、あの患者さんの」僕は頷く。「けど、なんでご遺族と成瀬さんが言い争っているんですか？　そもそも、なんで成瀬さんが？」

「いいから、とりあえずうまく仲裁してきてください。あと数分は、小鳥遊先生が救急当番なんですから」

看護師は僕の背中を両手で押す。仕方なく、わけの分からぬままに進んでいった僕は、「あの……、失礼します」と声をかけた。三人が同時にこっちを向いた。少女の口は、嗚咽《おえつ》をこらえるようにへの字に閉じられている。

「当院の救急を担当している小鳥遊と申します」

自己紹介をすると、太った中年男が会釈《えしゃく》をする。

「どうも、時山恵子の兄の文太《ぶんた》です。で、こちらが恵子の娘の由梨《ゆり》です」

ああ、娘さんだったのか……。こんなに若くして母親を亡くした少女に同情しつつ、僕は深々と頭を下げる。隣に立つ鴻ノ池も、僕に倣《なら》った。

「恵子さんの治療は私と、こちらにいる研修医の鴻ノ池が担当させて頂きました。当院に搬送時、すでに心肺停止状態だったため蘇生術を試みましたが、残念ながら力及びませんでした。心からお悔やみ申し上げます」

文太は「どうもご丁寧に」と気のない返事をするだけだったが、由梨の目から大粒の涙がこぼれだす。両手で顔を覆って俯いた彼女は、肩を大きく震わせはじめた。押し殺した嗚咽が漏れてくる。鴻ノ池が慌てて彼女に近づき、その背中に優しく手を当てながら、近くにあった椅子に腰掛けさせる。

「で、成瀬さんはどうしてここにいるんですか?」

「その、時山恵子の件について、報告に来たんですよ」

「え? 報告って、昨日話を聞きに来たのは別の警官でしたけど」

「押し付けられたんですよ」成瀬は太い眉《まゆ》をひそめる。「時山恵子の治療を担当したのがあなただって分かって、『お前が報告に行ってこい』って上司にね。いつの間にかうちの署では、あなたたちが関わった件については、自動的に私に回ってくるようなシステムが出来上がっているんですよ。まったくどうしてくれるんですか」

どうしてくれると言われても……。僕がとりあえず「お疲れ様です」と言うと、成瀬は小さく舌を鳴らした。

「そういうわけで、遺族も朝、病院に到着するということで、まとめて説明しようとこの時間にやって来たわけです」

「どうも遅くなってすみません」文太が頭を掻く。

「私は名古屋で開業医をやっているもので。新幹線の始発に乗ってやって来たんですが、こんな時間になってしまい」

「ああ、ドクターでいらっしゃるんですね」

「あと、由梨も修学旅行で京都にいたらしく、昨日のうちには来れなかったんです」

「事情は分かりましたが、さっきの騒ぎはなんだったんですか?」

僕が訊ねると、成瀬はこれ見よがしにため息をついた。

「こちらの救急部に入ると、ちょうどご遺族のお二人も来たところだったんで、警察の見解について説明させてもらったんですよ。そうしたら、娘さんが興奮されたんです」

「警察の見解って、どんな?」

「それは……」

成瀬が答えようとしたとき、「違う！」という金切り声が空気を震わせる。見ると、由梨が顔を上げ、涙で濡れた目で成瀬を睨みつけていた。

「自殺なんかじゃない！　お母さんは絶対に自殺なんかしない！」

「自殺……なんですか？」

成瀬に視線を送ると、彼は「そうですよ」とあっさりと頷いた。

「転落した現場を調べたところ、屋上にある時計台にのぼる鉄梯子《てつばしご》の下に、脱いだ靴がきちんと揃《そろ》えてありました。また、一緒にバッグも置いてあり、中には財布なども入っていました」

「争った跡とかは？」

「いえ、まったくありませんでしたね。近所で悲鳴をきいたなどの通報もありませんん」

たしかにそれだけ聞くと、自殺のように思える。

「遺書とかはあったんですか？」

「それはなかったようですね。けどまあ、自殺する人が全員、遺書を残すわけではないですから。それに、どうやら時山恵子さんは末期癌を患《わずら》っていたんですよね」

成瀬が言うと、由梨が勢いよく立ち上がった。

「お母さんが私を置いて自殺するわけないんです！　私を一人で置いていくなんて……。癌だって抗癌剤でかなり良くなっていて、最期《さいご》のときまで私と一緒にいてくれるって……」

声がかすれ、最後の方は聞き取れなくなる。僕は文太に近づくと、小声で囁《ささや》いた。

「失礼ですが、恵子さんのご主人は？　他に親戚《しんせき》の方はいらっしゃらないんですか？」

「恵子はシングルマザーなんです。両親はすでに他界していて、兄がもう一人いるのですが、そちらは海外にいるので、時々電話で話すぐらいだったはずです。元夫は由梨が生まれる前に姿を消していて、由梨とは一度も顔を合わせたことはなかったと聞いています。親一人、子一人の母子家庭だったんですよ」

ずっと二人で支え合って生きてきたのに、急に母親を亡くしたのか。それは受け入れられないのも当然だ。

「そうは言いますけどね、自殺じゃないとしたらなんでお母さんは、深夜に廃病院なんかに行ったんですかね？　ご存知かもしれないけれど、あそこは『自殺の名所』として知られた場所です」

成瀬の問いに、由梨は「それは……」と言葉に詰まる。

どうやらネットに書かれていた通り、時計山病院では自殺が相次いでいるようだ。

「しかも、恵子さんのお父さんはあの病院の元院長で、時計台から飛び降りて自殺している。病気を苦にして発作的に死にたくなり、父親が飛び降りたあの場所に向かった。そう考えるのが自然でしょう」

「どんなにつらくても、お母さんは私を残して自殺なんてしません！　きっと誰かに脅されて病院に行ったんです。そして、飛び降りるように……」

そこまで言った由梨は嗚咽を漏らし、言葉が続かなくなる。

「想像だけならどんなストーリーもこじつけられますが、捜査するためにはこれが事件だという根拠がないとね」

「お願いですから、もっと調べてください。そうしたら、絶対に自殺じゃないって分かります」

「そう言われても無理なんですよ」成瀬はぽりぽりと頭を掻く。「今回の件は、すでに検視官による現場検証が行われ、『事件性はない』と判断されましたからね。残念ですけど、我々は行いたくても司法解剖も捜査も行えないんです。申し訳ありませんがね」

由梨は「そんな……」とバランスを崩してすぐわきに置かれていた処置台に手を伸ばす。処置台に置かれていた金属製のトレイが床に落ち、なにかが破裂したようなけたたましい音を立てる。同時に由梨は力なく崩れ落ちた。

「危ない！」そばにいた鴻ノ池が慌てて由梨の体を支える。

「たぶん脳貧血だ。ベッドに運んで血圧測定を。足を軽く挙上して、脳に血が行くようにして」

　僕は鴻ノ池と看護師たちに指示を飛ばす。唯一《ゆいいつ》の肉親と言っていい母親が死亡した精神的ショックに加え、京都からここまで直行した身体的な疲労も重なっている。もしかしたら昨夜から一睡もしていないのかもしれない。倒れるのも当然だ。

「今回の件、自殺と断定していいんですか？　時山恵子さんが飛び降りた廃病院に、おかしな噂が流れているのは知っていますか？」

　由梨への同情心からか、僕は思わず成瀬にそう訊ねていた。

「ああ、幽霊が出るとか、それが人を自殺に追い込んでいるとかですか。馬鹿《ばか》らしい」

「でも、実際にその病院の時計台から、何人も飛び降りて亡くなっているんですよね。それって、異常じゃないですか？」

「異常でもなんでもないですよ。さっき言ったようにあそこは『自殺の名所』だ。近くに住む人間が自殺を思いついたとき、真っ先に思いつくのがあそこなんですよ。だから、あの時計台から飛び降りる奴《やつ》らが後を絶たない。それだけの話です」

　その内容は、さっき僕が鴻ノ池にした解説そのままだった。

「まあ、そういうわけで捜査は行われませんので、普通に葬式などしてもかまいません。そちらで死体検案書を発行してください」

ベッドに運ばれ由梨が治療を受けているのを見ながら、成瀬が言う。

「もう警察はかかわらないということですか？」

「というか、かかわれないというのが正しいですね」

成瀬は淡々と言う。そのお役所的な態度に抵抗をおぼえるが、よくよく考えると仕方ないのかもしれない。警察と言えどマンパワーは限られている。効率よく治安を守るためには、捜査をするべき事件なのか否《いな》か、スクリーニングを行う必要がある。それを行うのが、検視官という仕事だ。

検視官が『事件性がなく捜査の必要はない』と判断した事柄を、末端の捜査員が勝手に調べれば、組織として破たんをきたしてしまうだろう。

けれど……。僕は蒼《あお》い顔でベッドに横たわる由梨に視線を向ける。このまま捜査が行われなければ、彼女はいつまでも母親の死を受け入れられず苦しむことになるだろう。

警察が捜査しないなら、僕とあの人で……。

はっとした僕は、激しく頭を振って脳に湧《わ》いたアイデアを振り払う。なにを馬鹿なことを考えているんだ。僕たちは医者だ。患者の診断と治療こそが仕事で、おかしな事件を調べている暇なんてないはずだ。

知らず知らずのうちに、あの人使いの荒い上司に毒されていたのかもしれない。気をつけなければ。

僕が自らに言い聞かせていると、背後から「おい」と声をかけられた。体が硬直する。

いまの声って……。僕がおずおずと振り返ると、そこには『人使いの荒い上司』が、若草色の手術着の上にぶかぶかの白衣を羽織ったいつも通りの姿で、両手を腰に当てて立っていた。

天久鷹央。統括診断部の部長にして、この天医会総合病院の副院長。

短身瘦軀《そうく》でかなりの童顔のため、よく高校生、ときには中学生に見間違えられるが、二十八歳のれっきとした成人女性だ。

「いったいなんの騒ぎだよ？　なんで成瀬がここにいるんだ？」

鷹央は僕の隣に並ぶと、成瀬の顔をまじまじと見つめる。なにかと事件に首を突っ込んでくる鷹央を苦手にしている成瀬は、渋い表情を浮かべた。

「なんでもありませんよ。もう帰ります。説明は小鳥遊先生から受けてください」

成瀬は「では」と身を翻《ひるがえ》すと、大股《おおまた》で救急室から出ていった。

「説明しろ」

扉の向こう側に成瀬が消えると、鷹央が僕を睨《ね》め上げる。なんとなく機嫌が悪そうだ。

「えっと……。どうして鷹央先生が救急室に？」

もしすべて説明すれば、鷹央は間違いなく『呪いの廃病院』を調べようとする。その確信が、僕に無駄な抵抗をさせる。

「午前は回診だろ。なのに、時間になってもお前が来ないから降りてきたんだよ」

鷹央は苛立たしげに壁時計を指さす。その針は午前九時半を指していた。

統括診断部には各科から、入院患者の診断や治療についてアドバイスを求めて診察依頼が舞い込む。今日は午前九時十五分から回診を行い、依頼があった患者の診察を行う予定だった。

「あー、すみません。ちょっとしたトラブルがあったんですが、もう済みましたから。それじゃあ、回診はじめましょうか。ほら、病棟に行きましょう。ほら、ほら……」

僕は鷹央の背中に手を当てて、出口に向かわせようとする。由梨はもう意識を取り戻しているようだし、午前の救急当番医に引き継いでもいいだろう。とりあえず、なんとか誤魔化し……。

「その前に説明！」鷹央は身をよじって僕の手を振り払った。

誤魔化しきれなかった……。

『呪いの廃病院』を調査することになる予感、いや確信に僕が肩を落としていると、鴻ノ池がいそいそと近づいてきた。

「たっかおせんせー！　どうしたんですか、救急部になんか来て」

ハイテンションな声が睡眠不足で重い頭にひびき、僕はこめかみを押さえる。さっきまで、僕と同様に生ける屍《しかばね》状態だったというのに、なんでこんなに元気なんだろう？　やっぱり歳《とし》の差なんだろうか……？

そんなことを考えつつ、僕は内心で鴻ノ池に声援を送る。うまく話題を変えて、鷹央先生に『呪いの廃病院』について知らせないでいいようにしてくれ。

「おう、舞。お前こそ、どうして救急部にいるんだ？　私は回診に必要だから、小鳥を回収しに来たんだ」

回収って、ゴミじゃないんだから……。

「私は小鳥先生と一緒に救急当直だったんです。二人で熱い夜を過ごしちゃいました」

僕は（明らかに故意に）誤解させるような物言いをした鴻ノ池の後頭部を軽くはたく。比喩《ひゆ》表現などを理解するのが苦手な鷹央は「熱い夜？　昨日は別に熱帯夜ってほど熱くはなかったぞ」と小首を傾げた。

カオスな会話になっているが、これならうまく話題を逸《そ》らすことができたかもしれない。儚《はかな》い期待を胸に秘めていると、鷹央に近づいた鴻ノ池が、小声で囁きはじめる。

「で、鷹央先生。さっきのトラブルのことですけど、昨日の午後十時ごろ、転落して心肺停止の患者さんが運ばれて来たんですよ。それでですね……」

あ、こいつよくも……。

『呪いの廃病院』についての説明をはじめた鴻ノ池に、頬が引きつる。しかし、いまさら止めることもできなかった。僕は疲労がさらに重くなっていくのをおぼえながら、鷹央の顔に好奇心の光が灯《とも》っていくのをただ眺め続ける。説明を終えた鴻ノ池は満足したのか、「由梨ちゃんの様子見てきますね」と去って行った。

「自殺者が頻発する『呪いの廃病院』か……。興味深いな」鷹央の口角が上がっていく。

「いや、鷹央先生、そんなの特に不思議なもんじゃないですって。ただ『自殺の名所』になって、自殺志願者が集まって来ただけで」

鷹央の胸に燃え広がった好奇心の炎を、僕は必死に常識的な解釈で消そうとする。脳裏に、燃え盛るキャンプファイヤーにお猪口《ちょこ》で水をかける自分の姿がよぎった。

「けれど、今回搬送されてきた患者の娘は、母親は絶対に自殺なんてしないと言い張っているんだろ」

「いや、まあそうなんですけど……。けど、病気を苦にしていた可能性は十分に……。それに、実際に人が死んでいるんです。好奇心だけで首を突っ込むのは不謹慎というか、なんというか……」

「好奇心だけじゃないぞ」

鷹央は少し離れた位置に置かれたベッドに横たわる由梨を指さす。笑みが消え、引き締まった彼女の表情は、医師としての顔になっていた。

「亡くなった患者の身内が、絶対に自殺じゃないから捜査をして欲しいと、必死に頼んでいるんだろ。自殺したんであろうとなかろうと、真実を知ることは母の死を受け入れ、立ち直る手助けになるはずだ」

僕は由梨の顔を眺める。意識こそ戻ったようだが、蒼白《そうはく》な顔には強い哀《かな》しみと不安が刻まれていた。

たしかに鷹央先生の言うとおりだ。母親の身になにがあったのか、なぜ死んでしまったのか、彼女は知る権利がある。僕はため息をつきながら覚悟を決める。

「……分かりましたよ、鷹央先生。調べましょう。それで、なにからはじめますか」

「当然、関係者の訊問《じんもん》からだ」

鷹央はぐるっと首を回すと、少し離れた位置にいた時山文太を見た。脂肪で包まれた体を震わせる文太に、鷹央は大股に近づいていく。

「お前が、亡くなった時山恵子の兄だな」

「そ、そうだけど、君は？」

突然声をかけられた文太は、軽く反り返る。シャツに包まれた腹の脂肪が震えた。

「私は天久鷹央。統括診断部の部長で、この病院の副院長でもある」

鷹央は手術着に包まれた薄い胸を張った。

「部長？　副院長？」

文太が戸惑い声で言う。一見すると未成年に見える鷹央と、その肩書のギャップに困惑しているのだろう。よくある反応だった。

「時山恵子は病気以外のことで、なにか悩んでいなかったか？　または他人に恨まれていたことはないか？」

「え？　いや、なんでそんなこと聞くんですか？」

文太の顔に浮かぶ戸惑いが濃くなる。まあ、なんの前置きもなくそんなことを訊《き》かれたら、当然だろう。空気を読み、相手の立場を想像して行動することを先天的に苦手とする鷹央は、他人とのコミュニケーションにおいてトラブルを起こしがちだ。そんなとき間に入って緩衝材となるのが、部下としての僕の大きな役割の一つだった。

ということで、僕は慌《あわ》てて鷹央の隣に移動する。

「死体検案書を書くのに出来るだけ詳細な情報を記載しようと思いまして」

文太は「はあ……」と生返事をする。

「で、どうなんだ。お前の妹はなにか悩んでいたり、誰かに恨まれていたりしなかったのか?」

「いや、妹と言ってももういい歳ですし、それほど仲が良かったわけじゃないんですよ。年に一、二回、電話で話すぐらいですかね。だから、詳しいことまで知りませんよ」

「それでも、なにか知っていることはあるだろ。兄妹《きょうだい》なんだから」

間髪いれずに質問してくる鷹央が煩わしいのか、文太は軽く顔をしかめた。

「そりゃ、少しぐらいは知っていますよ。必死に働いて娘を育てていました。まあ看護師だから、働き口には困っていなかったみたいです」

「恵子さんはナースだったんですか?」

「はい、ただ経済的にはかなり苦しかったみたいですね。由梨の父親から養育費などは受け取っていなかったらしいですから。由梨をなんとか大学に入れてあげたいけれど、いまのままじゃ無理かもしれないと言っていました。ただ、あいつを恨んでいるような奴はいないとは思いますけどね。兄の私が言うのもなんですけど、優しい妹でしたよ。人に恨まれるような性格ではありませんでした」

「なるほど、病気以外にも、悩みは一応あったということだな」

「まあ、他にも悩みがあったけれど、私には話してないだけかもしれませんね。さっき言ったように、兄妹とはいえ、それほど親しくなかったので。私は名古屋に住んでいるんで、ほとんど顔も合わせませんでしたし」

「親しくなかったのに、なんでお前が呼ばれたんだ？」鷹央が小首を傾げる。

「成人の親戚では、私が唯一、すぐに来られる範囲に住んでいるので、恵子が緊急時連絡先に指定していたみたいです。あと、私の上にもう一人兄がいて、恵子とはそれなりに連絡を取っていたようですが、シンガポールに住んでいるので」

「ということは、お前があの子を引き取るのか？」

鷹央が由梨を指さすと、文太は渋い表情を浮かべる。

「いや、さすがにそれは……。私も三年ほど前に離婚して、マンションに一人暮らしなんです。それに、由梨とは何度か顔を合わせたことがあるぐらいなので……」

「じゃあ、実の父親か？」

「いや、それはないでしょう」

文太は首を横に振った。首の脂肪がプルプルと震える。

「由梨自身が嫌がるはずです。自分と母を捨てた父親を恨んでいますから。最善策は、一番上の兄が引き取ってくれることなんですが……。電話で恵子のことを伝えたら、一度帰国するということでしたので、そのときに相談しようかと思っています」

支え合って生きてきた母を失い、頼るべき大人もいない。いまだ蒼い顔でベッドに横たわる少女に対する同情心が膨らんでいく。

「ところで、お前たち、名字が時山ってことは、事件現場になった時計山病院の関係者なのか？」

「ええ、そうですよ。もう十年以上前に潰れた病院ですけどね」

皮肉っぽく分厚い唇の片端を上げながら、文太は頷く。

「うちの家系は代々、あの病院を経営していました。戦前からね。父はあの病院の最後の院長です」

ああ、やっぱりそうだったのか。僕はさっきネットで見た、時計山病院の情報を反芻《はんすう》する。

「なるほど、医療過誤を起こして、そのあと屋上の時計台から飛び降りた医者は、お前の父親か。そのせいで患者が激減して、病院は経営破たんしたんだよな」

鷹央があっさりと、僕が思っても言わなかったことを口走る。文太は表情を引きつらせながら「……そうですよ」と答える。

「いやあ、あのときは大変だったぞ。時計山病院は地域の中核病院だったからな。行き場所を失った患者がうちの病院に殺到した。まさか、百年近く歴史がある病院があんなにあっさりと潰れちまうとはな。驚きだったよ」

文太の顔がどんどんと紅潮していく。はた目には挑発しているとしか見えない光景だが、鷹央には微塵《みじん》もそんな意図がないことを僕は知っていた。他人《ひと》の気持ちを慮《おもんぱか》る能力に欠けている彼女は、時計山病院で起こった事実を確認することで、文太がどのような気持ちになるのか、想像することができないのだ。

ここは緩衝材、つまりは僕の出番だ。

「恵子さんが昨夜、時計山病院に行ったのは、なぜなんでしょうか?」

僕が話に割って入ると、文太は鷹央を睨んだまま口を開く。

「娘で、しかも末っ子っていうこともあって、親父《おやじ》は恵子を可愛がっていました。飛び降りるなら、親父と同じ場所からって思ったんじゃないですか?」

「恵子さんは、自殺なさったと思っていらっしゃるんですか?」

僕が訊ねると、文太は意外そうな顔をする。

「そりゃそうでしょう。警察がそう言っているんだから。まあ、由梨が信じたくない気持ちも分かりますけどね」

「そうとは限らないぞ。警察だってよく間違える。私はよくその『間違い』をただしてやっているんだ」

鷹央が誇らしげに言うと、文太は「は?」と眉をひそめた。

「それよりほかにも聞きたいことがある。さっき、時山恵子は経済的に苦しかったって言っていたが、遺産はなかったのか? 時山家といったら、地元の名士だっただろう」

「そんなの戦前の話ですよ」文太は自虐《じぎゃく》的に鼻を鳴らす。「敗戦時、GHQによって資産の大半は没収されました。その後も病院経営でそれなりの生活をしていましたけど、親父の医療ミスの慰謝料と、病院の経営破たんで財産は根こそぎ消えちまいましたよ。私たちが相続できたのは、あの潰れた病院とその土地ぐらいです。あの土地は三分割して、兄妹三人で分けました」

「土地があるなら売ればいいんじゃないか？」

「先祖代々守ってきた土地を売ることに兄と妹が難色を示していたんですよ。まあ、売ったところで大して利益になりません。それどころか、逆に損をする可能性もある」

「損をする可能性？」

僕が聞き返すと、文太は「そうですよ」と肩をすくめる。

「一応都内とはいえ、二十三区からも駅からもかなり離れた場所。しかも、丘の上という不便な場所にある土地です。高値はつかないんですよ。さらに、土地のど真ん中には大きな廃病院が鎮座している。あれを崩して更地にしないと買い手がつきませんが、取り壊しにはかなりの費用が掛かる。だから、放置するしかないんですよ」

「なるほどな」鷹央は腕を組みながら頷く。

「もういいですかね？　これから葬儀社に連絡したりと色々忙しいんですよ」

「あなたが手続きをするんですか？」

「仕方ないでしょ。さすがに由梨には無理でしょうから。さっきの刑事さんにも、特に捜査はしないから、普通に葬儀をしてもいいと言われましたからね。私も何日もクリニックを休むわけにはいかないんで、身内だけで済ませて、名古屋に戻りたいんですよ」

言い方はひっかかるが、身内として一応葬儀を主導するつもりらしい。妹とはいえ、あまり親しく付き合っていなかったら、これくらいの対応が普通なのだろうか。

「うん、まあとりあえずいいぞ。あとで訊きたいことができたら連絡するんで、名刺貰《もら》えるか？」

突き出された鷹央の手に、渋い顔で名刺を一枚渡すと、救急室から出ていった。

色々と連絡するべきところがあるのだろう。彼の姿が扉の向こう側に消えていくのを確認すると、鷹央は「さて、次だ」と由梨が横たわっているベッドに近づいていく。

「ちょ、ちょっと鷹央先生」

僕が慌てて声をかけると、鷹央は足を止め「なんだよ？」と振り返る。

「あの子は急に母親を失って大きなショックを受けているんです。だから、あまり動揺させるようなことを言わないようにしてくださいね。うまく言葉をオブラートに包んでですね……」

「そんなこと分かってるよ。私を誰だと思っているんだ、心配するな」

いや、あなただから心配なんだけど……。

僕が胸の中で突っ込みを入れていると、鷹央はパタパタと履いているスリッパを鳴らして離れていった。仕方がないので、僕は彼女の後ろについていく。下手なことを言い出したら、無理やりにでも口を塞《ふさ》いで、由梨から引き離さないと。

「母親が自殺ではない根拠はあるのか？」

ベッドに近づくなり、鷹央はなんの前置きもなく言った。由梨は「えっ？　えっ？」と視線を彷徨わせる。

いきなりオブラートが破けている。もう、さっさと口を塞いで外に連行するべきだろうか。迷いつつ、僕は鷹央の背後で両手を広げた。

「こちらは天久鷹央先生、統括診断部っていう部署の部長で、この病院の副院長でもあるの。それでね、患者さんの色々なトラブルを解決してくれる人なんだよ」

ベッドサイドに立っている鴻ノ池が、由梨の肩に手を置きながら優しく声をかける。鴻ノ池がうまくフォローしてくれたおかげで、由梨の顔に浮かんでいた恐怖と警戒心がいくらか薄くなった。

「もう一度訊くぞ、母親が自殺ではない根拠がなにかあるのか？」

「お母さんは絶対に自殺なんてしません！　だって、お母さんが私を一人にするわけないから」

ベッドから身を起こして声を張り上げる由梨を見て、鷹央はあごを撫《な》でた。

「それは明らかな根拠とは言えないな」

由梨の顔に失望が走る。しかし、すぐに鷹央は「だが」と続けた。

「誰よりも近くで母親を見てきたお前の意見はとても重要だ。お前がそこまで断言するなら、調べてみる価値は十分にある」

一瞬、由梨の表情が明るくなる。しかし、彼女はすぐに力なくうなだれた。

「でも、警察は捜査しないって、さっきの刑事さんが……」

「警察なんかに頼る必要はない。あいつらより、ずっと真実を見つける能力が高い者がここにいる」

「え……、どこにですか？」

由梨が目をしばたたかせると、鷹央は「ここだ」と口角を上げた。鴻ノ池が由梨に耳打ちする。

「鷹央先生はね、警察でも解けなかった事件を、いくつも解決してきたのよ」

そして、そのたびに僕が連れ回されて酷《ひど》い目に遭ってきたんだよ。

これまでに鷹央とともに巻き込まれた様々な事件が脳裏によみがえり、げんなりしてしまう。

「あなたが……」

呆然《ぼうぜん》とつぶやく由梨に、鷹央は再び質問をぶつける。

「母親がなんで廃病院の時計台から転落したのか、その真相を知りたいか？」

「知りたいです！」

上半身を跳ね上げた由梨に、鷹央がぐいっと顔を近づけた。

「本当に知りたいのか？　よく考えろ。どんな真実が見えてくるのか、誰にも分からないんだぞ。もしかしたら、母親にはお前が知らない裏の顔があったのかもしれない。もしかしたら、誰かに酷《むご》い方法で殺されたのかもしれない。もしかしたら、母親は本当に自殺したのかもしれない。知らなかった方が幸せだった事実が見えてくるかもしれないんだ。それでもお前は、なぜ母親が命を落としたのか知りたいのか」

鷹央の言うとおりだ。なにも知らない方が幸せである可能性は十分にある。

それを理解したうえでも、由梨は真実を求めるのだろうか。僕は（いつでも鷹央の口を塞げるように準備したまま）由梨の答えを待つ。

由梨の手がシーツを強く摑《つか》んだ。

「知りたいです！　お願いです、なんでお母さんが……あんなことになったのか、調べてください。そのためにはなんでもします！」

覚悟のこもった由梨の言葉に、鷹央は大きく頷いた。

「分かった、私が調べてやろう。お前の母親になにが起きたのか」

由梨は目を潤《うる》ませながら、「ありがとうございます！」と頭を下げた。

「あの、話の腰を折って悪いんですけど。大丈夫ですか、安請け合いをして……」

（構えていた手を下げた）僕は、鷹央に耳打ちする。鷹央は「なにが言いたいんだよ」と頰を膨らませた。

「だって大きな事件のときは、ほとんど警察に協力する形でかかわっているじゃないですか。けれど、今回は警察が全く捜査をしないんですよ。そうなると、解剖とかも出来ないし」

「そんなことないぞ。解剖はできる」

主に大学の法医学講座の教授などによって行われている司法解剖は、犯罪捜査の根幹だ。それによって、被害者がいつ、どこで、どのように死亡したかについての重要な情報が得られ、事件解決への大きな手掛かりになる。

鷹央のセリフに僕は首を傾ける。

「え？　でも司法解剖って、検視官によって事件性があると判断した場合だけ行われるんじゃ……」

「誰が司法解剖をするって言ったよ。優秀な解剖医ならこの病院にもいるだろ」

「病理解剖をするつもりですか⁉」思わず声が跳ね上がる。

病理解剖は主に、病死した患者を解剖して詳しく調べることで、疾患の診断が正しかったか、治療の効果がどれほどあったのかなどを調べ、医学の進歩に役立てるためのものだ。死因や死亡推定時間などを調べる司法解剖とは、目的が根本的に異なる。

「うちの病理医の久保《くぼ》は法医学の知識もある。十分に手がかりを見つけ出してくれるはずだ」

「けれど、今回みたいな事故で病理解剖は……」

疾患の経過を見る病理解剖を今回のような事故死で行うことはまずない。

「なに言っているんだよ。お前がうちの病院に来てすぐのときやっただろ」

そう言えばそうだった。鷹央とともにかかわった最初の事件を思い出し、僕は頭を押さえる。「宇宙人に誘拐され、頭になにか埋め込まれた」と訴えた者たちが、外来診察中に十階の窓から飛び降りたり、救急医を殺害したあの恐ろしい事件。あのとき、たしかに転落死した男の病理解剖を行った。

僕が黙ったのを見て、鷹央は「さて」と由梨に向き直る。

「いま言ったように、事件解決の手掛かりをつかむため、お前の母親の遺体を解剖したい。それには、娘であるお前の許可が必要だ」

「お母さんを……解剖するんですか？　お母さんの体を……切るんですか？」

由梨の声が震える。肉親の遺体にメスを入れられることに、強い拒否反応を示す遺族は少なくない。未成年の少女にとっては酷な選択だろう。

「そうだ、母親の胸部と腹部を切り開き、内臓を抜き出して詳しく調べる。必要に応じては、頭部の切開も行い、脳も調べさせてもらう。あと……」

正直に、誤魔化すことなく鷹央は解剖の詳細を伝えていく。蒼白かった由梨の顔から、さらに血の気が引いていった。

「それをしないと……いけないんですか？」

喘《あえ》ぐように由梨が訊ねると、鷹央は重々しく頷《うなず》いた。

「解剖をすることで、死因を特定できる。お前の母親が本当に転落死したのか、それとも、何らかの理由で死亡したあと転落したのかを」

そこで一度言葉を切った鷹央は、「それに……」と声を低くした。

「もし、お前の母親が何者かによって殺害されたとしたなら、解剖によってその痕跡《こんせき》が見つかる可能性が高い。以上のことより、事件の調査には、解剖が必要なんだ」

「殺害……」

由梨の呼吸が乱れていく。シーツをつかむ手が細かく震えだす。彼女の肩に手を置いている鴻ノ池が不安げにその姿を見つめていた。

鷹央は回答を急かすことなく、由梨を見守り続ける。

「……お願いします」か細い由梨の声が沈黙を破った。

「いいんだな？」

鷹央が念を押すと、由梨は青ざめた唇を噛《か》み、力強く頷いた。

「はい！　だから、お願いします。お母さんの身になにが起きたのか、なんでこんなことになったのか教えてください！」

鷹央は唇の端を上げると、拳《こぶし》で自らの胸をたたいた。

「ああ、私に任せておけ」

3

「回診、終わりましたー」

解剖室の扉を開くと、中には鷹央、鴻ノ池と並んで、サンタクロースのような白ひげを蓄え、解剖用の防護ガウンをまとった壮年の男性がいた。

「おお、小鳥遊先生。お久しぶり」

白ひげの男、天医会総合病院の病理医である久保健作《くぼけんさく》が手を振る。僕は「お久しぶりです」と会釈をした。去年の七月に起きた、宇宙人にさらわれたと訴える男が転落死した事件の際も、久保が解剖を担当していた。

「まだ、解剖ははじまっていないんですか？」

入り口に置いてあったマスクをつけながら、僕は部屋に入っていく。

鷹央が解剖について久保に相談したいと言い出したので、仕方なく午前の回診は僕が一人で行うことになった。診察の依頼内容は事前に鷹央が全部チェックしていて、僕は彼女の指示通りに診察し、検査をオーダーするだけだったので、一人でも問題なく行うことができた。二時間ほどかけて一通りの回診を終えた僕は、こうして解剖室へとやってきた。

「ちょうどいまからはじめるところだよ」

鷹央が奥を指さす。解剖台の上には人の形に盛り上がった白い布があった。

あの下に、時山恵子さんの遺体がある。由梨さんの母親の遺体が。

強い葛藤《かっとう》のтой母親の解剖に同意した由梨の顔を思い出し、僕は口元に力を込める。

つらい決断をした彼女のためにも、解剖でなにか手がかりが見つかればいいのだが。

「小鳥先生、ナイスタイミングでしたね。私が解剖の助手を務めるつもりでしたけど、やっぱりこういうのは元外科医の先生の方が、腕がいいですしね」

声をかけてくる鴻ノ池に、僕は横目でじっとりとした視線を浴びせる。

「……なんでお前がいるんだよ？」

「なんですか、その言い方？　私だけ仲間外れにするつもりですか？」

「仲間外れもなににも、お前はいま外科を回っているんだろ。そっちの方の仕事はどうなってるんだ。こんなところにいてもいいのか？」

「あれ、知らないんですか？　研修医は当直明けの午前中は勤務が免除されているんです。仮眠とかとれるように。最近、そういう病院増えていますよ」

そうなのか……、いい制度だな。馬車馬のように働かされ、心身ともに限界まで追い込まれた自分の研修医時代を思い出し、隔世の感を抱いてしまう。

「けど、それなら仮眠とって、午後からの勤務に備えてればいいだろ」

「恵子さんの蘇生《そせい》には私も参加したんですから、最後まで見届けたいんですよ。由梨ちゃんのことも心配だし。大丈夫です、さっき三十分仮眠とったんで、全快ですよ」

鴻ノ池はおどけて力こぶを作る。

当直の疲労が、三十分の仮眠だけで回復するのか。やっぱり若さなのだろうか？

敗北感をおぼえつつ、僕は解剖の助手を務めるため、防護ガウンを身に着けていく。

そのとき鷹央が「なあ……、舞」と声を上げた。

「はい、どうしましたか？」

「解剖の記録、頼んでもいいか？」

「え？　もちろんいいですけど、鷹央先生はどこに行くんですか？」

「私は〝家〟で時計山病院について調べてるよ」

弱々しく言うと、鷹央は力無い足取りで、そのまま解剖室から出て行ってしまった。

「どうしたんでしょう、鷹央先生。なんか、あんまり元気なさそうでしたけど」

鴻ノ池が小首を傾《かし》げる。

「たしかに。あの人なら絶対、解剖にも最後まで立ち会うと思っていたのに」

解剖室から出ていくとき、元々華奢《きゃしゃ》な鷹央の背中がいつも以上に小さく見えた。なぜか胸騒ぎがしてくる。

「まさか……、時計山病院の呪《のろ》いとかじゃないですよね」鴻ノ池が躊躇《ためら》いがちに言う。

「呪い？　なに言っているんだよ、お前」

「いえ、時計山病院の呪いについて、さっきネットで調べたじゃないですか。その中に、現場に行かなくても病院のことを調べただけで呪われる可能性があるみたいなことが書かれていたんで、ちょっと不安に……。鷹央先生、時計山病院について徹底的に調べるって宣言したじゃないですか」

「なに言っているんだよ。呪いなんて、そんな馬鹿なことあるわけないだろ。どうせ、お菓子を食べ過ぎて胃がもたれているとか、そんなところだよ」

僕は早口で言う。なぜか、声がかすかに震えた。

「ですよね。すみません、当直明けでテンションがおかしくなっちゃって」

鴻ノ池が乾いた笑い声をあげる。

「さて、そろそろはじめてもいいかな。鷹央ちゃんの依頼で、司法解剖並みにしっかりと調べないといけないんでね。普段の病理解剖よりかなり時間がかかるんだよ」

久保に促された僕は、「あ、すみません」と言うと慌てて防護マスク、防護グラスを身につけ、解剖台を挟んで彼の対面に立つ。久保は解剖台に掛けてあった白い布を、綺麗《きれい》に折りたたみながら取り去った。その下から、時山恵子の痛々しい遺体が姿を現わす。僕はマスクの下で唇を軽く噛んだ。

「それでは、お願いします」

折りたたんだ布をわきに置いた久保は、遺体に向かって恭《うやうや》しく一礼をする。僕と鴻ノ池もそれに倣《なら》った。

久保は器具台から手術用のものよりはるかに大きく無骨な、解剖メスを手に取る。

遺体の胸元に当てられた刃先が、蛍光灯の明かりを妖《あや》しく反射した。

4

「お疲れ様でーす」

扉を開けた僕の気の抜けた声が、薄暗い部屋の空気を揺らす。

数時間の解剖の立ち会いを終えた僕は、天医会総合病院の屋上に建つ鷹央の〝家〟であり、統括診断部の医局も兼ねる建物にやってきていた。初夏の気長な太陽も、すでに西に傾き、影が長くなっている。

西洋童話に出てきそうな赤レンガで出来たファンシーな外観とは対照的に、窓には遮光カーテンが引かれて薄暗く、いたるところに鷹央の蔵書がうずたかく積み上げられて〝本の森〟と化している室内は、相変わらず不気味な雰囲気を醸《かも》し出している。

淡い間接照明で照らされた部屋の奥、パソコンデスクの前の椅子《いす》に、鷹央は胡坐《あぐら》をかいて座っていた。ディスプレイの光に浮かび上がる彼女の後姿は、何となく巨大な鍋《なべ》で毒を作っている魔女をイメージさせる。

「鷹央先生、終わりましたよ」

部屋に上がった僕は、鷹央の背後に近づくと、その肩を軽く叩《たた》いた。

「うわっ、誰だよ！」鷹央は大きく体を震わせて、椅子ごと振り返る。「なんだ、小鳥か」

「なんだってことはないでしょう。ようやく解剖が終わったから報告に来たのに」

「解剖……？　ああ、解剖な……」鷹央はこくこくと頷く。

「大丈夫ですか、鷹央先生。なんとなく調子悪そうですけど」

「べつに大丈夫だ。ずっと調べごとをしていたから、少し疲れただけだよ。それより、解剖の結果はどうだった？」

なにかを誤魔化すように、鷹央は早口で言う。

「腹腔《ふくくう》内に膵臓癌《すいぞうがん》の転移が認められました。ただ、それ以外に疾患は確認できませんでしたし、落下時に出来たと思われる外傷以外の異常な点もありませんでした。今後、臓器の組織を顕微鏡で見て調べますし、指示通り鷹央先生の知り合いの研究室に血液を送って毒物の検査をしてもらうように頼みました。ただ、その辺りの結果が出るのには数日はかかるでしょうね」

「いまのところ、解剖では特に異常は見つからなかったっていうことか」

やけに重いため息をつく鷹央の肩越しに、僕はディスプレイを覗《のぞ》き込む。鷹央が自作したという超ハイスペックコンピューターの画面には、時計山病院についての噂《うわさ》が書かれたホームページのウィンドウがいくつも並んでいた。これから鷹央が何を言い出すか想像して、頰が引きつってしまう。

「被害者から情報が得られなかったということは、次に調べるべきは事件現場だな」

ほら来た。予想通りのセリフに、僕は口を開いて機先を制する。

「今日は行きませんからね！」

「あ？　なに言っているんだお前？」

鷹央は訝《いぶか》しげに猫を彷彿させる大きな目を細める。

「どうせ、いまから時計山病院に行って、現場を調べるから付き合えって言い出すんでしょ。でも、今日は無理です。当直で一睡もしていないうえ、数時間立ちっぱなしで解剖の助手を務めたんですよ。さすがに限界です。帰って休ませてもらいます」

僕は早口にまくし立てる。記録を担当していた鴻ノ池が午後から抜けたので、解剖の後半、僕は助手と記録の両方を務めなければならなかった。当直明けの体にはさすがに負担が大きく、もうふらふらだ。この状態で、時計山病院の調査まで付き合うのはさすがにきつすぎる。

といっても、結局は今晩、深夜の廃病院に連行される羽目になるのだろうな。諦《あきら》めの感情が胸に広がっていく。この病院に出向してきてから一年弱、何度も同じようなシチュエーションがあった。そして、全《すべ》ては好奇心という燃料で、暴走機関車のように猛進していく鷹央に押し切られている。

せめて行くなら早めに切り上げてもらえるようにしよう。明日の金曜は、朝から夕方まで一日救急部での勤務になっている。さすがに連続徹夜では体がもたない。

「今日は行かないぞ」

僕が妥協案を提案しようかと口を開きかけたとき、鷹央がそう言った。「へ？」という呆《ほう》けた声が僕の口から零《こぼ》れる。

「行かないん……ですか？」

「なんだ、お前今晩行きたいのか？　それなら……」

「いえ、行きたくないです！　やっぱり調査するには事前の準備が重要だと思うんですよね。だから、時計山病院についてもっとしっかり調べてからにしましょう。そうですよ、そうしましょう」

鷹央の気が変わっては大変と、僕は必死に言葉を重ねる。

「ああ、そうだな。それに、今日は少し疲れているから、現場に行く気力が湧かないんだよ。とりあえず今夜、時計山病院の噂について調べておくから、調査は明日の夜にするか。そうだ、せっかくだから舞にも連絡して連れていくか」

僕は「はぁ」と生返事をする。今夜、調査に付き合わされることは回避できたようだが、胸は喜びよりも不安で満たされていた。

少し疲れている。不可解な事件を前にしたこの人が、疲れている？

これまで、鷹央とともに何度も不可解な事件に巻き込まれ、それを解決してきた。無限の好奇心を持つ彼女は、一度謎《なぞ》を前にすると、スッポンのごとく食らいつき、決して離すことはない。そして、小さな体躯《たいく》に収まりきらないほどの熱量で事件解決に邁進《まいしん》していくのだ。そのはずなのに、疲れているから調査を明日に延ばすなんて……。

呆然としている僕を尻目《しりめ》に、鷹央は気怠《けだる》そうにマウスを操作しはじめる。

「もう仕事は残っていないんだろ。今日は帰っていいぞ。明日、お前の勤務が終わるあたりで救急部に行くから、そこで舞と合流して調べに行こう」

「はい、分かりました……」

僕は頷くと、玄関へと向かう。扉のノブを掴んだところで、振り向いて鷹央を見る。

「あの、鷹央先生」

鷹央は緩慢に首だけ回して、「なんだ？」と僕を見た。

「えっと……、大丈夫ですか？」

「なにがだ？」

目をしばたたかせる鷹央に、「いえ、なんでもないです」と答えて僕は〝家〟をあとにする。

三十時間以上睡眠をとっていないせいで体が重かった。鷹央の〝家〟の裏手に建つ、僕のデスクが置かれている小さなプレハブ小屋へと向かう。

夜の匂《にお》いを孕《はら》んだ風に首元から体温を奪われ、身を震わせる。

「時計山病院の呪いじゃないですよね」

さっき鴻ノ池がつぶやいたセリフが耳に蘇《よみがえ》った。

5

「……と言うわけで、第二ベッドの大葉性肺炎の患者はすでに呼吸器病棟の入院が決まって、もうすぐナースが引き取りに来る予定です。引き継ぐ患者は以上です」

翌日、金曜日の午後六時、救急部での勤務を終えた僕は、当直の救急医に患者の引き継ぎを行っていた。

「了解です、お疲れ様でした」

そう言って救急医が離れていくのを見送って、僕は大きく息をつく。これで一仕事終えることができたが、今日はこれからもう一つ仕事が残っている。

鷹央とともに時計山病院の調査をするという大仕事が。

「とりあえず、ここで待っとけばいいんだよな」僕はひとりごつと、天井を見上げる。

今朝、救急部の勤務をはじめる前に、屋上の〝家〟に顔を出したのだが、鷹央に会うことができなかった。おそらく、〝開かずの扉〟の奥にある寝室にいるのだと思ったが、眠っているところを起こすのは申し訳ないし、そもそも「寝室に入ったらマジでぶっ殺す」と警告を受けているので、声をかけることなく救急部に降りてしまった。きっと、昨日遅くまで時計山病院について調べていて、寝坊しているだけだ。何度も自分に言い聞かすのだが、なぜか胸郭の中では不安が膨らみ続けていた。

腕時計に視線を落とす。時刻は午後六時三分になるところだった。

ここで待っているように言われたけど、〝家〟に行った方がいいだろうか？　もし、五分まで待って、鷹央先生が来なかったら……。そわそわしながらそんなことを考えていると、廊下に繋《つな》がる扉が勢いよく開いた。

「鷹央せんせ……」

そう言いかけたとき、「こんばんはー」という底抜けに明るい声が響きわたる。入ってきたのは、Tシャツにタイトなジーンズというラフな私服姿の鴻ノ池だった。

「……なんだ、お前かよ」

「なんですか、その反応は。せっかく可愛《かわい》い後輩がやってきたのに」

「自分で可愛いとか言うなよな」

「なんですか？　私、それなりに可愛くないですか？　そりゃ、自分でもすごい美人だとは思っていませんけど、けっこうチャーミングだと思いません？　こう見えても、よく同僚の男子研修医から告白されたり……」

「ああ、うざったいな。その言動が可愛くないって言うんだよ」

テンション高く絡《から》んでくる鴻ノ池を、僕は虫を追い払うように手を振る。

「けど、鷹央先生と夜の冒険楽しみだなぁ。なんか、前回の人体自然発火現象の辺りから、私も統括診断部の一員になれているような気がして嬉《うれ》しいんですよね。いやあ、もうすぐはじまる統括診断部での研修、楽しみだなぁ」

鴻ノ池は両手を組んで顔を輝かせる。

ああ、そう言えばこいつ、もうすぐうちに研修に来るんだっけ。鷹央のお守だけでも疲労困憊《こんぱい》なのに、天敵のこいつまでやって来たらどうなってしまうのだろう。恐ろしい未来像に、背筋が冷えていく。

「で、鷹央先生はどこですか？　六時にここに来るように言われたんですけど」

鴻ノ池はきょろきょろと左右を見回す。

「まだ来てないんだよ」

「えー、珍しいですね。鷹央先生、めちゃくちゃ時間に正確なのに」

たしかにそうだ。鷹央は予定が狂うことを病的なほどに嫌う傾向がある。それなのに、約束の時間に姿を現わさないなど、普通じゃない。

「やっぱりおかしい。ちょっと〝家〟を覗いてくる」

「え？　ここで待っていた方がいいんじゃないですか？　すれ違いになっちゃうかもしれませんよ」

「昨日から、鷹央先生の様子が少しおかしいんだよ。お前が廃病院の呪いかもとか言い出すから、気になっているんだ」

「でも、小鳥先生、呪いなんてあり得ないって言っていたじゃないですか」

「いや、もちろんあり得ないと思っているよ。けどな……」

そのとき扉が開いた。

「あっ、鷹央先生」

重い足取りで救急部に入ってきた鷹央を見て、鴻ノ池が嬉しそうに声を上げる。

「よかった、何もなくて。小鳥先生がさっきから凄《すご》く心配していたんですよ。時計山病院のことを調べようとしたから、鷹央先生が呪われたんじゃないかって」

僕が「いや、別に心配とかは……」と言葉を濁すと、近づいてきた鷹央がじろりと睨《にら》んできた。

「なんだよお前、まだ救急部のユニフォームのままか。さっさと屋上で着替えて来い」

虫の居所が悪いのか、鷹央は苛立《いらだ》たしげに言うが、心なしかその口調には覇気がなかった。よく見ると、頰も少し上気しているように見える。

「は、はい……。それじゃあ……」

僕は躊躇《ためら》いつつも、出口へと向かう。機嫌は悪そうだが、とりあえず問題はないようだ。鴻ノ池に呪いとか馬鹿《ばか》なことを吹き込まれたせいで、余計な心配をしてしまった。

扉を開けて出ていこうとしたとき、背後でドンッという音が響き、直後に「鷹央先生⁉」という悲鳴じみた鴻ノ池の声が響いた。

振り返った僕は凍り付く。鷹央が床に倒れ、苦しげに喘いでいた。

廃病院の呪い。その言葉が脳裏をよぎる。

「鷹央先生、大丈夫ですか！」

気づいたら僕は鷹央に駆け寄り、四《よ》つん這《ば》いになって彼女の顔を覗き込んでいた。鷹央は虚《うつ》ろな瞳《ひとみ》で僕を見る。半開きの彼女の口から「こと……り……」と弱々しい声が漏れてくる。

「どうしたんですか、鷹央先生⁉　なにがあったんです⁉」

震える手を伸ばしかけたとき、僕と鷹央の間に人影が割り込んできた。

「意識はあるが呼吸が浅くて速い！　ひどい高熱だ。すぐにベッドに移してバイタルを測って、生理食塩水で点滴ラインを確保。採血で血算・生化学の測定を」

僕の前に体を入れた当直の救急医が、看護師と研修医に素早く指示を出していく。すぐに看護師がストレッチャーを持ってきた。医療スタッフたちが鷹央の小さな体をストレッチャーに載せると、処置室へと連れていく。

「待ってください！　僕も……」

後を追おうとした僕の前に、厳しい顔をした鴻ノ池が立ちはだかる。

「小鳥先生はここで待っていてください！」

「なんでだよ！　倒れたのは鷹央先生なんだぞ！」

鴻ノ池の体を押しのけて処置室に向かおうとした瞬間、手首、肘《ひじ》、肩に激痛が走り、僕はつま先立ちになる。

「鷹央先生だからこそです」

僕の腕を捻《ひね》りあげ、背中側で極《き》めながら鴻ノ池がつぶやく。僕の体が震える。

「小鳥先生は鷹央先生に近すぎます。鷹央先生の治療を冷静に行うことができません。一人でもパニック状態の医療スタッフがいたら、治療に支障をきたします」

正論が胸に突き刺さる。

「倒れたのが救急部だったことが不幸中の幸いでした。医療スタッフは足りています。だから、小鳥先生はそこのソファーに座って待っていてください」

鴻ノ池は僕の腕を捻り上げたまま移動する。痛みで僕の足も自然に動いてしまう。たしかこれって警察官の逮捕術で使われる合気道の技だっけ。関節が軋《きし》むような痛みに顔をしかめながら、ソファーのそばまで連れていかれた僕を、鴻ノ池は（関節技を駆使して強引に）ソファーに座らせる。

「いいですか、私がどんな状況なのか確認してきます。だから、ここで大人しく座っていてください。もし、処置室についてきたら今度は肩関節を外しますからね」

僕の腕を解放した鴻ノ池は、鼻先に指を突きつけてくる。彼女の顔が青ざめていることに、僕はようやく気づく。鴻ノ池も僕と同じぐらい心配なのだろう。

研修医である鴻ノ池が必死に冷静を保っているというのに、僕は……。強い羞恥《しゅうち》をおぼえつつ、僕は「分かった」とうなだれた。極められた腕がずきずきと痛む。

「約束ですよ。そこにいてくださいね」

僕に釘を刺すと、鴻ノ池は小走りで処置室に入っていった。カーテンではっきりとは見えないが、鷹央が移されたベッドの周りで、医療スタッフたちがせわしなく動いている。

鷹央先生は無事なんだろうか？　彼女の身に何が起こったのだろう？

氷のように冷たい汗が背中を伝っていく。腹の底から震えが湧《わ》きあがってくる。全裸で氷点下の世界に放り出されたかのような寒気に襲われ、僕は自分の両肩を抱いて身を小さくした。これまで鷹央とともに様々な事件を解決してきた思い出が走馬灯のように脳裏をよぎっていく。

なに馬鹿なことを考えているんだ。鷹央先生は無事に決まっているじゃないか！

僕は激しく頭を振って、不吉な想像を頭蓋骨《ずがいこつ》から放り出した。

近くに掛かっている壁時計の針が時間を刻む音がやけに大きく聞こえる。僕は不安に息を乱しながら、ただ遠くで救急医や看護師たちがせわしなく動きまわっているのを見ることしかできなかった。

放射線技師が簡易レントゲン装置をがたがたと音を立てながら押していく。ベッドのそばまで簡易レントゲン装置が届くと、医療スタッフたちは放射線防御用の鉛の入った防護エプロンを付けてレントゲン撮影をはじめた。

どうなっているんだ？　カーテンの死角で鷹央先生はどんな状態なんだ。

駆け出して確認したいという衝動に、僕は奥歯を噛みしめて必死に耐える。身の置き所のない苦悩に十五分以上苛《さいな》まれ続けていると、鷹央の治療に当たっている医療スタッフたちの動きが緩慢になった。カーテンの陰から姿を現わした鴻ノ池が、重い足取りでこちらに近づいてくる。僕は弾《はじ》かれたように、ソファーから腰を上げた。

「どうなったんだ⁉ 鷹央先生は無事なのか⁉」

声を裏返す僕の前で、鴻ノ池は痛みに耐えるような表情を浮かべた。氷の手で心臓が握りつぶされたような気がした。

まさか、本当に廃病院の呪いが……。

呆然と立ち尽くす僕の前で、鴻ノ池はゆっくりと唇を開いた。

「インフルエンザです」

「……へ？」どこまでも間の抜けた声が口から零れる。

「ですから、診断が出ました。B型のインフルエンザです」

「……え？ こんな時期にインフルエンザ？ それじゃあ、鷹央先生は無事なのか？」

「無事じゃないですよ。四十度近い発熱で朦朧《もうろう》としています。頭痛と関節痛もつらそうです。まあ、いま解熱剤《げねつざい》を内服してもらいましたから、あと二、三十分でだいぶ楽になるとは思います」

「じゃあ、廃病院の呪いとかじゃ……」

「まあ、呪いのせいでインフルエンザに罹《かか》った可能性も絶対にないとは言いきれないですけど、それよりも近くの小学校で季節外れのインフルエンザが大流行して、うちの病院の夜間救急に殺到しているのが原因じゃないですかね。鷹央先生、ときどき夜に、一階フロアの隅にある自販機でお菓子を買ってたりしますし。そのときに感染したんだと思います」

安堵《あんど》と拍子抜けで、その場にへたり込みそうになってしまう。そんな僕を見て、鴻ノ池はにやにやといやらしい笑みを浮かべはじめた。

「それにしても、小鳥先生があんなに狼狽《ろうばい》しているの、はじめて見ましたよ。よっぽど鷹央先生のこと心配だったんですね」

「……そりゃ、上司のことを心配するのは当然だろ。それより、なんでそんな深刻そうな顔してたんだよ。てっきり、鷹央先生の状態が悪いのかと思っただろ」

僕が早口で言うと、鴻ノ池は再び哀《かな》しげな表情を浮かべた。

「だって、インフルエンザじゃあ、他人への感染を防ぐためにも当分の間は外出禁止になるじゃないですか。これで、今晩の探検は中止になっちゃったんだなって」

6

「頭痛い……、関節が痛い……、全身が痛い……」

体温計をくわえながらソファーに横たわった鷹央が譫言《うわごと》のようにつぶやく。

「そりゃ、インフルエンザですからね。仕方がないですよ。あと、体温を測っているんだから喋《しゃべ》らないでください。正確に測れないでしょ」

僕は答えながら、鷹央の首の後ろにタオルで包んだ氷嚢《ひょうのう》を置く。マスクをしているため、声がくぐもってしまう。

「薄情……者……」

息も絶え絶えにつぶやいた鷹央の口から、彼女の姉である天久真鶴《あめくまづる》が体温計を抜き取った。

「あら、三十八度以上あるわね。解熱剤を使ってもやっぱり下がり切らないわねぇ」

マスクをした真鶴は眉間《みけん》に軽くしわを寄せると、首をわずかに傾ける。息を呑《の》むほどの美形の彼女のアンニュイな表情は蠱惑的《こわくてき》で、思わず口元が緩んでしまう。

救急部でインフルエンザと診断された鷹央は、僕と鴻ノ池に支えられて屋上にある〝家〟に戻ってきた。その後、鴻ノ池が鷹央を手術着に着替えさせている間に、僕は一階にある事務室へと向かい、この病院の事務長でもある真鶴に事情を説明した。話を聞いた真鶴は慌てて仕事を放りだして、屋上に鷹央の看病をしに来てくれていた。

「お前……、こんなときに鼻の下を伸ばしやがって……」

真鶴に見惚《みと》れていたことに気づかれたのか、鷹央がじっとりと湿った視線を投げかけてきた。僕は軽く咳《せき》ばらいをすると、真鶴に言う。

「抗インフルエンザ薬を使ったので、きっと一、二日で解熱しますよ」

最初は吸入の抗インフルエンザ薬を用意したのだが、鷹央が「うまく吸えない」と子供のようなことを言い出したので、仕方なく内服の抗インフルエンザ薬をあらためて処方して飲んでもらっていた。

「おっ待たせしましたー！」

玄関扉が開き、ハイテンションな声が〝本の樹《き》〟が立ち並ぶ薄暗い室内に響き渡る。痛む頭に響いたのか、鷹央は「うっ」と呻《うめ》いて顔をしかめた。

「病院中から余ってる氷嚢かき集めてきました。これだけあれば十分ですよね」

鴻ノ池が両手で持ったバケツの中には、山盛りの氷嚢が収められていた。

「いくらなんでも多すぎだろ。鷹央先生を氷漬けにするつもりかよ」

「備えあれば憂《うれ》いなしって言うじゃないですか。これ、冷凍庫に入れておきますね」

鴻ノ池は部屋の奥にある扉を抜け、キッチンへと入る。「あれー、冷凍室に入りきらないよ？」という声が聞こえてきて、僕まで頭痛がしてくる。

「なんで……私だけインフルエンザなんかに……。小鳥とか舞の方が……、一階フロアにいる時間……長いのに……」

恨めしげに鷹央がつぶやく。

「僕とか鴻ノ池は、救急で腐るほどインフルエンザの患者さんを診察して、大量のウイルスを浴びていますからね。ほとんどの型のインフルエンザに対する免疫《めんえき》を獲得しているんですよ」

「うう……、ずるい……」

「べつにずるくはないでしょ」

僕が呆《あき》れていると、キッチンから鴻ノ池が戻ってきた。

「冷凍室に入っていたもの全部取り出して、なんとか氷嚢全部押し込みました！」

「入っていたものって、私のアイスは……？」

鷹央に訊《たず》ねられた鴻ノ池は、「あっ、これですか？」とビニール袋に入った大量のアイスを掲げる。

「氷嚢入れるのに邪魔だったから出しちゃいました。でも、このままじゃ溶けちゃいますね。どうしましょう？」

「溶けるくらいなら……、私が全部食べる……」

鷹央が弱々しく伸ばした手を、真鶴が軽くはたいた。

「アイスなんて食べられる状態じゃないでしょ。お腹《なか》まで壊すつもり？」

「けど、このままじゃアイスが……、私のアイスが全部溶け……」

息も絶え絶えにつぶやく鷹央の様子があまりにも痛々しかったのか、鴻ノ池は「研修医室の冷凍庫に保管しておきますね」と引きつった笑みを浮かべた。

安堵の表情を浮かべた鷹央だったが、やはり体がつらいのかすぐに顔をしかめる。

「鷹央先生、早く良くなってくださいね。完全に復調したら、今度こそ時計山病院の調査に行きましょう」

鴻ノ池が元気づけるように言うと、鷹央はつらそうな表情のまま上半身を起こす。

「いや、予定通り今日行く。もう少ししたら回復するから、そのあと……」

「え、さすがにそれは……」

鴻ノ池は困惑顔になると、助けを求めるように僕を見る。自分が立てた予定が狂うのを、鷹央は病的に嫌う。そのことを、これまでの付き合いで知ってはいるが、今回は折れてもらわなくては。

「鷹央先生、今日は無理ですって。病院は逃げませんよ。後日にしましょう」

諭すように言うが、鷹央は首を横に振った。

「病院は逃げなくても、証拠は劣化する。私は時山由梨に事件の真相をあばくと約束したんだ。だから、できるだけ早く行かないといけないんだ」

「いや、まともに歩けもしないじゃないですか。インフルエンザだって重症化することもあるんだから、安静にしていないとダメですよ」

「歩けないなら、お前が支えてくれればいいだろ。私は絶対に今日中に調べに行く」

「そんなこと言っても……」

この状態になった鷹央はてこでも動かない。どうすればいいか迷っていると、「鷹央」という優しい声が響いた。雷に撃たれたかのように、鷹央の体が大きく震えた。

マスクを外した真鶴が、柔らかい笑みを浮かべていた。しかし、その目はこれっぽっちも笑っていない。

「ダメよ、わがまま言って小鳥遊先生たちを困らせちゃ。それに外に出たら、他人にインフルエンザをうつしちゃうかもしれないでしょ」

「そ、そうだけど、姉ちゃん……。約束が……」

赤く上気していた鷹央の頬から、見る見る血の気が引いていく。

「……鷹央」

真鶴は笑みを浮かべたまま、鷹央に顔を近づけると、地の底から響くような声で言う。

「あんまりわがまま言っていると、解熱剤の座薬をぶち込むわよ」

　鷹央は「ひぃ」とか細い悲鳴をあげると、体にかけていた毛布を頭までかぶる。

「ごめんなさい、ごめんなさい、ごめんなさい……」

　丸くなった毛布の中から、小さな声が聞こえてくる。なにやらトラウマでもあるようだが、深く考えないでおこう。

「小鳥遊先生、ご迷惑おかけしてすみません。今夜は私が監視……、じゃなくて看病しますから。お二人は帰宅して頂いて大丈夫ですよ」

「いえ、べつに迷惑なんて……。あの、本当に大丈夫でしょうか？」

「はい、子供の頃から鷹央が熱を出すと、いつも私が看病していましたから」

　真鶴は、毛布を優しく撫《な》でたあと、声のトーンを下げる。

「それに、私がいれば、さすがにこの子もこれ以上わがままを言わないでしょうし」

　丸まった毛布が大きく震えた。

　僕と鴻ノ池は顔を見合わせると、「それじゃあお願いします」とそろって頭を下げて玄関に向かう。

「鷹央先生、早く元気になって冒険行きましょうねー」

「冒険は置いといて、本当にお大事にしてください」

　鴻ノ池と僕は、鷹央に声をかけると〝家〟をあとにした。外に出ると、すっかり日が落ちていた。無言のまま裏手にあるプレハブ小屋に向かおうとすると、鴻ノ池が

「ちょっとお話、いいですか」と屋上の隅を指さした。僕は数瞬迷ったあと、小さく肩をすくめて鴻ノ池とともに移動する。

「で、話ってなんだよ」

僕は屋上の端にあるフェンスに寄りかかりながら言う。

「いやあ、まいりましたね。まさか、鷹央先生がインフルにかかっちゃうなんて」

「まあ、そういうこともあるさ。仕方ないよ」

「とかなんとか言っちゃって、鷹央先生が倒れたときは真っ青になっていたくせに。いやあ、あの光景を見て、二人の絆《きずな》の強さみたいなものを感じちゃいました。やっぱり小鳥先生にとって、鷹央先生ってかけがえのない大切な……って、どこ行くんですか⁉」

すたすたと離れていこうとした僕の手首を、鴻ノ池は慌《あわ》てて摑《つか》む。微妙に手首の関節が極められて、痺《しび》れるような痛みが走った。

「まぜっかえすからだろ。というかお前、気軽に関節極めるのやめろよ。さっき救急部で極められたところ、まだ少し痛むんだぞ」

「うすらでかい小鳥先生の動きを止めるには、あれしか方法がなかったんですよ」

うすらでかいとか言うな。

「私だって、人前で合気道の技なんて使いたくないんですよ。武術が得意なんて知られたら、私のおしとやかなイメージが崩れちゃうじゃないですか」

「安心しろ。この世に誰一人として、お前にそんなイメージを抱いている奴《やつ》はいないから。話がないなら僕は帰るぞ」

「ああ、ちょっと待ってください。ほら、アイスあげるから」

鴻ノ池はビニール袋からアイスキャンディーを一つ取り出し、差し出してくる。

「あげるからって、これ鷹央先生のアイスだろ」

つぶやきながらも、僕はアイスキャンディーを受け取る。一連の騒ぎで夕食を取る間もなかったので、腹が減っていた。ちょっと血糖値を上げておきたい。

「こんなにいっぱいあるんだから、ちょっとぐらい貰《もら》ってもばれないですよ」

鴻ノ池はもう一つアイスキャンディーを取り出すと、包装を破って舐《な》めはじめる。

「いや、あの人は間違いなく、どれだけ冷凍庫に残っていたか把握している。減っていたら絶対に気づくはずだ」

「……あとで買い足しておきます」

僕は鴻ノ池と並んでアイスキャンディーを舐める。夏の気配を含んだ生温かい風で火照《ほて》った体が、内部から冷やされていくのが心地よかった。

「それで、あらためて話ってなんなんだよ」

アイスキャンディーが半分ほどの長さになったところで僕は再び訊ねる。

「いえ、このあとどうすればいいのかなぁとか思って」

「どうするって？」

「ですから、鷹央先生は当分動けないじゃないですか。昨日から調子悪かったみたいだから、昨日発症したと考えても今日を含めて五日間は自宅待機の必要があります」

「インフルエンザは体調が回復しても、解熱後四十八時間はウイルスを排出する可能性があるからな」

「でも、さっき鷹央先生が言ったように、早く事件現場を調べないと、証拠が消えちゃうかもしれないと思うんですよ」

「お前も本当に、廃病院の呪いで時山恵子さんが転落したと思っているのか？」

「呪いだって言っているわけじゃありません。誰かに突き落とされたりしたのかもしれないって言っているんです」

鴻ノ池は唇を尖《とが》らせる。

「検視官がしっかりと調べて、事件性はないって結論を出したんだ。あれは自殺だよ」

「けれど、由梨さんは絶対お母さんは自殺なんてしないって」

「人の内心までは分からない。いくら娘でもな。普段は強がっていても、心の中で生活に絶望していたのかも。それで、発作的に飛び降りた」

「……わざわざ、何年も使われていない病院の屋上まで行ってですか？」

鴻ノ池の口調に不満が滲《にじ》んでくる。

「時山恵子さんの父親も、同じ場所から飛び降り自殺をしている。親しい人と同じ場所で最期《さいご》を迎えたいと思っても不思議じゃない」

「そんなの、こじつけじゃないですか！」

「こじつけだとしても、犯罪の痕跡《こんせき》がない以上、それが一番合理的な説明だろ」

「だから、犯罪の痕跡が本当にないのか、調べる必要があるんですよ」

鴻ノ池は苛立たしげに言うと、残っていたアイスキャンディーを一口で頬張る。冷たいものを一気に食べたせいで頭に痛みが走ったらしく、鴻ノ池は顔をしかめながらこめかみを押さえた。

「さっきからなにが言いたいんだよ。ここで話し合ったところで、鷹央先生が調査に行けないのは変わりないだろ」

「私たちが代わりに調査に行けばいいんですよ」

鴻ノ池が言う。僕は「は？」とまばたきをくり返した。

「だから、私たちが代わりに時計山病院に行って、現場の様子をビデオカメラで撮影するんです。その映像を鷹央先生に見てもらえば、なにか分かるかもしれません」

鴻ノ池は、食べ終わったアイスキャンディーの棒を振りながら、勢い込んで言った。

「今日はさすがにビデオカメラを用意できないんで無理ですけど、明日か明後日《あさって》なら、知り合いのツテで高性能なやつを借りられると思うんです。それを持って、時計山病院に行きましょうよ！　私たち二人で！」

鴻ノ池は目を輝かせながら、顔を近づけてくる。僕は「嫌だよ」と鴻ノ池の顔面を手で押した。

「なんでですか⁉　こういう不可思議な事件を解決するのが統括診断部の仕事じゃないですか」

鴻ノ池は僕の手を振り払う。

「断じて違う！　統括診断部の仕事は、診断が難しい患者の疾患を明らかにして、治療法を探ることだ。事件を解決するのは警察の役目だ」

「けれど、今回の件では警察はすでに手を引いているんですよ。統括診断部が動かないと、真相をあばけないじゃないですか」

「あばくような真相なんて、もともとない可能性が高いだろ。何にしろ、僕たちは警察官でも探偵でもない、たんなる医者だ。自分の仕事に集中するべきだ」

いつも鷹央を止めることができず、仕方なく事件に首を突っ込むはめになっている。けれど、今回はブレーキが壊れたトラックのように突っ走る鷹央が寝込んでいる。それなら、わざわざトラブルにかかわる必要がない。

「……由梨さんの前でもそれ言えるんですか？」

鴻ノ池の声が低くなる。救急部で涙ながらに「お母さんが自殺するわけない」と叫んだ時山由梨の姿が脳裏をかすめた。喉《のど》から、ものを詰まらせたような音が漏れる。

鴻ノ池はそんな僕を無言のまま見つめる。

十数秒の沈黙のあと、僕はゆっくりと口を開いた。

「僕たちがやるべきことは、治療によって彼女を精神的に癒《いや》すことであって、事件について調べることじゃない」

鴻ノ池の表情が失望に染まっていく。

「分かりました。なら、私一人だけで行ってきます。……失礼します」

勢いよく身を翻《ひるがえ》した彼女は、僕を見ることなく離れていった。

鴻ノ池の後ろ姿が階段室に消えていくのを見送りながら、僕は残っていたアイスキャンディーを舐める。

さっきまではやや甘すぎる気がしていたアイスキャンディーが、いまは少し苦く感じた。

7

翌日の朝、僕は天医会総合病院の屋上へと続く階段をのぼっていた。土曜日である今日は一応休みなのだが、鷹央の様子が気になったし、統括診断部の患者として入院している時山由梨の回診もするつもりだった。

大学病院の外科で、年中無休で働いていた頃のくせが抜けず、これまでも統括診断部に入院患者がいるときは、少なくとも日に一度は病院に顔を出していた。

屋上に上がった僕は、雲一つない青空から降り注ぐ初夏の日差しに目を細めつつ、〝家〟へと向かう。

「おはようございます、鷹央先生」

玄関扉を開けた僕は小声で言う。もしかしたらいまも寝室で寝込んでいるかもしれない。それなら、起こしては申し訳ない。

「おう、小鳥」

朝だというのに、遮光カーテンが閉め切ってあるので薄暗い部屋から、思いのほか覇気のある声が返ってくる。見ると、鷹央がソファーで胡坐をかいてノートパソコンを覗き込んでいた。

「ああ、鷹央先生、なにしているんですか。ちゃんと安静にしていないとダメでしょ」

「だから、いつものパソコンじゃなくて、このノートパソコンを使っているんだ。これなら、ソファーでも調べものができるからな」

「調べものなんかしていないで、横になって休んでくださいよ。病人なんですから」

「大丈夫だ。熱はほとんど下がった。関節痛と倦怠感《けんたいかん》もだいぶましになった」

そう言う鷹央の表情は、たしかに昨日に比べてだいぶ良くなっている。僕はソファーに近づくと、鷹央の額に掌《てのひら》を当てる。彼女が言うとおり、昨日は焼けるように熱かった額の熱がかなり引いている。

「抗インフルエンザ薬が効いたみたいで良かったです。でも、病み上がりなんですから大人しくしててください」

「分かってるよ。だから、こうして大人しく調べものをしているんだろ。まったく、お前まで姉ちゃんみたいなこと言うなよな」

「そう言えば、真鶴さんはどうしたんですか?」

部屋を見回すが、真鶴の姿は見えなかった。

「姉ちゃんなら、私がある程度回復したから、さっき家に帰ったよ。徹夜で看病してくれたから、しっかり休んで欲しいんだけど、また昼過ぎに来るってさ。まったく、過保護な姉ちゃんだよ」

照れ隠しなのか、鷹央はこめかみを掻《か》く。互いを思いやる姉妹の温かい絆を見た気がして、少し感動していると、鷹央が両手を合わせた。

「というわけで、姉ちゃんが消えたいましかパソコンを使う時間はないんだ。帰ってきたら姉ちゃんは、縛り付けてでもベッドに寝かそうとするからな。だから、この時間を有効活用しないと。これまでの経験上、徹夜明けの姉ちゃんは最低五時間は寝込むから、ここを出た時間から逆算して戻ってくるのは……」

感動を返せ。

「まあ、別に調べものするぐらいならいいですよ。それより鷹央先生、朝食は食べましたか？　食欲があるなら、なにか軽く作りましょうか？」

僕はキッチンに向かう。

「ああ、姉ちゃんが出ていく前に、お粥《かゆ》を作ってくれていたな。お腹がすいたら食べなさいって」

鷹央が言うとおり、ＩＨのコンロの上に置かれた鍋の蓋《ふた》を取ると、中には卵粥が入っていた。ふわっと広がった出汁《だし》の香りが食欲を刺激する。

「美味《おい》しそうなお粥ですよ。少し食べますか？　食べるなら温めますけど」

声をかけると、鷹央はパソコンのディスプレイを見つめたまま「ああ、食べる」と返事をした。僕はコンロの電源を入れ、お玉でかき混ぜながら卵粥を温めていく。

　病人だし、あまり熱すぎない方がいいな。温度を確認するためスプーンでお粥をすくって口に運ぶ。とろりとした温かいお粥から、繊細で優しい味が口の中に広がった。真鶴の妹への愛情が伝わってくる。僕はコンロの電源を落とすと、お粥をお椀《わん》に移していった。

「あっ、小鳥。コンロのそばに粉末のカレースパイスがあるから、それを入れてくれよ」

「そんなこと出来るわけないでしょう！」

「なんでだよ。普通のお粥じゃ刺激が足りないんだよ」

「病人が刺激を求めないでください！」

「私がカレー味以外のもの、食べられないの知っているだろ。カレースパイスを入れないと、私は食べないからな」

　幼児のように駄々をこねはじめた鷹央を、「なら、食べないでいいです」と叱《しか》りそうになる。しかし、僕が叱ったところで鷹央の超偏食が治るわけではない。それに、回復のため栄養をつけるのは大切なことだ。

　真鶴さん、ごめんなさい。

　胸の中で謝罪しながら、僕は卵粥の風味を出来るだけ損なわないよう、ほんの少しだけカレースパイスを振る。薄い黄色の粥が、茶色く変色していくのが切なかった。

「はい、鷹央先生、できましたよ」

僕はお椀にスプーンを添えてソファーまで持っていく。鷹央は軽く首を反らすと、

「ん」と言って口を大きく開けた。

「まさか、食べさせろって言うんじゃないでしょうね」

「いま手が離せない」

反論する気力もなくなり、僕は鷹央の隣に腰掛けると、お粥をすくったスプーンを鷹央の口元へと持っていく。鷹央はディスプレイを見つめたまま、ぱくっとスプーンに食らいつく。

「うん、うまい。さすがは姉ちゃんの料理だな」

カレー粉で台無しにしようとしたくせに。内心で突っ込みを入れながら、僕はパソコンのディスプレイを眺める。

「さっきから、なにを調べているんですか」

予想はついていたが、確認せずにはいられなかった。

「もちろん、時計山病院の件だ」

予想通りのセリフを放った鷹央の口に、再び僕はお粥をすくったスプーンを差し込む。鷹央はもにゅもにゅとお粥を咀嚼《そしゃく》する。

「まだ、調べていたんですね」

「まだってなんだよ。昨日行けなかったから、現地調査も出来てないだろ」

お粥を飲み下した鷹央は唇を尖らせる。

「はいはい。それで、なにか分かりましたか」

「うん、時計山病院についての怪談はネット上に腐るほどあるが、要約すると二つのことがらにまとめることができる」

「二つですか？」

「そうだ。一つは病院自体が意思を持ち、人を誘い込んでは屋上から飛び降りさせるってやつだな」

「それはこの前聞きましたけど、他にも怪談があるんですか」

鷹央は「ああ、そうだ」と頷《うなず》く。

「もう一つの噂《うわさ》は、誤診により自殺をした女、つまりは最初に屋上から飛び降りた犠牲者の霊が成仏《じょうぶつ》できずに現世を彷徨《さまよ》い、生前入院していた四階病棟に幽霊として現れるというものだ」

「ああ、そんなB級オカルトみたいな噂もありましたね」

「たしかにB級オカルトっぽい噂だが、あの病院で多くの人物が屋上から転落死しているのは事実だ。もちろん、全《すべ》て自殺の可能性もあるが、もしそうでないなら、人を転落死させるような罠《わな》が仕掛けられているのかもしれないし、本当に最初に自殺した女の霊の呪《のろ》いが……」

そこまで言ったところで、眩暈《めまい》でもしたのか鷹央は頭を押さえて軽く振った。

「ああもう、まだ完治していないのに興奮するからですよ。ほら、少しパソコンは置いといて、まずは食事をとってください」

僕は鷹央の膝《ひざ》に置いてあるノートパソコンを取り上げると、手近にあった〝本の樹〟の上に置く。少しは反省したのか、それとも元気がないせいか、鷹央が抵抗することはなかった。

「あとは、埋蔵金の噂とかもあったな」

怪談とはかけ離れた話に、僕は鼻の付け根にしわを寄せる。

「埋蔵金？」

「そう、『時山家の埋蔵金』だってよ。代々、医業を営んできた時山家には莫大《ばくだい》な資産があった。太平洋戦争末期、日本の敗戦を悟った当主は戦後に奪われないよう、資産を宝飾品に換えてどこかに隠した。それはいまも見つかっていない、という話だ」

「なんか、徳川埋蔵金みたいな話ですね」

僕が差し出したお椀を受け取ると、鷹央はもそもそとお粥をたべはじめる。その姿を隣で眺めながら、僕は口を開いた。

「鷹央先生、今回の件を調べるの、やめにしませんか。こんな体調じゃ無理ですよ。治ってからじゃ、昨日先生が言った通り、事件の痕跡も消えているかもしれませんし」

予報では明後日の夜辺りから雨が降るらしい。

「大丈夫だ。一晩でこれだけ回復したんだから、今晩には元気になっているはずだ。姉ちゃんも、今夜は泊まり込んだりしないだろうし、抜け出して時計山病院に行けば……」

「ダメです！」

僕がはっきりと言うと、鷹央は「なんでだよ？」と頰を膨らませた。

「昨日倒れたばかりなんだから、当然でしょ。それに、いくら元気になっても先生はインフルエンザウイルスを排出しているんです。他人にうつしたらどうするんですか」

「大丈夫だ。他人と接触しないように、非常階段から外に出て、そのまま時計山病院まで連れて行ってもらうから。それにN95マスクをつけておけば、ウイルスが外に漏れることは……」

「……真鶴さんに言いつけますからね」

ぼそりとつぶやくと、鷹央の体が大きく震えた。

「お前……、何を……?」

「だから、あと四日間、鷹央先生が一歩でもこの〝家〟から出たら、僕は即座に真鶴さんに報告します。座薬が嫌なら、大人しく療養していてください」

表情をゆがめた鷹央の口から、呻き声が漏れた。

「……ユダめ」

「はいはい、ユダでもなんでもかまいませんから、あと四日間は大人しくしてください。それじゃあ、僕は由梨さんを回診したら帰ります」

僕は立ち上がって玄関に向かった。

「でも、早く調べないと、時計山病院で何が起きているか分からなくなるかもしれないんだぞ」

「呪いやらなんやらの真相をあばくのは、僕たちの仕事じゃないでしょ」

ため息交じりに言うと、鷹央はお椀を持ったまま立ち上がった。

「いや、私の仕事だ」真剣な表情で鷹央は言う。「私は一昨日《おととい》、母親の死の真相を探ると時山由梨に約束した。そのために解剖に同意までさせたんだ。だから私は、時山恵子になにが起きたのか、絶対に突き止めないといけないんだ」

鷹央は僕をまっすぐに見つめる。猫を彷彿させるその大きな瞳に吸い込まれてしまいそうな錯覚に襲われ、僕は思わず目を伏せてしまった。

「……なんにしろ、しばらくはしっかり療養してください。診療の方は僕がなんとかしますから」

逃げるように〝家〟をあとにした僕は、裏手にあるプレハブ小屋で白衣を羽織ると、階段で十階病棟へ降りた。

ナースステーションに入った僕は、電子カルテの前に座り、時山由梨の診療記録を確認する。

由梨はこの病棟の奥にある小さな個室病室に入院していた。副院長である鷹央の指示で『治療のため隔離が必要』とされての個室利用なので、差額ベッド代は請求しないことになっている。

カルテを開くと、そこには精神科医が昨日記載した診療記録が表示された。強い精神的なショックを受けているということで、主科が統括診断部、兼科が精神科と、二つの診療科が由梨を担当していた。

診療記録を目で追っていくにつれ、鼻の付け根にしわが寄ってしまう。

『いまだ母親が亡《な》くなったという現実を受け止めることができていない様子。適応障害による抑うつ症状が強い。

現在は精神安定剤を処方しているが、症状の改善が見られなければ抗精神病薬の投与を検討。カウンセリングも随時行っていく』

母親を亡くしてから二日、心の傷が癒《い》える気配はないようだ。

「なんとか、救ってあげたいけどな……」

無力感が背中にのしかかってくる。統括診断部の患者として入院しているものの、由梨に身体的な疾患があるわけではない。いま彼女が最も必要としているのは精神的なケアだ。それに関しては、専門家である精神科医に任せるしかない。

診療記録を閉じるとナースステーションから出て廊下を進んでいく。目的の部屋の前に着いた僕は、何度か深呼吸をしたあと扉をノックする。しかし、返事はなかった。

「おはよう、由梨さん。回診だよ」

僕はゆっくりと扉を開けて中に入る。六畳ほどの簡素な部屋。その窓際《まどぎわ》に置かれたベッドに、入院着姿の時山由梨が横たわっていた。彼女は僕が入ってきたのに気づいていないかのように、天井を見つめ続けている。その瞳は虚ろで焦点が合っておらず、まるで眼窩《がんか》に硝子《ガラス》玉が嵌《は》まっているかのようだった。

肌が白く、無表情のため、蠟《ろう》人形を眺めているような心地になる。

「えっと……、由梨さん、体調はどうかな」

ベッドに近づいた僕は、おずおずと声をかける。由梨は眼球だけ動かして僕を見た。

「……また、精神科の先生ですか？」

蒼白《あおじろ》い唇の隙間《すきま》から、抑揚のない声が漏れる。

「いや、精神科じゃないよ。統括診断部のドクターで、小鳥遊優っていうんだ。よろしく。ほら、救急部で会った……」

僕がそこまで言った瞬間、由梨は勢いよく上半身を起こした。

「統括診断部⁉」

「そ、そうだけど、どうかしたかな？」

思わずのけぞると、由梨は両手を伸ばして僕の白衣の襟をつかんだ。

「統括診断部って、あの小さな女の先生がいるところですよね。お母さんがなんであんなことになったのか調べるって約束してくれた」

「う、うん……」

「もう調べてくれたんですか⁉　お母さんが自分からあんなことしたんじゃないって、解剖して、証明できたんですか⁉」

「いや、それはまだ……」

剣幕に圧倒されつつ曖昧《あいまい》に答えると、由梨の表情が失望に染まっていった。

「お母さんが、私を置いていくわけないんです……。絶対にそんなことない……」

両手で顔を覆《おお》い、肩を細かく震わせながら由梨は、自分に言い聞かせるように声を絞り出す。その痛々しい姿を僕はただ眺めることしかできなかった。

カルテには、母親が亡くなったことを受け入れられないため、適応障害を起こしていると記されていた。たしかに、その要素もあるだろう。しかしそれと同じぐらい、ずっと二人で暮らしてきた家族が、自分を置きざりにして消えてしまったということが、由梨を苦しめている。

押し殺した嗚咽《おえつ》が狭い病室の空気を揺らす。僕は少し迷ったあと、伸ばした手を、そっと由梨の肩に当てる。由梨は一度体を震わせると、伏せていた顔を上げる。充血し、涙で濡れた瞳が僕を捉《とら》えた。

「優しいお母さんだったんだね」

僕が静かに言うと、由梨は一瞬きょとんとした表情を浮かべたあと、大きく頷いた。

「はい、すごく優しかったです。ずっと頑張って働いて私を育ててくれたんです。忙しいのに、いつも朝食とお弁当まで……」

感極まったのか、由梨は口元を押さえて一度えずいたあと、再び話しはじめる。

「家計が苦しいのは知ってたから、私がバイトしようとしたときも、高校を卒業したら進学しないで就職するって言ったときも、お金のことは気にしなくていいから一生懸命勉強して大学に行きなさいって言ってくれたんです。膵臓癌《すいぞうがん》が分かったあとも、心配しなくていいからって、いつも笑顔で……」

「君のことを心から応援してくれていたんだね」

由梨は口元を押さえたまま「はい」と答える。

再び言葉が続かなくなった由梨は、固く目を閉じて顔を伏せた。

愛する母親を失ったこと。そして、母親が自分をこの世界に置き去りにしたこと。

その二つの事実が、目の前の少女を押しつぶそうとしている。

僕は大きく深呼吸をしたあと、由梨に声をかけた。

「大丈夫だよ、由梨さん」

由梨が泣きはらした顔をかすかに上げる。

「この前、救急部で会った小さな先生はね、絶対に約束を守る人なんだ。お母さんになにが起こったのか、きっと解き明かしてくれるよ。だから、安心して」

僕が微笑《ほほえ》みかけると、由梨は弱々しくあごを引いた。

「つらいことを思い出させてごめんね。なにか進展があったらすぐに教えるから、いまはゆっくり休んで」

「……はい」

素直に頷いた由梨は、再びベッドに横になり瞼《まぶた》を閉じる。すぐに小さな寝息が聞こえてきた。もしかしたら、昨夜は一睡もしていなかったのかもしれない。

この少女の心を少しは落ち着かせることができたのだろうか。僕は由梨の体にそっと毛布を掛けると部屋から出る。

大股《おおまた》に進んだ僕は、ナースステーションの前を通過する。由梨の診療記録を書かなくてはいけないのだが、その前にやることがあった。

階段をのぼって屋上に出た僕は、端にあるフェンスのそばまで移動すると、ズボンのポケットからスマートフォンを取り出す。

履歴から目的の番号を見つけた僕は、数秒迷ったあと『通話』のアイコンに触れた。数度の呼び出し音が響いたあと、回線が繋《つな》がる。僕は電話の相手に向かって低い声で訊《たず》ねた。

「鴻ノ池、ビデオカメラは手配できたか?」

幕間Ⅰ

薄暗い部屋の中に、押し殺した笑い声が響く。

部屋の隅に置かれた椅子《いす》に腰かけた人影は、小さく肩を震わせていた。

成功した。

自分が創《つく》り出した『魔弾』が、あの女の命を奪ったのだ。

そう、あれは『魔弾』だった。

誰にも見えず、誰にも気づかれることのない幻の弾丸。それを私はあの女の心臓に撃ち込んでやった。

まさに完全犯罪だ。

人影は大きく息を吐くと、緩んでいた口元に力を込める。

けれど、まだ終わりじゃない。

まだ『魔弾』により狙撃《そげき》しなくてはならない者が残っている。

標的全員の胸を『魔弾』で貫いたとき、ようやく私の復讐は成就《じょうじゅ》するのだから。

「そう……、これは復讐《ふくしゅう》だ。あの一族への復讐……」

人影が発した低い声が、部屋の空気に溶けていった。

第二章　四階病棟の幽霊

1

獣の唸《うな》り声のようなエンジン音が内臓を震わせる。猛禽《もうきん》を彷彿《ほうふつ》させる攻撃的なフォルムのバイクが迫ってくると、僕の目の前で急停止した。ライダーがフルフェイスヘルメットを脱ぐ。わずかに茶色いショートヘアがなびいた。

「こんばんはー、小鳥《ことり》先生」

黒い繋《つな》ぎのバイクスーツに身を包んだライダー、鴻ノ池舞《こうのいけまい》は潑溂《はつらつ》と挨拶《あいさつ》してくる。

僕が「ああ……」と生返事をすると、鴻ノ池はエンジンを切ってバイクから降りた。

「どうしたんですか、小鳥先生。テンション低いですよ。せっかく夜のツーリング、アンド冒険なんだから張り切っていきましょう」

小さくガッツポーズを作る鴻ノ池を見て、僕は深いため息をつく。

日曜日の午後十時、僕は人形町の自宅マンションの近くにある幹線道路で鴻ノ池と待ち合わせをしていた。昨日の朝、時山由梨《ときやまゆり》の話を聞いたあと電話をしたところ、翌日ビデオカメラを借りられるので夜に時計山病院へ行く予定だと鴻ノ池が言ったので、それに付き合うことにしたのだ。

「なんか、最初から行く羽目になる気がしてたんだよな」

「羽目ってなんですか、羽目って。そんなこと言うなら、なんで今晩ついてくる気になったんですか？」

鴻ノ池は不満げに言う。一瞬、由梨のことを話そうかと思ったが、鴻ノ池に話すと何かと面倒なことになりそうな予感がして「何となくだよ」と誤魔化す。

「まあ、一緒に行ってくれるなら別にいいですけど。それより小鳥先生、このバイク見てくださいよ。スズキのハヤブサっていうんですよ。まだ納車されてから一週間も経《た》ってないんですよ。格好いいでしょ」

鴻ノ池はバイクグローブを嵌《は》めた手で、愛《いと》おしそうに車体を撫《な》でた。

「あんまり格好いいんで、スマホの待ち受けにして、いつも眺めているんですよ」

ああ、だからこの前の当直のとき、にやにやとスマートフォンを眺めていたのか。

「はいはい、格好いい、格好いい」

適当に答えるが、よほど新車が嬉《うれ》しいのか鴻ノ池は上機嫌のままだった。

「ですよねー。これ、かなり高かったんですよ」

「……知ってるよ。僕が金を払ったんだからな」

値段を思い出し、自然と肩が落ちてしまう。

先日の『火焔の凶器事件』の事件の際、炎に囲まれた僕を助け出すために、鴻ノ池の愛車が犠牲になった。そのため、仕方なく代わりの新車を買ってやった。バイクショップに連れていかれた際、鴻ノ池が「これがいいです」と言ったバイクは、想像していた予算をかなりオーバーしていたのだが、命を救われた手前「いや、ちょっと高すぎる」とも言えず、渋々大枚をはたくことになったのだった。

新しい車も買わないといけないのに……。さびしい懐《ふところ》具合を思い出し、テンションがさらに下がっていく。

「それじゃあ、さっそく時計山病院までツーリングしましょう。小鳥先生はこのヘルメットを使ってください。あと、このリュックもお願いします。友達から借りてきたビデオカメラが入っていますから、大切に扱ってくださいね」

僕が押し付けられたヘルメットをかぶり、リュックを背負うのを確認すると、鴻ノ池は再びヘルメットをかぶってバイクにまたがり、エンジンをかけた。

「ほら、小鳥先生。早く乗ってくださいよ。しっかり摑《つか》まってくださいね」

僕は言われた通り、鴻ノ池の後ろにまたがると、その引き締まったウエストに腕を回す。前回、鴻ノ池の運転するバイクに乗った際、遠慮して摑まっていたら振り落とされかけた経験があるので、しっかりと腕に力を込める。

「それじゃあ、行きますよ」

鴻ノ池が思い切り吹かしたエンジンの鼓動が、シートの下から臀部《でんぶ》に伝わってきた。

バイクが急停止する。後部タイヤが横滑りしてアスファルトに半円の模様を描く。ゴムが焼ける不快なにおいが鼻をかすめた。

「到着です、小鳥先生」

エンジンを切った鴻ノ池が、ヘルメットを脱ぎながら楽しげに言う。

「到着です、じゃない！」

鴻ノ池の腰から腕を離した僕は、震える声で叫んだ。

「どうしたんですか、小鳥先生、顔色悪いですよ。もしかして、酔いました？」

「酔ったよ！　けど、それ以上に怖くて血の気が引いているんだよ」

ここに着くまでの一時間弱のツーリングの間、鴻ノ池はハヤブサの性能を確かめるように、急加速と急減速をくり返し、体が四十五度傾くような姿勢でカーブを曲がったりした。僕は脳裏にこれまでの人生が走馬灯のように浮かぶのを感じながら、必死に鴻ノ池の体にしがみつき続けたのだった。

「お前さ、この前みたいに警察を振り切ろうってわけじゃないんだから、普通に運転すればいいだろ」

「えー、でもせっかくなんで、この子の性能を確かめたいじゃないですか。私の新しい恋人なんですから」

鴻ノ池はバイクのボディに頬ずりする。こいつこの前、僕に「車好きも行き過ぎると気持ち悪い」とか言ってなかったっけ。

「そのうちスピード違反で捕まるぞ」

「大丈夫です。パトカーに追われたら、この前みたいに振り切りますから」

僕が無言で湿った視線を投げかけると、鴻ノ池はパタパタと手を振った。

「冗談ですよ、冗談。それより今日のメインイベントと行きましょうよ」

鴻ノ池の言葉に、僕はそうだなと高い生垣の奥にそびえ立つ建物を見上げる。時計山病院、今夜の目的地だった。

僕は周囲を見回す。住宅地の一画にもかかわらず、時計山病院が建つ小高い丘は林に覆《おお》われていて辺りに人気《ひとけ》はなかった。道路に立っている街灯の弱々しい光が、敷地の奥に建つ廃病院を不気味に浮かび上がらせる。

「さてっと。それじゃあ小鳥先生、リュックをください」

僕からリュックサックを受け取った鴻ノ池は、その中からハンディカムのビデオカメラと、キャンプなどで使うランタン型の懐中電灯を二つ取り出した。机などに置けば、電灯代わりになる優れものだ。

「そんなものまで用意していたのかよ」

「そりゃ、せっかく調査するなら、徹底的にやらないと。あとで鷹央《たかお》先生に見てもらうんですし」

鴻ノ池はビデオカメラの電源を入れて撮影をはじめると、僕にレンズを向ける。

「ほら、小鳥先生、映ってますよ。鷹央先生になにかメッセージをお願いします」

「メッセージってなんだよ？」

「えっと、例えば……愛の告白とか？」

「馬鹿《ばか》なこと言っていないでさっさとはじめるぞ」

僕はそびえ立つ廃病院を再び見上げる。大きな病院だった。おそらく十階以上あるだろう。一見しただけで、かなり長い間放置されていたのが見て取れる。

ひびの目立つ外壁の塗装はだいぶ剝《は》げていて、暗い窓も多くが割れている。しかしなにより目立つのは、屋上に設置されている巨大な時計台だった。

時計板の下には大きな窓が開いていて、中からこれまた巨大な鐘が姿を見せている。

かつては街に住む人々に時を告げていたと言うが、たしかにあれだけ巨大であれば丘の下からでも十分に時刻を確認できただろう。しかし、その時計台もいまは時を刻むことを放棄していた。

「とりあえず、建物に近づいてみるか」

「そうですね」

僕と鴻ノ池は生垣を回り込んで正面から敷地に入る。

膝丈《ひざたけ》まで伸びた雑草を踏みしめながら、僕たちはまず、病院の裏手へと向かった。一帯の雑草が倒れている箇所がある。おそらくそこが、時山恵子《けいこ》が墜落した場所なのだろう。救急隊や警察が行き来して雑草を踏み倒したのだ。

僕と鴻ノ池はそこに近づくと、懐中電灯で地面を照らす。倒れた雑草の茎に血液が付着しているのが確認できた。

「ここに恵子さんは落下したんですね」

鴻ノ池が硬い表情で周辺を撮影する傍らで、僕は建物を見上げた。屋上にそびえ立つ時計台が真上にある。たしかにあそこから飛び降りたら、この辺りに落下する。

「墜落現場の撮影はそのくらいでいいだろ。屋上に行くぞ」

鴻ノ池を促した僕は、少し離れた位置にある外階段へと近づいていく。建物の外壁に取り付けられている鉄製の外階段は周囲をフェンスで覆われている。見上げたところ屋上まで続いているようだった。

「これで屋上までのぼれそうだな」

僕は外階段の一階入り口にある扉の三日月形のノブを掴む。しかし、力を込めてもノブは動かなかった。

「これって、オートロックタイプなんじゃないですか。内側からは開けられるけど、外側から開けるには鍵《かぎ》が必要なタイプ」

「みたいだな。外階段から簡単に侵入出来たら、セキュリティに問題があるしな」

僕はどこかから外階段に入れないか探すが、階段の周囲を覆うフェンスは錆《さ》びてはいるものの破れている箇所はなかった。

「ここから入るのは無理みたいですね。ネットに書かれていた通りです」

ビデオカメラで撮影しながら鴻ノ池がつぶやく。僕は「ネット？」と聞き返した。

「ええ、ネットに屋上と、幽霊が出るっていう四階に行く方法が書いてあったんです。まずは院内の非常階段で屋上まで行って、そこから外階段で四階まで行くって」

「なんでそんなマニュアルみたいなことまで書いてあるんだよ？」

「私にも分かりませんけど、ここから上がれないんじゃ、書かれている通りにするしかないんじゃないですか」

なにか引っかかるが、たしかにここから屋上に上がることはできなさそうだ。仕方なく僕たちは病院の正面に向かった。

自動扉のガラスが割られている正面玄関から院内に侵入した僕たちは、ベンチが並んでいる暗い空間を、懐中電灯で照らしながら歩いていく。

「ここ、たぶん外来の待合だったんでしょうね」

僕の隣でビデオカメラを構えたまま鴻ノ池がつぶやく。

「ああ、そうだな。しかし、本当にまったく管理していないんだな。床は凄《すご》い埃《ほこり》だし、ゴミが散乱してる。もしかしたら、ホームレスでも棲《す》みついていたのかもな」

僕は懐中電灯で足元を照らしながら、慎重に奥まで進む。

「いやあ、ザ・廃病院って感じですね。ホラー映画とかの舞台になりそう。映画だったら私たち、オープニングで殺人鬼か幽霊に殺される役どころですね」

「縁起でもないこと言うな！」

「あれぇ？　もしかして小鳥先生、怖いんですか？」

鴻ノ池はいやらしく口角を上げる。

「怖くて当然だろ。こんなに不気味なんだから。お前は怖くないのかよ」

「私ですか？　ちょっと怖いですけど、それ以上にワクワクしてます。意外でしょうけど私、ホラー映画とか、ジェットコースターとか、そういうスリルを楽しめるタイプなんですよね」

「……いや、意外でもなんでもない。たしかにお前はそういうタイプだよ」

「話変わりますけど小鳥先生、『ブレア・ウィッチ・プロジェクト』っていう映画見たことありますか？」

「話が変わってない！　不吉なこと言うの止《や》めろ！」

くだらない会話を交わしながら、僕たちは一階フロアの奥にある『非常階段』と記された扉の前までやってくる。僕はノブを引いて、防火扉になっているのかやけに重い扉を開けて階段室へと入った。

延々と階段が伸びている吹き抜けの空間を僕は見上げる。遥《はる》か遠くに天井が見えた。

「結構な高さがありますね」

僕に倣《なら》って吹き抜けを見上げる鴻ノ池の声が、壁に反響する。

「とりあえず上がっていくか。足元に気を付けろよ」

僕たちは並んで階段を上がりはじめた。踊り場で折り返して二階に到着した僕は、そこにある扉のノブを回して引く。しかし、ガチリと音がして扉は開かなかった。

「ネットによると、この非常階段の扉は、屋上以外は全部閉まっているらしいです」

「ネットの情報を鵜呑《うの》みにするのもあれだけど、屋上まで上がるしかなさそうだな」

ため息交じりに言うと、僕は鴻ノ池とともにひたすら階段を上がっていく。塗装が剝げているせいか、階数表示が消えているので、自分がいま何階までのぼったのかさえはっきりしない。

さすがに息が乱れはじめたとき、ようやく階段が途切れた。突き当りにある扉を僕は両手で押す。悲鳴のような軋《きし》みを上げ、重い鉄製の扉が開いていった。夜風が隙間《すきま》から流れ込んでくる。僕たちは屋上に出ると、大きく深呼吸をした。

「いやあ、さすがに十年以上もほっとかれただけあって、空気が悪かったですね」

大きく伸びをしながら鴻ノ池が言う。ライダースーツ姿なので、引き締まったボディラインが強調された。

「あの時計台だな」

僕は屋上の端にある時計台へと近づいていく。地上で見たときも大きく感じたが、間近で見るとそのサイズに圧倒される。ほぼ立方体で、その一辺はゆうに十メートルはあるだろう。僕は少し迷ったあと、懐中電灯の取っ手を腕にかけると、時計台の裏側に付いている鉄梯子《てつばしご》に手をかけた。

「のぼるんですか？」

ビデオカメラを構えたまま鴻ノ池が声を上げる。

「恵子さんが転落したのはこの時計台の上からなんだろ。なら、屋根を調べないと」

梯子を覆っている錆《さび》が掌《てのひら》に擦れるのに耐えながらのぼり切り、僕は時計台の屋根に到着する。

「フェンスもないし、ちょっと怖い感じがしますね」

ビデオカメラをショルダーストラップでたすき掛けにして、続いてのぼってきた鴻ノ池がつぶやく。たしかに屋上とは違い、転落防止用のフェンスはなく、やや心許《こころもと》なく感じた。

僕は慎重に屋根の端まで移動すると、四《よ》つん這《ば》いになって端から顔を出す。

「気をつけてくださいよ。ここからは十人以上の人が転落しているんですから」

後ろに立った鴻ノ池が、万が一のために僕のベルトを握ってくれた。

「ああ、分かっているよ」

下を覗《のぞ》き込むと、闇《やみ》の中にぼんやりと時山恵子が転落した場所が見えた。一瞬、地面に向かって吸い込まれていくような錯覚をおぼえ、僕は慌《あわ》てて身を引いた。

「大丈夫ですか、小鳥先生？」

「ああ、大丈夫だ。ここから恵子さんが転落したのは間違いないみたいだな」

「けれど、ここってすごく景色がいいですね」

鴻ノ池が遠くを見ながら目を細める。つられて僕も視線を上げる。黒く広がる海に無数の宝石が散らばっているような景色が、眼下に広がっていた。

丘の上に建ち、近くには大きなビルもないので地平線まで見通すことができる。周りにほとんど光がないことも、夜景を美しく見せているのだろう。

近くには住宅街から漏れる生活光が瞬《またた》き、遥か遠くでは新宿、池袋、渋谷などのビル群が輝いているのが見える。

「死ぬなら、こういう綺麗《きれい》な夜景を見ながらって思うのも理解できる気がします」

「そうだな」

それも、ここで自殺が頻発する理由なのかもしれない。呪《のろ》いなどに比べれば、ずっと説得力のある仮説だ。

時山恵子もこの夜景を見てから人生を終えようと思ってここに来たのだろうか？ それとも他の理由で彼女は転落したのだろうか。

数十秒、夜景を楽しんだところで、僕は首を鳴らした。

「さて、綺麗な景色も堪能《たんのう》したし、そろそろ調査をはじめようぜ」

鴻ノ池は少し後ろ髪を引かれるような表情を浮かべつつも、「ですよね」とビデオカメラを再び回しはじめた。

僕たちは足元に気を付けながら、時計台の屋根を見て回る。

「小鳥先生、ここ見てください」

屋根の隅近くにいた鴻ノ池が声を上げる。僕は「なにか見つかったか？」とそちらに近づいていった。

「ここ、開くみたいなんです」

鴻ノ池が指さした部分は取っ手のついた鉄製の扉になっていた。手前に蝶番《ちょうつがい》が二つ付いている。

「ここから時計台の内部に入れるのかもな。しかし、こんな端に作ったら危ないな」

扉から屋根の端までは五十センチほどしか離れていない。

「もしかして、恵子さんはこの扉を開こうとして足を滑らしたんじゃないですか」

ビデオカメラで扉の周りを細かく撮影しながら鴻ノ池がつぶやく。

「いや、さすがにそれはないんじゃないか？　これは屋根の端の反対側から手前側に引いて開けるようになっている。もし手が滑って後ろに倒れても、屋根の端じゃなくこっちの床に尻餅《しりもち》をつくだけのはずだ」

そう言って僕は取っ手を摑み、扉を手前側に開いていく。百二十度ほど開いたところで扉は固定される。扉の下からは階段が姿を現わした。

僕は横から懐中電灯で中を照らす。予想通り、時計台の内部へ降りられるようだ。

「中、入ってみます？」

しゃがんで腕を伸ばし、時計台の中を撮影していた鴻ノ池が上目遣いに見てくる。

「……一応、覗いておくか」

内部になにか手がかりがないとも限らない。僕は扉が開いている方に回り込む。

「足元に気を付けろよ。こっちはほとんど余裕ないから」

屋根の端からわずか五十センチほどのところに立ちながら僕は言う。ここで足を滑らせれば、間違いなく転落してしまう。慎重に時計台の中に入った僕は、埃が厚く積もった階段を降りていく。すぐ後ろから鴻ノ池もついてきた。

「足跡がたくさんあるな。この前、警察が調べたからだろうな」

鴻ノ池は「ですね」と答えると軽く咳《せ》き込んだ。閉め切られていたせいか、ひどく埃っぽいうえ、かび臭い。僕も思わず口元に手を当ててしまう。

階段を下りきり、顔を上げた僕の口から「おおっ」と声が漏れてしまう。数えきれないほどの、僕の身長をはるかに超える大きさの歯車が、複雑に組み合わさっていた。軸の長さが数メートルありそうな振り子が、歯車の後ろに覗いている。足場の周囲にある柵に手をかけて下を覗き込むと、外から見えた巨大な鐘が吊《つ》るされていた。

「中ってこんな感じになっているんですね。初めて見たけど、なんか圧巻……」

ビデオを回しながら鴻ノ池がつぶやく。

「これって、たぶん電動だよな。いまでも電源入れたら動くのかな?」

歯車の森を眺めていると、鴻ノ池が湿った視線を向けてくる。

「そんな、おもちゃを前にした幼児みたいな顔しないでくださいよ。男の子って本当にこういうの好きですよね」

「男の子……」

「十年以上、使っていないんですよ。そりゃ、電源入れたら動くかもしれないけど、危ないじゃないですか。こんなに埃溜《た》まっていたら、火事になるかもしれませんよ」

「いや、別に本当に動かすつもりはなかったって」

「嘘《うそ》ですね」鴻ノ池の視線の湿度が上がる。「もし、スイッチとか見つけたら、絶対に押していましたね。そういう顔してましたもん」

反論できず、僕は「うっ」と言葉に詰まる。そんな僕を見て、鴻ノ池はこれ見よがしにため息をつく。

「やっぱり。そもそも、この病院自体、もう電気が通ってないんですよ。電動だったとしても動くわけないじゃないですか。ほら、内部の映像は一通り撮りましたから、そろそろ出ましょうよ。こんなところにいたら、体にカビが生えちゃいますって」

鴻ノ池に促された僕は「分かったよ」と階段をのぼりはじめる。足元に気を付けて外に出た僕は、後から付いてきた鴻ノ池に手を伸ばす。

「そこ、足場が狭いから気を付けろよ」

鴻ノ池は素直に「ありがとうございます」と僕の手を取った。

時計台の屋根の中心に戻った僕たちは、もう一度懐中電灯で照らしながら周囲を確認した。

「とりあえず、時計台の捜索はこんなものでいいですかね」

鴻ノ池はコンクリートで出来た足元を、ビデオカメラで撮影しながらつぶやいた。

「ああ、十分だろ。特におかしなものは見つからなかったな。ここにのぼった人を落とすような仕掛けみたいなものは」

「そんなものがあったら、私たちが無事じゃないですよ。それに、警察が調べて特に怪しいものがないことを確認しているはずですから」

「さあ、どうだろう。警察って時々、かなりいい加減な捜査をすることもあるからな。お前だって、『透明人間の殺人事件』で思い知らされているだろ」

「……ですね」苦い記憶を思い出したのか、鴻ノ池は渋い表情を浮かべる。

「まあ、今日の目的は鷹央先生が現場を確認するための映像を撮ることだ。なら、屋根はこれくらいでいいだろ」

僕と鴻ノ池は、鉄梯子で時計台から降りると、屋上の端にある外階段へと向かう。

「この階段で四階まで行くんだよな」

「ネットでは、そう書かれていますね」

ビデオカメラを構えたまま、鴻ノ池が答える。

「とりあえず行くしかないよな」

僕たちは古びた外階段を降りていく。長い間、手入れもされていない階段は赤錆に覆われていた。

「これ……、崩れたりしないよな」

「さすがに大丈夫だと思いますけど」

慎重に降りていった僕は、最初の踊り場にある扉の前で足を止めた。風雨に晒《さら》されていたためか、扉に書かれている文字はかすれて消えかけ、『12』なのか『13』なのか読み取れない。

僕はノブを回して手前に引く。大きな軋みを上げながら、扉が開いていく。その奥には真っ暗な廊下が伸びていた。おそらくは病棟だったのだろう。廊下の左右には等間隔に病室の入り口らしき扉が並び、一番奥にナースステーションと思われるフロアが見える。

「たしかに、こっち側からは中に入れるみたいだな」

「どうします？　この階、調べます？」

僕の脇《わき》からビデオカメラを持った手を伸ばして撮影しつつ、鴻ノ池が言う。少し考えたあと、僕は首を振った。

「十階以上あるこの病院の全フロアを調べていたら、さすがに時間がかかりすぎる。幽霊が出るってフロアだけ調べれば十分だろ」

「ですね。それじゃあ、四階まで降りましょう」

いったん扉を閉めた僕たちは、一段降りるごとにギシギシと音を立てる階段に怯《おび》えつつ下がっていく。

「ここって、何階なんですかね」

数十秒後、足元に神経を集中させて階段を降りたところで鴻ノ池がつぶやく。扉に書かれている数字がほとんど読めないほどにかすれているため、自分がいま何階にいるかもよくわからなかった。

僕は次の踊り場で足を止めると、そこにかすかに浮かび上がっている数字を凝視する。

「これって、多分『7』だよな」

「ですかね？　なんか、『4』の一部にも見えるんですけど」

「ここが目的の四階だっていうのか？　いや、さすがにそこまで低くないだろ」

僕は外を見る。階段の周囲にフェンスがあるので、身を乗り出してあとどれだけ階段があるのか確認することはできないが、まだ地上からはかなり距離があるのは間違いない。

「うーん、たしかにそうかも。とりあえず、次の階を確認しましょうか」

一階分、階段を下った僕たちは、そこにある扉を見た。

「これ、『6』だよな」

「ええ、間違いなく『6』です」

その扉に記されている数字はところどころ掠《かす》れているものの、他の階に比較すると濃く残っている。それは間違いなく『6』と記されていた。

「ということは、あと二階下だな」

僕と鴻ノ池は小さく頷《うなず》き合うと二階分、階段を下がり、踊り場へと到着した。

「これが、幽霊が出るっていう四階か」僕は塗装が剝げた扉を眺める。

「じゃあ、小鳥先生どうぞ。さっさと入っちゃってください」

「そんな急《せ》かすなよ。まずは心の準備をだな……」

僕が胸に手を当てて深呼吸をくり返していると、鴻ノ池の顔にいやらしい笑みが広がっていった。

「怖いんですか？　もしかして、本当に幽霊が出るとか思っているんですか？」

「いや、別に怖いわけじゃ……。もちろん、幽霊なんていないって分かっているけどだな……。ただ、だからといって、さくっと入れるってわけじゃ……」

「やっぱり怖いんじゃないですか」

「そりゃ、怖いに決まっているだろ！　ただでさえ薄気味悪い廃病院なのに、幽霊が出るなんて噂《うわさ》が立っているんだぞ！」

僕が開き直ると、鴻ノ池は口元に片手を当てて、わざとらしく忍び笑いを漏らす。

「そんな大きな体しているのに、情けない」

「体の大きさは関係ないだろ。幽霊は実体がなくて、物理攻撃が効かないんだから」

「めちゃめちゃ、幽霊のこと信じてるじゃないですか……」

呆《あき》れ声で鴻ノ池がつぶやく。

「信じてない。信じてはいないんだ。ただ万が一、本当に出た場合のことまで考えているだけだ。最悪のケースを想定してだな……」

「はいはい、分かりましたからさっさと入ってください。それとも、レディファーストってことで私が先に入りますか？　それでもいいですけど、当分はそれをネタにからかっちゃいますよ」

「行くよ。行きゃいいんだろ」

僕はそっとドアノブを回して扉を開くと、中へと入る。

まっすぐに伸びた廊下に闇が揺蕩《たゆた》っていた。さっき見た病棟と同じはずなのに、その光景は僕の目にはやけにおどろおどろしく映った。急速に気温が下がった気がして、全身に鳥肌が立つ。

「いやあ、なんか迫力ありますね」

続いて入ってきた鴻ノ池が、ビデオを回しながら僕の隣に立つ。

「……なんでお前、そんなにテンション高いんだよ？」

「え？　だって、幽霊が出る廃病院の病棟ですよ。しかもお化け屋敷とかじゃなくて、本物！　リアルなやつです！　そりゃ、テンション上がるじゃないですか。でしょ？」

「同意を求めるな。僕はお前みたいな変態とは違うんだよ」

突っ込みが、がらんとした廊下に不気味にこだまする。

もう嫌だ。さっさと終わらせて、こんな気味の悪い廃病院からおさらばしよう。

「誰が変態ですか」と文句を言う鴻ノ池を無視して、僕は懐中電灯で照らしながらおそるおそる廊下を進みはじめる。

一番手前にあった病室の入り口にたどり着いた僕は、そっと中を覗き込む。そこにはマットレスが取り去られ、骨組みがむき出しになったベッドが六つ並んでいた。

「いやあ、いかにも廃病院って感じですね。雰囲気があってグッドです」

すぐ後ろから声をかけられ、体を震わせた僕は素早く振り返る。

「急に後ろから声をかけるなよ、びっくりするだろ」

「小鳥先生、さすがにちょっと怯えすぎですよ。医者なんだから、当直とかで深夜の病院なんて慣れているじゃないですか」

「普通の病院と廃病院じゃぜんぜん雰囲気が違うだろ。それに当直のときはなんというか……医者モードに入っているから」

「医者モード？」鴻ノ池は小首を傾《かし》げる。

「ほら、普段はホラー映画でスプラッタなシーンを見ると気持ち悪いけど、仕事として手術で内臓を見たり、救急でひどい怪我を見ても全然動揺せずに治療が出来るだろ」

「ああ、なんとなく分かる気はします。まあ、それはいいとしてさっさと奥に行きますよ。幽霊が出るのはもっと奥らしいですから」

鴻ノ池は手をひらひらと振ると、ビデオカメラを片手に廊下を進んでいく。僕は情けない思いを抱きつつも、きょろきょろと周囲を警戒し、鴻ノ池の後ろを進んでいった。

「どうして、いつの間にか私の方が前を歩いて……」

そこで言葉を切った鴻ノ池が足を止めた。

「どうした？」

「なんか、変な声が聞こえませんでした？　女の人が泣いているような声」

「やめろってそういうの！」

「いや、小鳥先生をからかっているとかじゃなくて、……ほら」

顔を強張《こわば》らせる鴻ノ池の隣で聴覚に神経を集中させた僕は、体を大きく震わせた。かすかに、本当にかすかにだが、たしかに声が聞こえる。

女性がすすり泣いているような声。

それは次第に大きくなり、僕たちの背後からはっきりと聞こえてくる。

僕と鴻ノ池は、同時に勢いよく身を翻《ひるがえ》した。懐中電灯の光が、いま通過してきた無人の廊下を照らし出す。そこには、特に異常は見られなかった。いつの間にか、女の声も聞こえなくなっている。

「気のせい……みたいだな」

「で、でも、いまたしかに女の人の声が……」

鴻ノ池の表情からも、さっきまでの余裕が消えていた。

「きっと、風の音かなにか……」

かすれ声でそこまで言ったとき、背中に冷たい震えが走った。見ると、隣の鴻ノ池の体も硬直している。僕たちは関節が錆びついたようなぎこちない動きで首を回し、廊下の奥を見る。

そこには霧がかかっていた。室内だというのに、濃い霧が廊下いっぱいに立ち込めていた。

「小鳥先生……あれって……」

鴻ノ池が弱々しくつぶやいた瞬間、それは出現した。

入院着を着た細身の女性、その姿がぼんやりと霧の中に浮かび上がる。

僕は微動だにすることなく、ただその女性を見つめることしかできなかった。俯《うつむ》いているせいで、長い黒髪が簾《すだれ》のようにかかり、顔ははっきりと見えない。入院着の胸元ははだけ、蒼白《あおじろ》い皮膚が覗いている。さらによく見ると、力なく垂れ下がった手からは血が滴《したた》ってさえいた。

「小鳥……先生……。あれ、見えてます……?」

「お前にも……見えてるのか……?」

二人とも見えているということは、幻覚ではない。間違いなくそこに、『なにか』がいる。

僕たちは金縛りにあったかのように身動きが取れなくなる。次の瞬間、女が勢いよく顔を上げた。喉《のど》からしゃっくりのような悲鳴が漏れる。

女の顔面は崩れ落ちていた。皮膚は腐り、肉は抉《えぐ》れ、そして一部では骨が露出している。片方の眼球は眼窩《がんか》から零《こぼ》れ落ちて垂れ下がっていた。

眼窩に嵌まっている方の目が僕たちの方を向く。唇がなく、歯茎がむき出しになった口を大きく開くと、女は血に塗《まみ》れた両手を開いて地獄の底から響いてくるような唸り声をあげた。

「うわ、わ、ああああ……」

我ながら情けない声を上げた瞬間、横から押されて僕は大きくバランスを崩した。

「きゃあああー!」

僕を押しのけた鴻ノ池が甲高い悲鳴を上げながら逃げていく。

あいつ、先輩を突き飛ばしていきやがった。怒りがわずかに恐怖を薄め、金縛りが解ける。僕は鴻ノ池に続いて全力で逃げ出した。

気持ちは先へ先へと逸《はや》るのだが、足がついていかない。何度も転びそうになりながら、僕は暗い廊下を走り外階段へと出た。

勢いよく扉を閉めた僕は、階段を駆け下りはじめる。

「お前、よくも置いていこうとしたな！」

「こういうとき、男はか弱いレディを守るもんじゃないですか！」

「お前のどこがか弱いレディだ！　この前、僕の関節極《き》めたくせに。幽霊とか怖くないんだろ。捕まえて来いよ」

「無理に決まっているじゃないですか！　幽霊に関節なんてありません！」

完全にパニックになった僕たちは、支離滅裂な内容を叫びながら階段を駆け下りていく。ガンガンと激しい音が辺りに響き渡った。

一階についた鴻ノ池は、外階段の入り口に付いた扉のノブを回す。外側からは開かなかった扉も、内側からは問題なく開けることができた。

鴻ノ池に続いて扉を抜けたところで、ある単語が頭をかすめる。はっと我に返った僕はとっさに、閉まりかけていた扉の隙間に手を差し込んだ。

「なにしているんですか、小鳥先生！　早く逃げないと呪い殺されちゃいますよ！」

鴻ノ池が息を切らしながら叫ぶ。

「……お化け屋敷」

僕がぼそりとつぶやくと、鴻ノ池は「は？」と眉根《まゆね》を寄せた。こちらを見てはいるが、足は敷地の出口へと進んでいる。あきらかに、いざというときは僕を見捨てて自分だけ逃げるつもりだ。

「だからお化け屋敷だよ。さっきの幽霊、冷静に考えたらあまりにも芝居じみていた。まるで、お化け屋敷の出し物みたいにな」

「言われてみれば……」

パニックがおさまって来たのか、（僕を見捨てて）逃げようとしていた鴻ノ池の足が止まる。

「冷静になって考えてみろよ。幽霊なんているわけがない。あれはまさにお化け屋敷の出し物なんだよ」

「誰かが仕組んだものだっていうことですか？」

わずかに腰が引けつつも、鴻ノ池が戻ってくる。

「そうだ。そもそも、ネットに屋上とか、四階病棟の行き方まで詳しく書かれていたこと自体がおかしい。きっと、それを見た奴《やつ》を誘い込んで脅かすのが目的だったんだよ」

「でも、脅かしてどうなるっていうんですか？」

「そこまでは知らんよ。なんにしろ、あの幽霊には仕掛けがあったにきまってる。しっかり調べれば、それが見つかるはずだ」

「もしかして、またさっきの病棟に戻るんですか⁉」鴻ノ池の声が裏返る。

「当然だろ。戻って調べないと、さっきの幽霊が作り物だって証明できないんだから」

「嫌ですよ！」

「なんだ、鴻ノ池。お前、怖いのか？」

意識的に挑発的に言うと、鴻ノ池は「当り前じゃないですか！」と声を張り上げる。

「お化け屋敷とかホラーなら、最初から作り物だって分かっているからスリルを楽しめるんです。でも、さっきのは本物かもしれないじゃないですか！　呪い殺されちゃうかもしれないじゃないですか！　行くなら、小鳥先生が一人で行ってください」

「……それはできない」

僕はあごを引くと、低い声で言う。鴻ノ池は「なんでですか？」と警戒心を露《あら》わにしながら訊《たず》ねてくる。

「一人じゃ怖いからだ」

「ほら、やっぱり小鳥先生も、もしかしたらさっきの幽霊が本物かもしれないと思っているんじゃないですか！」

「そんなことないぞ。僕は幽霊なんていないって確信している。さっきのは偽物《にせもの》だってな。でもな、怖いものは怖いんだ」

「胸を張って情けないこと言わないでください！　絶対に私は行きませんからね」

「鷹央先生のためにでもか」

僕がつぶやくと、鴻ノ池は「うぐっ」と喉にものを詰まらせたような声を出す。

「インフルで動けない鷹央先生の代わりにこの廃病院を調べているんだろ。それなのに、ここで日和《ひよ》っていいのか？　鷹央先生なら間違いなく、もう一度調べに戻るぞ」

鴻ノ池は数十秒、逡巡《しゅんじゅん》の表情を浮かべながら唸ったあと、背中を丸めてとぼとぼと戻ってくる。

「呪い殺されたら、絶対に小鳥先生の夢枕《ゆめまくら》に立って祟《たた》ってやりますからね」

「安心しろ、そのときは僕も一緒に呪い殺されているよ」

……嫌な運命共同体だな。

心の中でつぶやきながら、僕は重い足取りで再び外階段を上がっていく。暗い表情でビデオカメラを構えながら、鴻ノ池も渋々と後ろをついてきた。

二階、三階の踊り場を通り過ぎ、僕たちは四階の扉の前に着く。鉄製の重々しい扉の隙間から瘴気《しょうき》が漏れだしてくるような気がして、僕は喉を鳴らして唾《つば》を飲み込んだ。

「良かったら、レディファーストで」

片手を胸に当て、恭《うやうや》しく頭を下げる僕を、鴻ノ池は殺気に満ちた目で睨む。

「いいわけないでしょ！　小鳥先生が先に行ってください！」

「冗談だって、そんなキレるなよ……」

鴻ノ池の剣幕に気圧《けお》された僕は、おそるおそるノブを握ると、ゆっくりと引いていく。さっき見た暗い廊下が伸びていた。僕は奥歯を嚙《か》みしめると、懐中電灯を掲げながら中へと入っていく。

「本当に、仕掛けがあるんですよね」

後ろから付いてきた鴻ノ池が、こいつには珍しく弱々しい声でつぶやいた。

「当然だ。……そうじゃないとおかしい」

心臓の鼓動が加速していくのを感じながら、僕は廊下の奥へと進む。頰を冷たい汗が伝っていく。

廊下の中ほど、さっき僕たちが幽霊を見たあたりまでやってくる。今回は、女の泣き声が響いてくることはなかった。僕は懐中電灯で照らしつつ、周囲を注意深く観察する。しかし、目を引くようなものは見つからなかった。

それなら……。僕は大きく息を吐くと、さらに廊下の奥へと向かう。さっき、『幽霊』が現れたあたりまで。

「小鳥先生……、大丈夫ですか？」

鴻ノ池が遠くから声をかけてくる。心配しているそぶりを見せてはいるものの、こちらにやってきて一緒に調べようとはしない。それどころか、奴の体は半分、外廊下へと続く扉の方に向いていた。なにかあったら僕を置いて逃げようという意思が見え見えだ。

そんな鴻ノ池に冷たい一瞥《いちべつ》を投げかけたあと、僕は必死に辺りを探索する。廊下、近くの病室などを徹底的に調べていく。ついには床に懐中電灯を置くと、膝をつき、這いつくばってまであの『幽霊』を作り出した装置を探し続けた。

たっぷり十五分ほど捜索したところで、『幽霊』が現れた辺りの床に両手を触れていた僕はゆっくりと立ち上がる。

「なにか見つかったんですか？」

ようやく少しは警戒心が解けたのか、鴻ノ池がおずおずと近づいてくる。しかし、僕は答えることができなかった。

「小鳥先生ってば、ぼーっと突っ立ってないで答えてくださいよ。あの幽霊がどうやって現れたか分かったんですよね。そうなんですよね」

「なかった……」か細い声が僕の口から漏れる。

「どれだけ探しても、なにも見つからなかったんだよ。この病棟に幽霊を映しだすような装置はないんだ」

「それじゃあ、さっきの幽霊は……」鴻ノ池の表情がこわばっていく。

「本物の……幽霊……」

僕のかすれ声はやけに大きく、暗い廊下に響き渡った。

2

「幽霊が出た？」
ソファーに腰掛け、若草色の手術着といういつも通りの服装でココアをすすってい
た鷹央が声を上げる。彼女の顔色は昨日会ったときよりも格段に良くなっていた。ど
うやら、インフルエンザからはだいぶ回復し、本調子に戻りつつあるようだ。
「そうなんですよ、鷹央先生！　小鳥先生と一緒に時計山病院に行ったらネットの情
報通り一階から外階段には入れなくてだから院内の非常階段から屋上行ってそっちか
ら四階まで下りたんですけど廊下を進んでいったら後ろから女の人の泣き声が聞こえ
てきて振り返ったら今度は奥に幽霊が浮かんでいて血がいっぱい出ていて……」
身を乗り出した鴻ノ池は鷹央に顔を近づけると、ほぼ息継ぎすることなく一気にま
くしたてた。
「ああ、そんな早口で言われても分からん」
鼻と鼻がつきそうな距離まで迫っていた鴻ノ池の顔を、鷹央は平手で押し返す。時

計山病院で幽霊を目撃した翌日の午前八時前、僕と鴻ノ池は鷹央の〝家〟を訪れ、昨夜の出来事を報告していた。

「時計山病院の四階病棟を探索したら、本当に幽霊が出たんです。一度逃げ出したあと、なにかの仕掛けがあると思って戻って徹底的に調べたんですけど、幽霊を映しだすような装置は見つかりませんでした」

僕ができるだけ端的に説明をすると、鷹央の頰がみるみる膨らんでいった。

「つまり、お前たちは二人で時計山病院の探検に行ったっていうことだな。病気で私が動けないのをいいことに、二人だけ楽しい思いをしたんだな」

「いや、別に楽しい思いは……」

身の毛のよだつような恐怖体験はしたが。

「私だけ仲間外れにしやがって。私が統括診断部の部長なのに……、私が上司なのに、部下に置いてきぼりにされた……」

鷹央はカップを両手で持つと、俯いてココアをすすりはじめる。完全に拗《す》ねてしまったようだ。

「仕方ないじゃないですか。鷹央先生はこの〝家〟を出られないし、時間が経《た》ったら証拠が劣化しちゃうんでしょ。だから、僕たちで時計山病院を調べて、記録を取っておいたんですよ」

「そうですよ、鷹央先生を仲間外れになんかするわけないじゃないですか。時計山病院で撮影して、その映像を鷹央先生に見てもらおうと思ったんですよ。ほら、昨日の映像をＤＶＤに焼いてきましたから、一緒に見てください。廃病院の呪いの謎《なぞ》を解く手がかりがあるかもしれませんよ」

白衣のポケットから取り出したＤＶＤを掲げながら、鴻ノ池はとりなすように言う。しかし、鷹央はココアをすったまま、顔を上げなかった。

困惑した表情で視線を向けてくる鴻ノ池に向かって、僕は小さく頷いた。だてに一年近く統括診断部で働いていない。鷹央のこの反応は十分に想定内だ。

「鷹央先生、これを見てください」

僕は手にしていた袋から、紙箱を取り出す。「なんだよ……」と気怠《けだる》そうに顔を上げた鷹央の目が大きく見開かれた。

「それは……」

「そうです。『アフタヌーン』の自家製ケーキです。しかも、あの有名な特製濃厚チーズケーキもあります」

天医会総合病院の近所にある喫茶店『アフタヌーン』。そこで出される自家製ケーキは鷹央の大好物だ。時計山病院の探索に参加できなかった鷹央がへそを曲げることを見越して、僕は午前七時の開店直後に『アフタヌーン』へ向かい、ケーキを数個購入してからここに来ていた。

「濃厚チーズケーキ……。職人気質《かたぎ》なパティシエが、気に入ったチーズが手に入ったときしか作らないというあの伝説のケーキ……。店頭に並んでも、午前八時には売り切れてしまうという幻の……」

鷹央は息を乱しながらソファーから腰を浮かす。

ちょっと噂は聞いていたけど、そんなたいそうなケーキだったんだ、これ……。いまにも飛び掛かってきそうな鷹央に腰が引けてしまう。

「食べたいですか？」

じりじりとにじり寄ってくる鷹央に奪われないよう、僕は紙箱を頭上に掲げた。鷹央はいまにも涎《よだれ》を垂らしそうな勢いで……、というか口の端から本当に少し涎を垂らしながらこくこくと勢いよく頷く。

「じゃあ、僕たちが撮影してきた時計山病院の映像を見ながらみんなで食べましょう」

「分かった、見る！　見るから早くチーズケーキを！」

血走った目で鷹央はケーキの入った紙箱に視線を注ぎ続ける。

禁断症状が出た薬物依存患者みたいになっているけど、大丈夫だろうか……？

ちょっと引いている僕の隣にいた鴻ノ池が、「お皿とフォーク取ってきますね」とキッチンへと向かった。

皿を持ってきた鴻ノ池が紙箱の中身を移している間も、鷹央は全力疾走したあとの犬のように、「はっはっ」と荒い息づかいで、鴻ノ池の肩越しにチーズケーキを眺め続けている。

「はい、鷹央先生、どうぞ」

鴻ノ池が差し出した皿を受け取ると、鷹央はせわしなくフォークでチーズケーキを崩しはじめる。ケーキの欠片《かけら》を口に運んだ瞬間、鷹央の表情が蕩《とろ》けた。

恍惚《こうこつ》の表情で天井を見上げると、「ほぅ」と満足げに息を吐く。

やっぱり、クスリをキメた薬物中毒患者にしか見えない……。

呆れていると、鴻ノ池はチーズケーキを載せた皿を僕に渡しながらウィンクしてきた。

「やっぱり鷹央先生の扱いは小鳥先生が一番ですね。パートナーだけありますね」

「パートナーっていうか、猛獣使いと言われているけどな」

僕は皿を持って鷹央の隣に腰掛ける。鷹央は一心不乱にチーズケーキを口に運んでいた。

そんなに美味《うま》いのかな？　僕もフォークで切り分けたケーキを食べてみる。口の中に入った瞬間、ケーキは絹のように嫋《たお》やかに融けた。あまりの口当たりの良さに驚いていると、刹那《せつな》の間をおいて舌が優しい甘みに包まれ、同時に濃厚なチーズの香りに鼻腔《びくう》が満たされた。

　ああ、たしかにこれは幻のケーキだ。僕は鷹央に倣って、ただ無心で口と皿の間でフォークを往復させ続ける。

「あの、お二人ともメインは時計山病院の映像を見ることなんですけど、お忘れじゃないですよね？」

　壁に設置された大型テレビの横で、ＤＶＤを持ちながら鴻ノ池が言う。

「忘れてないぞ、ぜひ映してくれ」

　鷹央は皿の上のチーズケーキを見つめたまま答える。

「ちゃんと見てくださいよ。頑張って撮影したんだから」

　不満げにつぶやきながら、鴻ノ池はテレビの電源を入れると、そのわきにある挿入口にＤＶＤを差し込んだ。数秒、起動音が響いたあと、画面いっぱいに時計山病院の全景が写し出された。鷹央は一瞬、フォークの動きを止めると、画面に視線を向ける。

「なるほど、これが時計山病院か。十年以上放置されていただけあって、かなり迫力があるな」

　鷹央が興味を持ったことに安心したのか、鴻ノ池は自分のチーズケーキを皿に載せると、鷹央を挟んで僕の反対側に腰掛ける。僕たち三人はチーズケーキを食べながら、画面に映し出される映像を眺め続けた。

画面の中では、一階から外階段に入れないことを確認した僕が、正面から暗い院内に入るところだった。

『話変わりますけど小鳥先生、「ブレア・ウィッチ・プロジェクト」っていう映画見たことありますか？』

『話が変わってない！　不吉なこと言うの止めろ！』

僕と鴻ノ池が下らない会話を交わしつつ廃病院の一階フロアを進んでいく。

「『ブレア・ウィッチ・プロジェクト』か。あれはなかなか衝撃的な作品だったな。低予算映画ながら、一九九九年にシンガポールで公開されたあと口コミで爆発的にヒットし、最終的には全世界で二億四千万ドル以上の興行収入を叩《たた》きだす大ヒットになった作品だ。モキュメンタリーと呼ばれる、疑似ドキュメンタリー映画で、この作品の大ヒットを受けて同種の作品が全世界で大量に作られるようになった。臨場感によるスリルを演出しやすいことにより、ホラーやサスペンス映画が多いな。有名なのだと『パラノーマル・アクティビティ』とか『THE 4TH KIND』などだな。他にも……」

映画マニアでもある（というかありとあらゆる知識をその小さな頭に詰め込んでいる）鷹央が、『ブレア・ウィッチ・プロジェクト』に関連する知識を延々と垂れ流している間に、映像の中の僕たちは時計山病院の屋上にある、時計台の上にのぼっていた。

僕が屋根にある扉を開け、時計台の内部に入っていく。ようやく口をつぐんだ鷹央は前のめりになって、画面に映し出される時計台の内部の様子を見つめた。

「なるほど、基本的には振り子式になっているようだな。まあ、古くからあるものだから当然か」

「振り子式？」

鴻ノ池がフォークをくわえたまままつぶやく。

「重りの重量とそれを吊るす紐《ひも》の長さが同じであれば、揺れ方の大小に関係なく、振り子が一往復する時間は同じだ。これを『振り子の等時性』と言う。それを利用して、一定の速度で歯車が回転するようにした仕組みが『脱進機』だ。この映像に映っている巨大な振り子とそれに附属する歯車が脱進機だろう。そこで生じた動力を、いくつもの歯車を通して時計板の針に伝えているんだ」

「それじゃあ、電気は使わないんですか？」

僕が訊ねると、鷹央は首を横に振った。

「種類によっては、電力は必要ない。ゼンマイなどを巻くことで振り子を動かせばいいんだからな。ただ、この時計台がゼンマイ式なのか、それとも電力で振り子を動かしていたのかは、この映像だけでは分からないな」

やがて画面の中の僕は時計台から出て、屋上へと降りる。

「階段の入り口にあった扉の他に、時計台の屋根に異常はなかったんだな？」

あごを撫《な》でながら鷹央がつぶやく。

「ええ、少なくとも僕が見た限りでは、特に異常は見つかりませんでした」

「そうか……。なあ、小鳥」

やけに深刻そうな鷹央の声に、僕はわずかに緊張しつつ「なんですか？」と答える。

「チーズケーキがなくなった。お前の頂戴」鷹央はケーキが消えた皿を差し出してくる。

「嫌ですよ、自分の分は食べたでしょ。そもそも病み上がりなんですから、洋菓子を食べ過ぎたらお腹《なか》痛くなりますよ」

「あと二、三口ぐらいならいいだろ、ケチ。『アフタヌーン』の濃厚チーズケーキを食べる機会なんてそんなにないんだから」

僕と鷹央がギャーギャーと言い合っていると、横から伸びてきた手が、つまんでいたチーズケーキを鷹央の口に放り込んだ。

「私のを分けてあげますね。映像を見ながら一緒に食べましょ、鷹央先生」

鴻ノ池が半分以上チーズケーキが残っている皿を、鷹央の顔の前に持ってくる。鷹央はもぐもぐと咀嚼《そしゃく》しながら「ん」と頷いた。

再び映像に集中しはじめた鷹央の口元に、鴻ノ池はこまめにチーズケーキの欠片を刺したフォークを運ぶ。画面を眺めたまま、パクッとチーズケーキにかぶりつく鷹央の姿は、親鳥からエサを貰う雛《ひな》を彷彿《ほうふつ》させた。完全に餌付《えづ》けされている。

「おい、鴻ノ池。食べさせ過ぎるなよ。病み上がりなんだから」

「こんな小さなチーズケーキなら大丈夫ですって。それに、鷹央先生もほぼ回復しているみたいですし。それより、そろそろですよ」

鴻ノ池の言うとおり、画面の中では外階段を降りていった僕が、四階病棟に入るところだった。暗い廊下を進んでいく僕の背中が映し出される。昨夜の恐怖を思い出し、背筋に冷たい震えが走る。

「この病棟で幽霊が出たんだな」

鷹央の体勢が前傾していく。そのとき、テレビからかすかに女性の泣き声のような声が聞こえてきた。僕と鴻ノ池はびくっと体を震わす。映像が素早く動き、無人の廊下と、その奥にある外階段へと続く扉が映し出された。

「振り返ったということは、いまの泣き声は後ろから聞こえてきたということだな」

冷静につぶやく鷹央に、鴻ノ池は大きく頷いた。

「そうです。後ろから声が聞こえてきたんです。それで振り向いたら、今度は廊下の先に……」

鴻ノ池がそこまで言ったとき、テレビから悲鳴が轟《とどろ》いた。僕と鴻ノ池が上げた、滑《こっ》稽《けい》なほどに大きな悲鳴。次の瞬間、映像が大きくぶれてなにが映っているのか判別できなくなる。

僕たちが上げ続けている情けない悲鳴と、外階段を駆け下りるガンガンという音だけがテレビから聞こえる。

「なんだよ、肝心の幽霊が映っていないじゃないか」

「すみません、パニックになっちゃって。許してください」

文句の声を上げる鷹央の口に、鴻ノ池は残っていたチーズケーキの欠片を押し込む。数秒咀嚼したあとチーズケーキを呑《の》み込んだ鷹央は、「うん、許す」と鷹揚に頷く。

露骨な買収だった。

画面の中では、再び僕が四階まで階段を上がり、病棟を調べるところが映し出されていく。僕が必死に廊下を這《は》いずり回っているところで、鷹央がリモコンで映像を一時停止した。

「このあと、小鳥が病棟をひたすら探したが、幽霊を発生させるような装置は見つからなかったんだな？」

「はい、そうです」

僕が答えると、鷹央は「なるほどな」と口角を上げた。

「なるほどなって、もしかして幽霊の正体が分かったんですか？」

勢い込んで訊ねる僕に「んー」と曖昧《あいまい》な返事をした鷹央は、リモコンを手に取ると幽霊が現れたところまで巻き戻し、そこからコマ送りで映像を流していく。

「どうしてコマ送りを？」鴻ノ池が小首を傾げる。

鷹央は「いや、面白いものが映っている気がしてな」とコマ送りを続けていった。

面白いもの？　やっぱりあの幽霊はなにかのトリックだったのか？　映像の中に決定的な証拠が映っていたのか？

「ここだ！」

鷹央が楽しそうに声を上げる。画面を見た僕は目を大きく開く。そこには、転びかけた体勢で思い切り引きつった表情を浮かべる、情けない僕の姿が大映しになっていた。

「さっき見たときに気づいたんだ。幽霊の姿の代わりに、逃げてる小鳥の姿が映っているってな」

手を叩きながらケラケラと笑い声をあげる鷹央に、僕は「鷹央先生！」と声を上げる。

「そんなに怒るなって。他にも映像のなかで面白い点を見つけたんだから」

「面白い点？　それって、幽霊の正体が分かったってことですか？」

「どうだろうな。ただ、もし私を連れて行ってたら、その場で色々分かったかもな」

鷹央は後頭部で両手を組む。まだ置いていかれたことを根に持っているらしい。

「教えてくださいよ。なにに気づいたんですか？　やっぱりあの幽霊はなにかのトリックなんですか？」

「仮説は思いついたけど、現場を実際に見ない限り断言はできんよ。そうだな、今夜でも時計山病院に行って……」

「ダメです。あと二日は家から出られません」

すかさず僕が言うと、鷹央は「分かってるよ」と唇を尖《とが》らせた。

「まあいっか。私の想像が正しければ、色々と用意しないといけないからな」

つぶやいた鷹央は、ソファーから立ち上がると自作パソコンの方に歩いていく。パソコンの電源を入れた彼女は、ディスプレイにウィンドウを表示させると、プロのピアニストのような流麗な指の動きでキーボードを叩いていく。

ウィンドウが、一見しただけで意味の分からない文字の羅列で埋め尽くされていく。

どうやら、なにかのプログラミングらしい。

「あの、鷹央先生、なにしているんですか？」

訊ねるが、鷹央は反応することなくプログラムを編み続けている。完全に自分の世界に入っているようだ。この状態になった鷹央は、話しかけられても言葉が耳に入らないということをこれまでの付き合いで僕は知っていた。

「邪魔しちゃ悪いし、お暇《いとま》するか」

声をかけると、鴻ノ池は「ですね」と頷いた。

「それじゃあ鷹央先生、失礼します」

「鷹央先生、頑張ってくださいねー」

僕と鴻ノ池は小声で言い、玄関扉を開いて外に出る。やはり、自分の世界に入り込んでいる鷹央は反応することもなかった。

「鷹央先生、なにに気づいたんでしょうかね？」

「さあ、僕も映像を見返したけど、特におかしな点は見つからなかったけどな」

僕と鴻ノ池は屋上を並んで歩いていく。

「けれど、なにかに気づいたなら、あの幽霊はトリックだったたってことですよね。本物じゃなかったたってことですよね！」

立ち止まった鴻ノ池が、顔を近づけてくる。

「ど、どうしたんだよ、そんなに必死になって」

「だって、あれが本物だったら、私たち呪《のろ》われたってことになるじゃないですか。怖くて、昨日帰ってからも全然眠れなかったんですよ」

よく見ると、鴻ノ池の目の下にはうっすらと隈《くま》が浮き出ていた。

「本物のわけないだろ。昨日は暗かったから、仕掛けが見つからなかっただけだって」

自分も全く眠れなかったとは言えず強がる僕を、鴻ノ池はじっとりした目で見る。

「けれど、小鳥先生、幽霊が出た病棟、必死に探したじゃないですか。それなのに、なにも見つからなかったでしょ」

「それはまあ、そうなんだけど……」

歯切れが悪くなる僕の頭に、一つの仮説が湧《わ》きあがる。

「なあ、もしかして僕たちが逃げ出してから戻るまでの間に、誰かが幽霊を発生させる装置を病棟から持ち出したんじゃないかな？」

「えー、でも、戻るまでって三分ぐらいしかありませんよ。あんなリアルな幽霊を映しだす装置があったとして、そんな短時間で回収できますか？　それに、私たちが逃げたあとに外階段から誰かが四階病棟に入ったら、さすがに気づくと思うんですよね」

「僕たちのあとから入ったんじゃない。最初から病棟にいたんだよ」

「最初から？」鴻ノ池は首を傾ける。

「そう、犯人は四階病棟の奥に隠れて僕たちを待っていた。そして、幽霊で脅して僕たちが逃げ出したあと、装置を全《すべ》て回収して逃げたんだ」

「逃げたって、どこからですか？　外階段からじゃ、私たちに気づかれますよ」

「それはたぶん……、院内にある非常階段からじゃないか。階段側からは開かなかったけど、病棟側からは開くのかも」

「なんか強引ですねえ……」

　鴻ノ池の反応は芳《かんば》しくなかった。

「そもそも、なんで犯人は私たちを待ち構えられたんですか？　昨日、時計山病院に行くのは、私たち以外に誰も知らなかったはずなんですよ」

「それは……、ずっと誰かが来るのを待っていたのかも……」

「ずっとって、二十四時間、三百六十五日、あの病棟に潜んで、いつ来るかも分からない侵入者を待ち構えていたってことですか？　幽霊で脅かすために？　なんでそんな面倒なことをするんですか」

　当然の疑問に、「うっ」と言葉に詰まった僕を見て、鴻ノ池は大きなため息をつく。

「やっぱり、あの短い時間で誰かが装置を回収したっていうのは無理がありますよ」

「だな……」

　肩を落とす僕の背中を鴻ノ池は強く叩いた。

「そんなしょぼくれないでください。きっと鷹央先生が、あの幽霊が偽物だって証明してくれますって」

「そうかもしれないけど、全部鷹央先生に頼るのはちょっとな……。自分が何もできないのが情けなくて……」

「そんなことありません！」

鴻ノ池は背伸びをすると、ぐいっと顔を近づけてくる。

「情けなくなんてありません。小鳥先生はもっと自信を持ってください！」

「な、なんだよ、突然」

「いいですか、たしかに鷹央先生は天才です。知能だけで言ったら、人間を超越しているような存在です。けれど、別に完璧《かんぺき》人間ってわけじゃありません」

「まあ、そりゃそうだ」

この一年弱の、鷹央との思い出が頭をよぎっていく。

「あの人、完璧どころか、どっちかと言うと弱点の方が多い気がするし」

「そうです！　鷹央先生は弱点が多いんです！　そこをフォローしているのが小鳥先生なんです」

「まあ、あの人がトラブル起こすたびに、僕がフォローする羽目になっているけど……」

これまでの苦労が脳裏によみがえり、げんなりしてくる。

「トラブルだけじゃありません。小鳥先生のサポートがあってこそ、鷹央先生は実力を発揮して、複雑な症状の疾患を診断したり、不思議な事件を解決できたりするんです。今回の件だってそうですよ」

鴻ノ池は大仰に両手を広げる。

「鷹央先生は昨日の映像からなにかヒントを見つけたみたいですけど、私たちがインフルエンザで動けない鷹央先生の代わりに時計山病院の探索をしなければ、その映像自体なかったんです。そもそも、インフルエンザのことがなかったとしても、鷹央先生一人じゃ、夜の時計山病院に潜入することもできなかったはずです」

「そうかもな……」

「そうですよ。これまでも鷹央先生が色々な事件を解決しているように見えますけど、それもすべて小鳥先生のサポートあってのことなんです。鷹央先生っていう個人じゃなく、統括診断部という組織として事件を解決しているんですよ。鷹央先生だってちゃんとそれが分かっていて、小鳥先生に感謝していますよ」

「感謝……されてるかな……？」

普段の扱いを思い出し、声に疑念が滲《にじ》んでしまう。

「あれ、気づいていないんですか？　鷹央先生、すごく感謝していますよ。まあ、直接口に出したりはしませんけど、はたから見てれば明らかですよ」

「もしそうなら、ちゃんと言葉で伝えて欲しいんだけどな」

「鷹央先生ってああ見えて、けっこう照れ性なところがありますからね。小鳥先生なら言葉にしなくても分かってくれるだろうって、甘えちゃってるんですよ。信頼されている証拠ですって」

「そうかな……」なんとなく照れ臭くなり、僕はこめかみを掻《か》く。

「なんにしろ、小鳥先生がサポートして鷹央先生が謎を解くっていうのが統括診断部のスタイルです。どちらが欠けても成り立ちません。二人が支え合って統括診断部は成り立っているんです。だから、自分のことを情けないなんて言っちゃだめですよ」

鴻ノ池が諭すように言う。こいつの言葉には苛立《いらだ》たされることが多いが、何故《なぜ》かいまは素直に受け止めることができた。

「分かったよ。ありがとうな」

「いえいえ、どういたしまして。あと、私ももうすぐ統括診断部で研修して、今回みたいに小鳥先生と一緒に鷹央先生をサポートする毎日を送りますから。そのときはよろしくお願いしますね」

「そういやお前、本当にうちに研修で回って来るのか……？」

「なんですか、その心の底から嫌そうな顔は？」

鴻ノ池は頬を膨らませると、はっとした表情で腕時計に視線を落とす。

「あっ、あと五分で外科の回診がはじまる！　小鳥先生、それじゃあ失礼します」

びしっと敬礼をした鴻ノ池は、白衣の裾《すそ》をはためかせながら屋上をかけていき、階段室へと消えていく。

相変わらず忙《せわ》しない奴だ。苦笑した僕も、ゆっくりと階段室に向かって歩いていく。なぜか晴れやかな気分だった。

「支え合って統括診断部は成り立っている……か」

僕は鷹央先生の助けになっているのだろうか。そうだとしたら、少し嬉《うれ》しいかもな。

さて、仕事をはじめるか。階段室に入る寸前、僕は青く晴れ渡った空に向けて両手を伸ばした。肩関節がこきりと小気味よく鳴った。

3

ノックをして数秒経ってからドアを開ける。簡素な個室病室の窓際《まどぎわ》に置かれたベッドに横たわっていた少女が、気怠そうに上体を起こした。その顔には、ほとんど表情というものが浮かんでいない。

「おはよう、由梨さん。体調はどうかな？」

「はい……、大丈夫です……」

時山由梨はほとんど唇を動かすことなく、蚊の鳴くような声で答える。

鷹央に昨夜の映像を見せた僕は、その足で由梨の病室を訪れていた。

ゆっくりとベッドに近づいた僕は、わきにあるテーブルに置かれているプレートを見る。プレートに載っている朝食は、ほとんど手つかずのまま残っていた。

由梨がいまだに最低限しか食事を摂《と》っていないという報告を、看護師から受けていた。担当している精神科医によると、精神的なショックを和らげるために軽い安定剤などを処方しているが、効果は不十分だということだった。

患者である由梨が若いこと、時間が経てば母親を失った哀《かな》しみも薄らいでいく可能性も高いことから、これ以上強い薬は使わず経過を見るということだった。

「ご飯、あまり食べていないね」

責めるような口調にならないよう、できるだけ柔らかく僕は言う。由梨は目を伏せる。

「ごめんなさい……、あまり食欲がないんです……」

「あやまる必要なんてないよ」

僕は近くにあったパイプ椅子《いす》に腰かける。

「病院食なんてまずいよね。食べられたもんじゃない。よく分かるよ。若い子ならハンバーガーとか食べたいよね。マヨネーズとかをどばっと使っているやつ」

大仰に両手を広げながら、芝居じみたセリフを吐くと、由梨の顔にわずかながら戸惑いの色が浮かんだ。それを見て、内心で「よしっ」とつぶやくと、僕は喋《しゃべ》り続ける。

「検食って言ってね、僕たち医者も月に一、二回、患者さんに出しているのと同じ病院食を味見しないといけないんだけど、味が薄くて辟易《へきえき》しているんだ。だからね、みんな自分のデスクに醬油《しょうゆ》とか隠して、バシャバシャかけて食べるんだ」

僕は由梨の目を覗《のぞ》き込むと、「ナースには内緒にしていてよ。ばれたら怒られるからさ」と口の前で人差し指を立てる。

ほんのかすかに、由梨の唇がほころんだ。その姿に手応《てごた》えをおぼえる。

ずっとそばにいた母親を亡《な》くしたことは、由梨にとってあまりにも大きな悲劇だった。以来、彼女はどうして母親が死んだのか、本当に自分を置いて自殺してしまったのか、ずっと悩み続けているのだろう。消耗するのも当然だ。

少しでも由梨の意識を母の死から逸《そ》らさなくては、彼女は壊れてしまう。そう思った僕は、ピエロになって固く閉ざした由梨の心の扉をノックしてみようと思っていた。

「由梨さんって、甘いものとか好きかな？」

「甘いもの……ですか……？」

「そう、お菓子とか」

僕が微笑《ほほえ》むと、由梨は躊躇《ためら》いがちに頷《うなず》いた。

「そうか、良かった」

僕は白衣のポケットに手を入れると、そこに入っていたものを取り出す。由梨が
「それは……？」とまばたきをした。

「クッキーだよ。はい、食べて」

ビニールで包装された大きめのクッキーを、僕は由梨に差し出す。彼女は「え？　え？」と戸惑いつつも受け取った。

「そのクッキー、めちゃくちゃ美味《おい》しいんだよ。僕のおすすめの一品。騙《だま》されたと思って一口食べてみてよ」

やや強引に勧めると、由梨はおずおずと包装を破り、黄金色に焦《こ》げ目のついたクッキーをほんの一口かじった。

「どう？」

僕は由梨の顔を覗き込む。彼女は数回咀嚼してクッキーを呑み込むと、小さな声で
「美味しい……」とつぶやいた。

そうだろう。鷹央の機嫌が悪いときの対策としてストックしてある甘味の中でも、最も高級な一品をもってきたのだから。

『甘いもの食べると、大抵の悩みとか忘れちまうよな』

先日鷹央が言っていたその格言（？）を今日は信じてみよう。

ゆっくりとクッキーを食べ終えた由梨は、大きく息を吐いた。

「全部食べたね」

僕が声をかけると、由梨は「あ、ダメでしたか?」と不安そうに言う。

「本当はね、入院患者さんが許可なしに外から持ち込まれたものを食べちゃダメなんだよ。だから、このことを黙っていてあげる代わりに、僕が検食に醤油をかけて食べていることも内緒にしていてね」

僕は冗談めかして「つまり、いまのクッキーは賄賂《わいろ》だったってこと」と付け加えた。

「賄賂……ですか?」

「そう、美味しい賄賂だったでしょ」

由梨は不思議そうに数回まばたきをしたあと、「はい」とわずかに微笑んだ。少しだけ母親のことから意識を逸らすことができたらしい。どうやら、鷹央の格言はなかなか的を射ていたようだ。

「これからも、ときどき食べたいものを持ってきてあげるよ。好物とかあるかな?」

由梨は少し考え込んだあと、首をすくめて「ケーキが好きです」と答えた。

ケーキか。それじゃあ、今度『アフタヌーン』のケーキでも買ってきて……。そんなことを考えている僕に、由梨が声をかけてくる。

「あの、小鳥遊《たかなし》先生。……お母さんのことは、なにか分かりましたか?」

唇が歪《ゆが》んでしまう。作戦は失敗だったのだろうか？

いや、そうじゃないか……。僕を見つめる由梨の顔には、さっきまで消え去ってい
た感情の色が浮かんでいる。いまの一連のやり取りで、彼女の冷たく固まっていた心
をわずかに癒《いや》すことが出来たのは間違いない。しかし、それだけでは不十分だった。

母親の身になにが起きたのか、その真相を知るまで、由梨は最愛の人を失った事実
を受け入れて前に進むことが出来ないのだろう。

「ごめん、まだ分かっていないんだ」

「そう……ですか」

由梨は力なくうなだれる。その痛々しい姿を前に、僕は無意識に「大丈夫！」と声
を張り上げていた。

「たしかにまだ分かってないけど、色々と情報は集まってきているんだよ。だから、
きっとすぐに真相を明らかにしてもらえるはずだよ」

そうだ、昨日のあの幽霊騒動。あれもきっと、時山恵子の転落事件に関係している
はずだ。僕たちが撮影した映像から、鷹央はなにか手がかりを見つけるに違いない。

「あの小さな先生が、お母さんになにがあったのか解き明かしてくれるんですか？
本当にそんなこと出来るんですか？　警察でもないお医者さんが」

「大丈夫、きっとできるよ」

　由梨の口調に含まれている疑念を感じ取った僕は力強く言う。

「鷹央先生、あの小さな先生はね、たんなる医者じゃないんだ。なんて言うか……、一種の『名探偵』みたいなものなんだよ」

「名探偵？」

　由梨は訝《いぶか》しげに眉間《みけん》にしわを寄せた。それはそうだ。『名探偵』などという呼称、現実世界では怪しさしかない。僕は慌《あわ》てて付け加える。

「鷹央先生はね、これまで警察でも解決できないような難事件の真相を、いくつもあばいてきたんだよ。『透明人間の密室殺人』とか『人体自然発火現象』とか」

「透明人間……？　人体自然発火……？」

　由梨の形のいい眉《まゆ》の間に刻まれたしわが深くなっていく。しまった、さらに怪しさが増してしまった。

　よくよく考えれば、最初に救急室で顔を合わせて以来、インフルエンザのせいで鷹央は由梨に会っていない。たった一度会っただけの（しかも『名探偵』とか怪しい紹介をされた）人物を信頼しろと言っても、どだい無理な話なのかもしれない。

　頭を悩ましている僕に、由梨がおずおずと「小鳥遊先生」と声をかけてくる。僕は「はい、なんでしょう？」と声を上ずらせた。

「小鳥遊先生は、あの小さな先生を信頼しているんですか？　あの先生が絶対に、お母さんになにがあったのか明らかにしてくれるって信じているんですか？」

「ああ、信じているよ」

僕は即答する。鷹央が解き明かすと約束したのだ。なら、あの夜、時計山病院でなにが起きたのか、鷹央は突き止める。そう確信していた。

「……分かりました、信じます」小さな声で由梨は言った。

「あ、ありがとう、鷹央先生を信じてくれて」

由梨がどうして信じる気になったのか分からず、戸惑いつつも礼を言うと、彼女はふるふると首を横に振った。

「小さな先生を信用したわけじゃないんです。だって、一回しか会っていないから……。でも、小鳥遊先生のことは信じたいです」

由梨は言葉を選ぶようにしながら、たどたどしく言う。

「小鳥遊先生が信頼しているなら、私もあの先生のことを信じます」

「そっか……ありがとうね、由梨さん」

僕が礼を言うと、由梨は弱々しくはにかんだ。そのとき、ズボンのポケットから電子音が響く。僕は素早く院内携帯を取り出した。

『通話』のボタンを押して十数秒話をしたあと、僕は院内携帯をポケットにしまって由梨を見る。

「由梨さん、伯父さんが来たみたいだけど、説明に同席する？」

先日、由梨の伯父である時山文太《ぶんた》が病状説明を聞きたいと連絡をしてきた。都合を訊《たず》ねると、今日の早い時間がいいという返答があった。今日、時山恵子の通夜《つや》が行われるので、東京に来ているらしい。

「無理しなくていいよ。由梨さんの体調についてちょっと話すだけだから」

迷っている雰囲気を察してそう言うと、由梨は首を横に振った。

「いえ、私も行きます。おじさんと話さないといけないこともあるから」

どうやら、抜け殻のような状態からは少し回復したようだ。一時的なことかもしれないが、それでも十分な前進だ。

僕が「それじゃあ、一緒に行こうか」と促すと、由梨は体を起こしてベッドから降りる。しかし、何日間かずっと横になっていて足に力が入らなかったのか、スリッパを履こうとしたところで大きくバランスを崩した。僕はとっさに由梨の肩を両手で支える。

「あ、ありがとうございます」

体勢を立て直した由梨は、慌てて僕から身を離すと、俯《うつむ》いてしまう。

とっさに手が出てしまったが、倍近くも年が離れている男に触れられたのが嫌だったのかもしれない。気をつけなければ。未成年の女性患者にセクハラをしたなどと誤解されたら、医師としてのキャリアどころか、人生が終わりかねない。

「そ、それじゃあ、行こうか」

僕が引きつった笑みを浮かべながら言うと、由梨は視線をそらしたまま「はい」と小声で答えた。病室を出てナースステーションに向かう間も、由梨は僕と微妙な距離を保ってついてきた。

せっかく築いた信頼を失ってしまったのだろうか？　けれど、あのとき支えないと、倒れて怪我《けが》をしていたかもしれないからなぁ。少し落ち込みながらナースステーションにたどり着いた僕は、看護師に「時山さんのご家族は？」と訊ねる。

「病状説明室で待ってもらっています」

忙しそうに看護記録を書きながら、若い看護師が答える。僕は由梨を引き連れて、病棟の隅にある病状説明室へと向かうと、ノックしてから「失礼します」と扉を開いた。

名前の通り、患者やその家族に病状を説明する際に使用する四畳半ほどの狭い部屋には、喪服を着た二人の中年男性が待っていた。一人は先日救急部で顔を合わせた時山文太、もう一人は細身の男性だった。年齢は五十歳前後といったところだろうか。紳士然とした佇《たたず》まいと、身につけている腕時計などが醸《かも》し出している高級感から、富裕層であることをうかがわせる。

「一志《かずし》おじさん⁉」

僕が誰なのか訊ねる前に、由梨が驚きの声を上げる。一志と呼ばれた男性は立ち上がり、「やあ、由梨ちゃん。久しぶりだね」と柔らかく微笑んだ。

おじさんということは……。僕がいまいち状況を摑《つか》めずにいると、文太が男性を紹介してくれる。

「どうも、小鳥遊先生。こちらは兄の一志です。今日は二人で話を聞きに来ました」

「はじめまして、時山一志です。主治医の先生ですね。どうぞよろしくお願いします」

慇懃《いんぎん》に言うと、一志は手を差しだしてくる。僕は反射的にその手を摑む。

「あ、こちらこそよろしくお願いいたします。主治医は私の上司である天久《あめく》というのが務めておりますが、本日は体調を崩しているため、代わりに私がご説明させていただきます。先日、文太さんからはシンガポールにいらっしゃると伺ったのですが」

「はい、不動産会社に勤めていて現在シンガポールに赴任中なんですが、文太から恵子の件について連絡を受けまして、すぐに日本に戻ってきました」

一志はつらそうに首を振る。

「兄さんは私なんかよりずっと優秀で、海外でバリバリ働いているんですよ。やっぱり本当に頭の良い人間は、医者をやるより金融とか不動産の世界で生きる方が儲《もう》かるんですよね」

　自分のことでもないというのに、文太が誇らしげに言う。

「医者にならないと言ったとき、親父《おやじ》からは雷を食らったけどね。ただ、どうにも昔から、血を見るのが苦手で」

　苦笑しつつ僕の手を離した一志は、「由梨ちゃん」と由梨の肩に手を置く。

「つらかったね。本当はもっと早く会いに来るつもりだったんだけど、恵子の葬儀の件なんかで忙しくてね、今日まで顔を見せられなかった。ごめんな」

　一志が謝罪すると、文太も立ち上がる。たるんだあごの肉がプルンと揺れた。

「葬儀の準備とかは全部、兄さんがやってくれたんだ。その他の面倒な手続きも、兄さんが知り合いの弁護士に頼んでくれたから、由梨は心配しなくていいってよ」

　目を見開く由梨の頭を、一志は優しく撫でた。目に涙を浮かべた由梨は、一志の着ているブラックスーツの襟を摑むと、彼の胸に顔をうずめて肩を震わせはじめる。

「大丈夫だ、なにも心配いらないよ。もう大丈夫だから」

　嗚咽《おえつ》が響く部屋の中で、一志は由梨に柔らかく語り続けた。

　由梨が泣き止《や》むのを待って、僕は彼女の現状を二人の伯父に説明をはじめる。

　部屋が狭くあまりスペースがないため、テーブルを挟んで向こう側に一志と文太が座り、僕の隣に由梨が座る形になっている。

由梨はまだ目を潤《うる》ませて、ときどきしゃくりあげているが、その表情はこの部屋に来る前に比べてだいぶ穏やかになったように見える。

母親を失って由梨は、この世界に一人取り残されたような気持ちになっていたのだろう。そんな中、頼りにできる伯父が現れ、「大丈夫だよ」と言ってくれた。張り詰めていたものが切れて、感情が溢《あふ》れ出すのも当然だ。

「……というわけで、身体的には大きな問題はありません。ただ、強いショック状態なので、症状が落ち着くまで入院して様子を見た方が本人のためにも良いかと思います」

説明を終えた僕は、伯父たちの反応を見る。

「ありがとうございます、小鳥遊先生。よく分かりました」

一志が頭を下げる。

「たしかに、自宅で一人過ごすのは私も良くないと思っていました。よろしければ、もう少し入院させていただけますでしょうか。由梨ちゃんもそれでいいよな」

水を向けられた由梨は、鼻をすすると「うん」と頷いた。

「説明はこれくらいになりますが、なにかご質問はありますか」

「今日の午後、由梨を通夜に連れて行きたいのですが、それは可能でしょうか？」

一志の質問に僕は「はい、問題ありません」と答える。

「外出届を看護師に渡しておきますので、迎えにいらっしゃった際、ナースステーションに一声かけてください」

「分かりました。ありがとうございます」

「それでは、説明はこれくらいでよろしいでしょうか。由梨さんも少し疲れていると思うので、病室で休んでいただいた方がいいですね」

僕が切り上げようとすると、一志が「由梨ちゃん」と俯いている由梨に声をかけた。

「この何日か、いろいろと考えたんだが、もしよければ私の家に来ないか？」

「え？　おじさんの家？」由梨は充血した瞳《ひとみ》で一志を見る。

「そうだ。由梨ちゃんは未成年だから、だれかが親代わりにならないといけない。私は妻と二人暮らしなんで、由梨ちゃんが来てくれたら、家が賑《にぎ》やかになって嬉しいんだが」

「でも、おじさんの家って……」

「そう、シンガポールだ。あと数年は日本には帰ってこられないだろう。だから、無理強いはしないよ。もし日本で一人で過ごしたいというなら、私が後見人になってそうできるようにするつもりだ。ただ、できたら私の家に来て欲しい。……娘としてね」

「そんな……、急に言われても……」

「前から恵子に言われていたんだ。『私にもしものことがあったときは、由梨のことをお願い』ってね」

「お母さんが……」

由梨は息を呑むと、身を乗り出した。

「じゃあ、もしかして、おじさんがお母さんからの手紙を持っているの？」

「手紙？」

一志は困惑した様子で聞き返す。由梨の顔に失望が広がっていった。

「癌《がん》だってことが分かってから、お母さんはずっと、私に手紙を書いていたの。自分が……死んだ後に私に読ませるために。お母さんは隠れて書いていたけど、私は気づいてた」

「それが見つからないんだね？」

僕が訊ねると、由梨は力なく頷いた。

「一度、病院から外出して家に着替えを取りに帰ったとき、一生懸命探したけれど、どこにもなかったんです」

「そうか、つらいね」一志が優しく言う。「きっとどこからか見つかるさ。それより、シンガポールの件、急なことは分かっているけれど、よく考えてから答えを出して欲しい」

「おじさんは当分、日本にいてくれるの？」

「いや、仕事をずっと休んでいるわけにはいかなくてね、明後日《あさって》にはシンガポールに戻らないといけないんだ」

一志が首を横に振る。由梨の顔に失望の色が浮かんだ。

「ただ、いまかかわっている取引が終われば、あらためて日本に来るよ。たぶん、二、三週間後になると思う。それまでに、今後どうするか決めておいてくれ。できるだけ、由梨ちゃんの希望に沿う形にするつもりだから」

由梨は俯いて小さな声で「分かった」と答えたあと、僕を横目で見る。

「小鳥遊先生、少し疲れたんで病室で休んでいていいですか」

消耗しているところに今後の人生を左右するような選択肢を提示されたのだ、疲弊するのも当然だ。

「ああ、もちろんいいよ。お二人もそれでいいですよね」

僕が訊ねると、二人の伯父は頷いた。

「それじゃあ由梨ちゃん、夕方にあらためて迎えに来るからね。それまで休んでいて」

一志の言葉に「うん」と答えつつ、由梨は緩慢な動作で席を立つ。病室まで送ろうと僕は椅子から腰を浮かしかけた。

「一人で大丈夫です。ちょっと、考え事をしたいから」

はっきりとそう言われてはついていくわけにもいかず、僕は椅子に腰を戻す。病室までは十数メートルだ。まあ、一人でも大丈夫だろう。

「……失礼します」

力無く会釈《えしゃく》をすると、由梨は病状説明室から出ていく。扉が閉まる乾いた音が部屋の空気を揺らした。

「切り出すタイミングを間違えたかもしれません。申し訳ありません」

一志は渋い表情で、整髪料で整えた頭を掻く。

「いえ、仕方がないですよ。明後日、シンガポールに戻られるなら早いうちに言っておかないといけないですから。それでは、お二人もお忙しいでしょうから今日はこのあたりにしておきましょう。由梨さんの治療は責任を持って当たりますのでどうぞお任せください」

僕が面談を切り上げようとすると、一志は名刺を差し出してきた。そこには、僕でも名前を知っている大手不動産会社の名前が記されていた。

「なにかありましたら、こちらにご連絡ください。私に出来ることがありましたら、なんでもしますので」

そこで言葉を切った一志は、テーブルに手をつくと、深々と頭を下げた。

「どうか、由梨のことをよろしくお願いいたします」

4

時を刻んでいく壁時計の秒針を、鷹央は真剣な目で見つめていた。彼女の唇の隙間《すきま》から、小さな声が漏れる。

「五、四、三、二、一……」

短針、長針、秒針、三つの針が重なる。午前零時、日付が変わった。

「自由だー！」

ソファーの上で立ち上がり、背もたれに片足をかけた鷹央が、天井に向けて小さな拳《こぶし》を突き上げる。その傍らでは、ライダースーツを着込んだ鴻ノ池が笑顔で拍手をしていた。

インフルエンザと診断されてから五日目の深夜、僕たちは鷹央の〝家〟に集合していた。

「これで五日間の監禁生活ともおさらばだ。これでようやく自由を手に入れられた」

まるで、何年間も冤罪《えんざい》で収監されていたかのように、鷹央はオーバーに喜ぶ。

いや、あなた基本引きこもりなんだから、普段から五日ぐらい外出しないこと、ざらにあるじゃないですか。

胸のうちで突っ込みを入れていると、鷹央がびしりと僕を指さしてきた。

「それじゃあ小鳥、さっそく時計山病院に向かうぞ」

「本気で行くんですか？　こんな時間なのに」

自宅待機が解け次第、時計山病院に向かうと鷹央が言い張るので、僕と鴻ノ池はこうして仕方なく、〝家〟で『自由へのカウントダウン』をともにしていた。

「当り前だろ。ずっと待っていたんだぞ。それに、お前たちだって、あの幽霊の正体を早く知りたいんじゃないか」

鷹央は唇の端を上げていやらしい笑みを浮かべる。

「それはまあ、なんと言うか……。なあ……」

僕は言葉を濁すと、鴻ノ池に視線を送る。彼女は首をすくめると、引きつった笑みを浮かべた。

時計山病院に入った直後のように、幽霊が怖くて眠れないというほどではないが、ベッドに入って目を閉じると、瞼《まぶた》の裏に血まみれで迫ってくる女性の姿が蘇《よみがえ》ってしまい、熟睡できずにいた。

「なら文句ないだろ。ほら行くぞ」鷹央はあごをしゃくって玄関を指す。

明日も仕事があるので深夜の冒険は避けたいのだが、どうせ帰ってもこのままじゃよく眠れないのだ。それなら、鷹央にあの幽霊のトリックを解き明かしてもらい、短時間でも深く眠った方がいい。そう判断した僕は「分かりましたよ。行きましょう」と頷く。鷹央は勝ち誇ったような表情を浮かべると、「これ持ってくれ」とソファーに置いていたリュックサックを押し付けてきた。ずしりとした重みが腕に伝わってくる。

「これ、なにが入っているんですか？」

「今日必要になるものだよ」

鷹央は悪戯《いたずら》っぽく口角を上げると、意気揚々と玄関に向かっていった。僕たち三人は連れ立って〝家〟を出る。

「いやあ、やっぱり娑婆《しゃば》の空気はうまいな」

屋上に出た鷹央は、なにやら芝居じみたセリフを吐きながら深呼吸をした。

一階まで降り、夜間出入り口から院外に出た僕たちは、病院の裏手にある駐車場へとやって来る。

「これです」

駐車場の隅に停めてある白いトヨタのアクアの前まで僕は移動した。

「前の攻撃的なフォルムの車と比べると、随分と可愛《かわい》らしいな。これがお前の新しい愛車なのか？」

鷹央はまじまじとアクアを見つめる。

「違います。鷹央先生を時計山病院に連れて行くのに車が必要だから、実家から借りてきたんです」

鷹央は興味なげに「ふーん、そっか」とつぶやくと、助手席に乗り込んだ。鴻ノ池は少し離れた位置に駐車してある自分のバイクの方に向かっていく。

「それじゃあ、行きますよ」

アクアに乗り込んだ僕は、イグニッションのボタンを押す。ハイブリッドエンジンが起動し、かすかなエンジン音が響いてくる。

「この車、いいじゃないか」

助手席の鷹央がはしゃいだ声を上げる。

「前の車より広くて乗り心地が良いし、エンジン音も静かだ。なあ、小鳥。次に買う車はこれがいいんじゃないか」

「違うんです！」僕は両手で抱えた頭を振った。

「なにが違うんだよ？」鷹央は不思議そうに目をしばたたかせる。

「たしかにアクアはいい車です。小回りが利くし、燃費も飛びぬけて良い。ハイブリッドだからエンジン音も静かで、特に電気モーターで走っているときはほとんど音もしません。ハンドルの操作性も最高だ。けれど……、けれど、僕が求めている車はこれじゃないんです」

脳裏に、数週間前に亡くした愛車、マツダのRX－8の雄姿が蘇ってくる。

「獣の咆哮《ほうこう》のようなロータリーエンジンの唸《うな》りと内臓を震わせる振動。そこから生み出されるスポーツカー特有の加速。路面の状態をダイレクトに伝えてくる硬めの足回りと、そこに直結されたハンドル。あの暴れ馬を乗りこなすような快感が、この快適な車からは微塵《みじん》も感じられないんです」

苦悩を吐き出す僕を、鷹央は無言のまま横目で見つめてくる。その瞳は「なに言ってんだ、こいつ？」と如実《にょじつ》に語っていた。

この前、鴻ノ池が「鷹央先生、すごく感謝していますよ」とか言っていたけど、それならこんな目、できなくない？

「いいから出発しろよ。早く幽霊の正体が知りたいんだろ」

鷹央が冷たく言い放つ。僕は力なく「アイアイサー」と答えると、ギアを入れてアクセルを踏む。

アクアは忍者のように静かに駐車場を滑り出た。

「なる……ほど、たしか……に……良い……景色だな」

屋上の隅から街の夜景を見下ろしつつ、鷹央が息も絶え絶えにつぶやく。

「フェンスに寄りかからないようにしてくださいよ。十年以上も放置されているんですから危ないですよ」

ランタン型の懐中電灯を手にした僕が声をかけると、鷹央は振り返って不満げに唇を突き出した。たぶん「分かっているよ」と文句を言いたかったのだろうが、息が切れてその余裕がなかったのだろう。

天医会総合病院を出てから数十分後、僕たち三人は時計山病院の屋上にたどり着いていた。先日と同じように、まずは病院裏手の外階段へと行き、外からは扉が開かないことを確認したあと、院内の非常階段を上がってここまでやってきた。

ただでさえ体力がないうえ、病み上がりで消耗している鷹央が十階以上ある階段をのぼるのにかなり時間がかかったが、僕と鴻ノ池が二人で、励まし、なだめ、ときには肩を貸したりして、なんとかここまでやってくることが出来ていた。

フルマラソンを終えたばかりのランナーのように、数分、膝《ひざ》に手を当てて酸素を貪《むさぼ》ったあと、鷹央は体を起こした。

「さて、それじゃあ四階に行くか」

「あれ、鷹央先生、時計台の内部は見ないんですか?」

鷹央の背中に手を当てていた鴻ノ池が首をかしげる。

「それは後でじっくり観察させてもらう。予定通りに進めば、このあと待ち時間が発生するはずだ。夜も遅いんだ、時間は有効に使わないとな」

「待ち時間？」

　鴻ノ池の首がさらに傾いていく。僕も鷹央の真意がつかめなかった。この人は面倒くさがって、いつも説明が不十分なのだ。

「いいからさっさと行くぞ、ほら」

　鷹央が促すが、僕と鴻ノ池の反応は鈍かった。どうしても先日の恐怖体験が頭をよぎり、足が重くなってしまう。

「鷹央先生、あの幽霊はもちろん偽物《にせもの》なんですよね？」

　僕がおずおずと訊ねると、鷹央は肩をすくめる。

「だから、それを調べに行くんだろ。いまの時点では偽物だと断言することはできない。お前たちが本物の幽霊を見た可能性だってある」

　頬の筋肉が引きつってしまう。そんなことを言われたら、ますます四階病棟へ行くのが怖くなる。

「行かないなら私一人で確認してくる。お前たちはそこで待ってろ」

　焦《じ》れた鷹央が外階段に向かっていく。

「あっ、待ってください。行きますよ、行けばいいんでしょ」

こんな危険な場所で、鷹央を一人で行動させるわけにはいかない。僕と鴻ノ池は枷《かせ》がついたかのように重い足取りで鷹央のあとを追った。

僕たちはギシギシと軋《きし》む外階段を慎重に降りていく。数分下っていくと、『6』とかすれて読み取りにくくなっている数字が記された扉がある踊り場へとやって来た。

「ここが六階ということは、二階下が四階だな。お前たちは、二階下の病棟に入ったんだな」

先頭を歩く鷹央が振り返って言う。

「ええ、そうですけど」

僕が頷くと、鷹央は「そうか」とつぶやいて再び階段を降りていく。そこから二階下の踊り場にたどり着いた鷹央は、塗装が剝《は》げているその扉を見上げた。

「この奥が、幽霊が出るっていう病棟か」

鷹央は無造作に手を伸ばし、ノブを摑む。

「ちょ、ちょっと待ってください。入る気ですか？」

「そ、そうですよ鷹央先生、すこし落ち着きましょ。ね、落ち着きましょうよ」

慌てる僕と鴻ノ池を眺めながら、鷹央は眉根を寄せる。

「いまさらなに言ってるんだ。なんのためにここに来たんだよ」

僕が「いや、そうなんですけど……」と口ごもるすきに、鷹央はノブを回して扉を開けた。

「おお、たしかにこれはなかなか迫力あるな。『ザ・廃病院』って感じだ。そのままホラー映画のセットに使えるな」

呑気《のんき》なことをいいながら鷹央が院内に入る。彼女一人で行かせるわけにもいかず、僕と鴻ノ池も首をすくめながら後を追った。

「この廊下を進んでいったら、幽霊が出たんだな」

「た、鷹央先生。もっと慎重に」

大股に進んでいく鷹央に、僕は慌ててついていく。

「そうですよ、鷹央先生。幽霊が出たらどうするんですか」

僕を盾にするように背中に引っ付きながら、鴻ノ池も声を上げる。

「だから、その幽霊を見ないことには、なにもはじまらない……」

そこまで言ったところで鷹央は言葉を切る。僕と鴻ノ池の体が大きく震える。

背後からかすかに響いてくる女の泣き声を聞いて。

反射的に僕は振り返って、いま来た廊下を見る。隣にいる鷹央、そして鴻ノ池も振り返った。しかし、そこには誰もいなかった。

前回も同じ反応をした。そして……。

僕たち三人は、同じタイミングで首だけ振り返って、廊下の奥に視線を向ける。そこにはいつの間にか、白い霧のようなものが漂っていた。

霧の中に、かすかに人影が見える。入院着を着崩し、両手をだらりと下げて俯く、細身の女性。その手からは血が滴《したた》っている。この前と同じ、幽霊の姿。

次の瞬間、女が勢いよく顔を上げた。顔の前に簾《すだれ》のように垂れ下がっていた前髪が払われ、その下にある顔が露《あら》わになる。肉が腐れ落ち、骨まで露出している顔が。

鴻ノ池がか細い悲鳴を上げ、外階段に向かって逃げていく。そんななか、鷹央はまばたきをすることもなく、まっすぐに幽霊を見つめていた。その表情には、ほとんど変化はなかった。

やっぱり鷹央先生はこれがトリックだって分かっているんだ。だからこそ、こんなに平然としていられるんだ。

悠然と構える鷹央の姿が、パニックに陥りそうな僕の心の均衡を何とか保ってくれた。

「た、鷹央先生、やっぱりあれは偽物なんですよね？」

両手を広げて迫ってくる幽霊を前に、僕は震え声で訊ねる。しかし、鷹央は答えない。

「鷹央……先生……？」

まったく無反応で微動だにしない鷹央の姿に、ようやく僕は自分の勘違いに気づく。

この人、動じてないんじゃない。恐怖でフリーズしているだけだ。

幽霊の叫び声が廊下に響き渡る。すぐに逃げなくては。

僕はとっさに「失礼しますよ！」と声をかけると、鷹央の体を抱き上げ、廊下を扉の方へ戻っていく。

両手で抱えていては外階段への扉を開くことが出来ない。そう判断した僕は、鷹央の体をさらに持ち上げ、肩へと担《かつ》いだ。

なんだか荷物のように扱っているような気がするが、緊急事態だから仕方がない。

小走りで廊下の突き当りへと戻った僕は、空いた手でノブを回して扉を開き、外階段へと出る。転ばないように注意しつつ、鷹央を担いだまま階段を駆け下りた。

やがて地上へと到達すると、僕は外階段の入り口にある扉を開いた。

「ストーップ！」

階段の外へと逃げ出そうとしたとき、耳元で大声が上がる。それとともに、完全に硬直していた鷹央が四肢をばたつかせはじめた。どうやら、金縛りが解けたらしい。

「わっ、鷹央先生、暴れないでください。危ないですって」、
鼓膜に痛みをおぼえながら僕は慌てて鷹央をおろす。着地した鷹央は、僕を怒りに満ちた瞳で睨《ね》め上げた。

「お前、よくもセメント袋担ぐみたいに私を運んでくれたな。それがレディに対する

扱いか？」

「いや、この場合は仕方がないじゃないですか。だって、鷹央先生、完全に固まっていたでしょ」

「そりゃそうだろ。あんな迫力があるなんて聞いていなかったから驚いたんだよ。先に言っておけよな」

鷹央は八つ当たりをはじめる。

「運ぶにしても、もっと両手で大切に持てよ。あんな適当な運び方しやがって」

「脱力した人間って重いんですよ。だから、肩に担いだ方が楽だなと思って」

「重い⁉　私が重いって言うのか⁉」鷹央が目を剝《む》く。「私は平均体重よりもだいぶ軽いぞ。そりゃ、最近少し体重が増えてきているのが気になっているけど。それでもまだ平均以下だ」

「あれだけ毎日お菓子を食べてりゃ、体重も増えますよ」

「他人事《ひとごと》みたいに言うな！　その何割かは、お前が持ってきたものだろ」

たしかにそれは一理ある。最近は、鷹央の虫の居所が悪いときに、お菓子をお供えして怒りを静めてもらうという方法をよくとっていた。

「二人とも何しているんですか。早く逃げないと」

一人でさっさと逃げていた鴻ノ池が、数十メートル先から声をかけてきた。鷹央といつものやり取りをしているうちに、いつの間にかパニックがおさまり、胸の中で暴れていた恐怖も小さくなっていた。

「なんで逃げるんだ。いまからが本番だろ。あの幽霊の正体を暴くぞ」

開けた扉を手で押さえたまま、鷹央は手招きをする。

「えー……、大丈夫なんですか？　本当に危険はないんですか？」

鴻ノ池が疑念に満ちた声で訊ねると、鷹央は胸を張って「大丈夫だ、まかせておけ」と大きく頷いた。その姿を見て、残っていた恐怖も消えていく。

「まあ、鷹央先生がそう言うなら……」渋々といった様子で鴻ノ池が戻ってきた。

「さて、前回お前たちは、こうして逃げたあと、この外階段で四階病棟まで戻って、あの幽霊を発生させるような仕掛けがないか探したんだな」

「はい、そうです」僕はあごを引く。「けれど、何も見つかりませんでした」

「それじゃあ、そのときの行動をトレースしてみるか。まずは四階まで上がるぞ」

鷹央はにっと不敵な笑みを浮かべると、外階段を上がっていく。僕と鴻ノ池は顔を見合わせると、鷹央のあとを追っていく。

地上から三階分の階段をのぼった僕たちは、四階の踊り場へとやってくる。

「さて、行くか」

鷹央は軽く言うと、なんの気負いもなく塗装の剝げた扉を開いて中に入っていく。

僕は唾《つば》を飲み込むと、続いて扉を抜けた。

「このあと……、どうするんですか……」

最後尾で躊躇いがちに院内へ入ってきた鴻ノ池が、小声で訊ねる。

「だから、前と同じだよ。小鳥、調べてみろ。この病棟になにか仕掛けがないか」

「僕がですか⁉」

僕が自分を指さすと、鷹央は「お前以外、誰がいるんだよ」とあごをしゃくった。

「小鳥先生、ファイトです」

扉のそばから動くことなく、鴻ノ池が声をかけてくる。

「分かりましたよ。やればいいんでしょ、やれば」

僕は肩を落としながら、なかばやけくそで言うと、懐中電灯で照らしながらおそるおそる廊下を進んでいく。前回と同じように、再び幽霊が現れることはなかった。

僕は今回も必死に、偽の幽霊を作り出せるような装置を探す。しかし、廊下や病室を丹念に探索するが、目ぼしいものはなにも見つからなかった。

「おーい、なにか見つかったか?」

病室で四《よ》つん這《ば》いになってベッドの下を覗《のぞ》き込んでいると、鷹央の声が聞こえてきた。僕は立ち上がり、廊下を戻っていく。

「なにも見つかりませんでした」

「じゃあ、やっぱりさっきの幽霊は本物だったってことですか？」

鷹央の体に隠れるようにしながら、鴻ノ池がかすれ声を絞り出す。

「なあ、舞。いまなんで、あの幽霊が本物だと思ったんだ」

「え、なんでと言われましても……。なにも仕掛けがないなら、本物だとしか……」

戸惑い顔で鴻ノ池がつぶやくと、鷹央は左手の人差し指をぴょこんと立てた。

「幽霊が現れた病棟を探したが、そこには一切の細工がされていなかった。だからこそ、あの幽霊は何らかの装置によって、人為的に作り出されたものではない。お前はそう判断した。そうだな？」

鷹央の解説に、鴻ノ池は「はあ、たぶん……」と曖昧《あいまい》に答える。

「じゃあ、このなんの仕掛けもない病棟と、幽霊が出た病棟が別だとしたらどうだ？」

鷹央の顔にいたずらっぽい笑みが浮かぶ。

「え？　別？　それってどういうことですか？」

鴻ノ池はまばたきをくり返す。僕も鷹央がなにを言っているか分からなかった。

「よし、時間もないし、そろそろ種明かしと行こう。ついて来いよ」

楽しげに言うと、鷹央は扉を開けて外階段へと出た。

「鷹央先生、どこに行くつもりなんですか？」

僕の質問に、「すぐに分かる」と上機嫌に答えながら階段を降りていった鷹央は、一階下の踊り場で足を止める。

「三階病棟？　ここになにがあるんですか？」

「入ってみれば分かるさ」

鷹央が扉を開けて中に入った。僕と鴻ノ池はクエスチョンマークが浮かんだ表情を浮かべながら彼女に続く。そこには四階とまったく同じ作りの病棟が広がっていた。

暗い廊下を数歩進んだ鷹央は、突然その場に這いつくばる。

「あの、いったいなにを……？」

そばまで近寄って訊ねると、鷹央は顔を上げて僕を見る。

「ぼーっとしてないで、お前たちも探せよ」

「探すって、なにをでしょう？」鴻ノ池が訊ねる。

「なにか異常なものをだよ。ほら、早く」

とてつもなく適当な指示を出した鷹央は、四肢をついて床を這いずりはじめる。僕と鴻ノ池は顔を見合わせたあと、仕方なく鷹央に倣《なら》った。

懐中電灯で床や壁を照らしてはみるものの、なにを探せばいいのかさえ分かっていないので、どうしても注意散漫になってしまう。適当に探索しているふりをしていると、鷹央に横目で「おい、真面目《まじめ》にやれよ」と睨《にら》まれた。

「はあ、すみません」

首をすくめて心のこもっていない謝罪を口にした僕は、鷹央からじわじわと距離を取っていく。これだけ離れれば、いくら夜目が利く鷹央でも、細かい様子までは見えないだろう。

そんなことを考えていた僕は、ふと少し離れた位置にある廊下の壁の一部が、わずかに盛り上がっていることに気づいた。

なんだ、あれ。僕は四肢を動かしてそちらに近づくと、手にしている懐中電灯でその部分を照らす。床から三十センチほどの位置に、掌《てのひら》に収まるほどの直方体の物体が取り付けられていた。その中心には、硝子《ガラス》玉のようなものが埋め込まれている。

もしかしてこれが？

「鷹央先生、なにか見つけたんですけど」

鼻先がつきそうなほど床に顔面を近づけていた鷹央は、勢いよく顔を上げてこちらを見ると、ばたばたと手足を動かして這い寄ってきた。闇《やみ》に満たされた廃病院の中、いくら小柄といえど大人の女性が高速でハイハイをして近寄ってくる姿はホラーじみていて、思わず身を引いてしまう。

「なんだ⁉　なにを見つけたんだ！」

僕が着ているポロシャツの胸倉を摑みながら鷹央が叫ぶ。そのまま首筋に嚙《か》みつかれてしまうような錯覚をおぼえつつ、僕は震える手で壁に付いている物体を指さす。

僕のポロシャツを離した鷹央は、その装置に顔を近づけて、まじまじと観察をはじめる。険しかったその顔に、じわじわと満足げな笑みが広がっていった。

「なるほど、かなり小型だな。しかも低い位置に設置され、さらに壁と同じ色をしている。これなら簡単には見つからないわけだ」

「あの、それってなんですか？」少し遅れて近づいてきた鴻ノ池が、小首を傾《かし》げる。

「これこそが、幽霊を生み出していた装置の一部だ」

胸を張る鷹央の言葉を聞いて、僕は目を見開いた。

「え？　それじゃあ、この装置が上の階に幽霊を発生させていたってことですか？　厚い床で仕切られた別の空間に幽霊を映しだすなんて、そんなこと可能なんですか？」

早口で訊ねる僕の鼻先で、左手の人差し指を左右に振りながら、鷹央はチッチッチッと舌を鳴らした。

「そうじゃない。お前たちは根本的な思い違いをしているんだ」

「思い違い？　どういうことですか？」

「こういうことだよ」

鷹央は悪戯っぽく口角を上げて、その物体に埋め込まれている硝子玉の部分に手をかざした。

僕と鴻ノ池が同時に小さく悲鳴を漏らす。背後からかすかに響いてきた女の泣き声を聞いて。

「この階にも幽霊が⁉」鴻ノ池が上ずった声で言う。「鷹央先生、早く逃げましょう！」

「落ち着け！」

鷹央に一喝され、鴻ノ池ははっとした表情になる。

「これは超常現象なんかじゃない。舞、お前は泣き声をたどって、発生源を見つけろ」

「え？　発生源……ですか？」

「そうだ、ほら急げって」

鷹央に促された鴻ノ池は、こわばった表情ながら言われた通りにする。その態度からは、もはや恐怖でパニックになっている様子はうかがえなかった。

視線を泳がせていた鴻ノ池は、外階段に繋《つな》がる扉のそばにある病室へと入っていく。

「さて、そろそろか」

鷹央はつぶやくと、あごをしゃくった。そちらに視線を向けた僕の体が硬直した。

廊下の奥に、白い霧のようなものが発生していた。みるみる膨張した霧は、廊下いっぱいに広がる。数十分前に四階病棟で見た光景。それが、この病棟で再現されていた。

「よし、小鳥、行くぞ」鷹央は軽い口調で言うと、足を踏み出した。

「ま、待ってください！　奥に行くんですか⁉」声が裏返ってしまう。

「なに言っているんだ。当り前だろ。ほれ、早く来い」

「でも、幽霊が……」

かすれ声でそうつぶやいた瞬間、霧の中にぼんやりと入院着姿の女が浮かび上がった。足元から震えが這い上がってくる。

「まだそんなこと言っているのかよ？」

鷹央は呆《あき》れ顔でため息をついた。

「いいか、小鳥。残念ながらあれは医療過誤で死んだ女の幽霊じゃない」

いや、べつに残念じゃ……。心の中で突っ込みを入れていると、鷹央は僕の目をまっすぐに見つめてきた。

「あそこで起こっているのは呪《のろ》いなどではなく、人為的に起こされたものだ。だから、さっさとついてこい。私を信用しろ」

そのセリフを聞いたとたん、足から首元までせりあがってきていた震えが消え去った。

この人が信用しろと言っているんだ。それなら、……僕はそうするべきだ！

僕は拳を握りしめると、「分かりました！」と大きく頷《うなず》いた。

「よし、それじゃあ幽霊退治と行くか」

高らかに言うと、鷹央は迷いのない足取りで、霧で満たされた奥の廊下へと進んでいく。僕は腹に力を込め、その隣に並ぶ。

霧の中に浮かぶ女との距離が縮まっていく。次の瞬間、女が勢いよく顔を上げた。肉が腐り、頭蓋骨の一部がむき出しになった顔面が露わになる。いますぐに身を翻《ひるがえ》して逃げ出したいという衝動を、僕は奥歯を強く噛んで押し殺す。

霧が目の前まで迫ってくる。女は唇が腐れ落ち、歯茎まで露出した口を大きく開いた。

「邪魔だ」

血塗《ちまみ》れの両手を広げて襲い掛かってくる女に向かって、鷹央は無造作に片手を振った。

女の姿が掻《か》き消される。まるで、腕の一振りで祓《はら》われてしまったかのように。

呆然《ぼうぜん》としている僕に「ボケッとしてるなよ」と声をかけると、鷹央は躊躇なく霧の中へと入っていく。

「ああ、よく見えないし冷たいな。ったく、どこにあるんだよ」

視界の悪い中、わきの病室に入っていく鷹央の小さな背中を、僕は必死に追った。

鷹央が足を止め、しゃがみこむ。すぐに、「あったぞ！」という歓喜の声が聞こえてきた。

「なにがあったんですか？」

両手で霧を掻き分けながら近づいた僕に、鷹央は「これだ」と目の前にある物を指さした。僕の口から「あっ！」という声が漏れる。病室の入り口近く、廊下からは死角になる位置に、いくつかの装置が置かれていた。

一つは小型の映写機のような装置で、レンズから光を放っている。そのそばには、一辺五十センチ以上はある、大きな箱状の装置が二つ置かれていた。

箱状の装置のうちの一つの上部からはダクトパイプのようなものが生え、先端から白い霧を絶え間なく吐き出している。

鷹央は軽く咳《せ》き込みつつ、三つの装置を繋いでいるコードを無造作に外した。同時に、パイプから出ていた霧が止まり、映写機のレンズが放っていた光も消えた。

僕が啞然《あぜん》としてつっ立っていると、遠くから「見つけたー」という声が聞こえてきた。

「あれー、鷹央先生、小鳥先生、どこいるんですかー？」

僕たちを探す声に続いて、廊下をかけてくる音が聞こえてくる。

「あ、いた！」

廊下から顔を出した鴻ノ池は、片手に持っていたものを掲げる。それは円錐《えんすい》状のスピーカーのようなものだった。

「見つけましたよ、鷹央先生。スピーカーです。これが外階段に一番近い病室の隅に隠されていました。コードを引き抜いたんでもう聞こえませんけど、さっきまでこれから泣き声が響いて……。って、あれ？　それって何ですか？」

早口でまくしたてた鴻ノ池は、鷹央の前にある装置を指さす。

「映写機と霧を発生させる装置だ。まずは蒸気を発生させて濃い霧を廊下に充満させる。その後、霧をスクリーン代わりにして映写機で血塗れの女を映しだしていたんだ。もう一つある箱は、電源用のバッテリーだろうな」

鷹央は薄い胸を反らしながら説明をしていく。

「おそらく、廊下の壁に付いていた装置は、赤外線センサーだろう。あれに反応すると、まずは舞が持っているスピーカーが作動し、女の泣き声が聞こえてくる。その後、この装置が作動して廊下に霧を発生させ、それをスクリーンとして映写機が廊下に『幽霊』を映しだすっていう仕組みだ。まあ、単純なトリックだな」

鷹央は「説明終わり」といった様子で、満足げに頷いた。

「待ってください、鷹央先生。なんで、この階なんですか⁉」

僕は慌《あわ》てて声を上げる。鴻ノ池もこくこくと水飲み鳥のように頭を振って同調する。

「ん？　どういう意味だ？」

「だから、なんで三階にこんな装置が置いてあるんですか⁉　なんで、この階でも幽霊が出るんですか⁉」

「この階でも？　なにを言っているんだ、幽霊が出るのはこの階だけだぞ」

鷹央のセリフで、僕は混乱の渦に呑《の》まれていく。

「だって、幽霊が出るのは四階だったはずです。最初に来たときも、ついさっきも、僕たちはこの三階じゃなく、四階病棟で幽霊を目撃したはずなんです」

「そうですよ。なんで三階に、幽霊を映しだす装置があるんですか？」

僕と鴻ノ池が必死に言うと、鷹央はくっくっと忍び笑いを漏らした。

「お前たちがいま言ったことこそ、『四階病棟の幽霊』の最大のトリックだ。お前たちはまんまと、犯人の思惑に嵌《は》まっていたんだよ」

「最大のトリックって、どういうことですか？」

こめかみを押さえる僕に向かって、鷹央はにっと唇の端を上げる。

「ネットの噂《うわさ》では『時計山病院の四階病棟に幽霊が出る』と書かれていたんだよな。さて、ここで一つ質問だ。本当に、この病院に『幽霊の出る四階病棟』なんていうものは存在しているのか？」

「なにを言って……？」

困惑する僕の鼻先に、鷹央は左手の人差し指を突きつける。

「最初にこの病院に来たとき、お前はどうやって目的の四階病棟を見つけたんだ？

外階段の扉は塗装が剝げて、そこに書かれていた数字は読めなかったはずなのに」

「それは……」僕は口元に手を当てて記憶をたどる。「六階です。六階病棟の扉に書かれた『6』の数字はかすかに見えたんで、そこから二階分、階段を降りたんです」

「『6－2＝4』というわけだな。そこで幽霊を目撃したお前たちは、外階段で一階まで逃げたところで何らかの仕掛けがあったのではないかと気づき、病棟に戻った。そのときは、どうやって四階病棟まで行ったんだ？」

「それは、一階から三階分、階段を上がりました。だからそこが四階だと……」

「『1＋3＝4』というわけだ。しかし、その病棟では、いくら探しても幽霊を発生させるような装置は見つからなかった。そうだな？」

僕が「はい、そうです」と答えたとき、鴻ノ池が「あっ！」と大きな声をあげた。

「もしかして、扉に書かれていた『6』の数字が偽物だったんですか？　あの階が本当は六階病棟じゃなかったから、実際とは違う階に誘い込まれたってことですか」

あの階が六階病棟ではなかった？　あの扉に書かれていた『6』の数字が偽物だった？

頭の中でその可能性を考慮した僕の口から、「いや、それはないだろ」という言葉が漏れる。

「なんでですか？」鴻ノ池が頰を膨らませた。

「あの扉に書かれていた数字を思い出してみろよ。かなりかすれて、しかも一部は塗装が剝げていただろ。どう見ても、ずっと前、この病院が廃業する前に書かれたものだ」

「もしかしたら、そう見えるように書いたのかもしれないじゃないですか」

「数字の上にはびっしり埃《ほこり》が付いていたし、錆《さび》が広がっている箇所もあった。絶対にもともと書かれていたものだ」

「なんでそう言い切れるんですか。埃なんて何週間かでつくだろうし、薬品とか使えば、錆ぐらい偽装できるかもしれないじゃないですか」

至近距離で睨み合っていると、鷹央が「ああ、うるさい」と割り込んできて、僕たちの顔を両手で押し離した。

「あの扉に書かれていた数字にかんしては、小鳥の言っていることが正解だ。あれは最近、偽装されたものではなく、元々書かれていたものだ。あの扉の奥にあるのは『六階病棟』だ」

「そうですか……。すみません、変なこと言っちゃって」

僕のときとは対照的に、鷹央の説明を素直に受け止めた鴻ノ池は、力なく肩を落とす。

「そう落ち込むことはないぞ、舞。お前が言ったことは、扉の数字が偽物だという点以外は、ほぼ正解だったんだからな」

「え、ほぼ正解？　どういうことですか？」鴻ノ池は目をしばたたかせた。

「あの扉の向こう側は、たしかに『六階病棟』だった。けれどその一方で、あの階は『六階』ではなかったんだよ」

「六階病棟なのに、六階じゃない……？」

なぞなぞのような鷹央のセリフに、鴻ノ池は困惑の表情を浮かべる。僕も鷹央の意図することが見えず、眉間《みけん》にしわが寄ってしまう。

そのとき、頭の中でついさっき鷹央が口にした言葉が蘇《よみがえ》る。

——本当に、この病院に「幽霊の出る四階病棟」なんていうものは存在しているのか？

目を見開き「ああっ！」と声を上げた僕に、鷹央は横目で視線を送ってくる。

「分かったみたいだな」

僕はおずおずと頷くと口を開く。

「ネットに書かれていた、『幽霊の出る四階病棟』なんて存在するわけがなかったんだ。そもそも……」

「そう、そもそも、この病院には『四階病棟』自体が存在していないんだからな」

僕のセリフを引き継いだ鷹央は、両手を大きく広げた。

「『四階病棟』自体が存在しない？」

鴻ノ池が訝《いぶか》しげな声を上げると、鷹央は「そうだ」顔の横で左手の人差し指を立てた。

「この建物には『四階』はあっても、『四階病棟』はないんだ」

「あ、あの、すみません。それってどういう意味なんでしょうか？　四階があるなら、そこにある病棟は四階病棟なんじゃないんですか？」

鴻ノ池は軽く頭を振りながら、両手をこめかみに当てる。

「普通はな。ただ、古い病院ではそうじゃないところも少なくないんだよ」

鷹央は人差し指だけ立てていた左手で、中指、薬指、小指も立てる。

「『四』は『死』を連想させ不吉だという考え方が古くからある。馬鹿《ばか》げた迷信だともいえるが、実際に生死が交錯する病院という空間では、気にする患者の気持ちも理解できなくもない」

「だから、それに配慮して、『四階病棟』をなくした病院があるっていうことですか⁉」

目を大きく開いた鴻ノ池が、甲高い声を上げる。

「ああ、そうだ。イエス・キリストの処刑されたのが十三日の金曜日だとされていることから『13』が不吉な数字だとされ、欧米のホテルなどで十三階がないことがあるのと同じだな」

「でも四階病棟をなくすって、具体的にはどんなふうになっているんですか？」

鴻ノ池は口元に指をあてた。

「単純だよ。四階にある病棟を『五階病棟』にするだけだ。そこから上の階は、実際の階数と、病棟の名称が一階ずれることになる」

「それじゃあ……」

鴻ノ池は思考をまとめているのか、視線を彷徨《さまよ》わせる。

「『6』って書かれていた扉があったのは五階だったけど、その階の病棟は『六階病棟』だったっていうことですか」

「その通りだ」鷹央は大きく頷く。

「私たちはあそこが六階だと思い込んで、そこから二階分下りて四階に行ったつもりだった。けど本当は五階から二階分下りて、三階病棟、つまりこの病棟に着いていたということですね」

「そう『6－2＝4』ではなく、実際は『5－2＝3』だったっていうことだな」

「そのあと、幽霊を見た私たちはパニックになって一階まで逃げたあと、幽霊を見た四階病棟を調べようと、階段を三階分上がった」

「『1+3=4』ということで、そこは三階病棟ではなく、四階にある『五階病棟』だったということだ。もともと幽霊が出たのは三階病棟だったので、もちろんそこをどれだけ探しても幽霊を映し出す装置なんて見つかるわけがなかったんだ」

鷹央は朗々と説明を続ける。

「単純なようだが、なかなか凝った仕掛けだな。この病院に『四階病棟』が存在しないこと、そして病棟に入るためには一度非常階段で屋上に出てから、外階段をおりていく必要があること。この二点をうまく利用している。十階以上あるこの病院では、自分がいま何階にいるのかは、表示を見ないことには把握するのが難しい。『6』と表示されていれば、そこが六階だと思い込むのは自然だ。階段の階数表示がほとんど消えていればなおさらだ」

「もしかして非常階段と外階段で、階数表示がほとんど消えていたのって……?」

僕が声を上げると、鷹央は頷いた。

「ああ、おそらくこの仕掛けを作った犯人が意図的に消したものだろう。古い表示を再現するのは困難だが、表示を消すだけなら大した手間はかからないだろうからな。外階段がフェンスで覆《おお》われていたのも大きい。顔を出して地面までの位置関係をつかむことができない。その結果、侵入者は五階を六階だと誤って認識し、そこから二階下にある三階病棟を、『幽霊の出る四階病棟』と思い込まされて誘い込まれるっていうシステムだ」

「幽霊が出たあとの行動も読まれていたんですね……」

僕が顔をしかめると、鷹央はおかしそうに目を細めた。

「そうだな。深夜の廃病院であれだけリアルな幽霊を見たら、逃げだすのも当然だろう。外階段に出た侵入者は当然、遠い屋上まで戻るのではなく、一階まで駆け下りて院外に逃げようとする。その際、冷静なら二階分しか下りていないのに地上に着いたことに気づくだろうが、パニック状態で逃げている侵入者に余裕はない。そのまま侵入者が病院から逃げ帰れば悪戯は成功だし、お前がそうだったように一階に降りたところで我に返り、偽物だと証明しようと戻ってきても問題はない。侵入者は幽霊が出たのは『四階病棟』だと思いこんでいる。四階まで上がって、『五階病棟』を探索して、そこになんの仕掛けもないことに愕然《がくぜん》としてこう思い込むんだ。『あの幽霊は本物だったかもしれない』ってな」

それはまさに、先日の僕の姿だった。

「でも、誰がなんのためにこんなことをしたんですか？　侵入者を怖がらせて、この廃病院に人が来ないようにするためですか？」

鴻ノ池が首を傾げると、鷹央はかぶりを振った。

「いや、それは違うだろうな。こんな派手な仕掛けがあれば、間違いなく噂になって、逆に肝試し目的の侵入者が増えるはずだ。そもそも、ネット上では『何人も飛び降りている呪いの廃病院』の噂は昔からあったが、『廃病院の幽霊』の情報が現れたのは数ヶ月前からだ。この仕掛けをした犯人が噂を広げ、この『幽霊の出る四階病棟』に侵入者を誘い込んだんだろう」

「なんでそんな手間がかかることを？」

僕が眉根《まゆね》を寄せると、鷹央は肩をすくめた。

「はっきりとした理由は犯人に聞かないと分からんが、目的の一つは幽霊を目撃してパニックになっている侵入者の姿を見て楽しむことだろうな。つまり、これは大掛かりなドッキリなんだよ」

「楽しむって、犯人がここに⁉」僕は慌てて辺りを見回す。

「落ち着けって。実際にここにいるわけじゃない。なあ、この病棟、なんか違和感があると思わないか？」

「違和感って、そりゃ幽霊が出るんですから当然……」

「そうじゃない。もっと地味な違和感だよ。ほら、廊下の天井を見てみろ」

僕は「天井？」とつぶやきつつ、首を反らす。懐中電灯の光に汚れた天井と割れた蛍光灯、そして防犯カメラなどが目に飛び込んできた。

「特に異常はないように見えるんですが……」

首をすくめて言うと、鷹央が「節穴め……」と冷たい眼差《まなざ》しを向けてくる。

「まったく、一年近く私が指導してやってるのに、どうして成長しないんだよ。もっと観察力をつけろっていつも言っているだろ」

鷹央に叱《しか》られ、僕はうなだれる。そのとき、鴻ノ池が「あれ？」と声を上げた。

「ちょっと、監視カメラが多くないですか？」

僕は「え？」と再び天井を見る。見える範囲だけでも、五台以上のカメラが天井に設置されていた。たしかに多い。

「舞は観察力があるな。誰かさんよりずっと診断医に向いているんじゃないか」

「いやあ、そんなことあるかもしれませんね」

鷹央に頭を撫《な》でられた鴻ノ池は、僕に向かって勝ち誇るような流し目を送ってきた。

「そう、この病棟はいくらなんでも監視カメラが多すぎる。おそらく大部分が、最近になって取り付けられたものだろう。幽霊に驚く侵入者の姿を撮影するためにな」

鷹央は防犯カメラの一つを見上げる。

「見たところ、撮影した映像をどこかに送信するタイプのようだな。予想通りだ」

鷹央は不敵な笑みを浮かべながら舌なめずりをすると、僕を見る。

「おい、小鳥。あれを取れ」

「取れって……、天井に付いているんですよ」

「それがどうしたよ。ほら、早くしろ」

「……はい、すみません」

僕はすごすごと引き下がると、背負っていたリュックサックを床に置いてから、足場にするものを探しに行く。ナースステーションで見つけたテーブルの上にパイプ椅子《いす》を置き、倒れないように気をつけながらその上に立つと、なんとか監視カメラに手が届いた。腕に力を込めると、天井に固定しているネジごと強引に引き剝がす。

「はい、鷹央先生。取れました」

床に降りた僕が差し出した監視カメラを、鷹央は嬉《うれ》しそうに受け取る。

「おお、さすがだ。そのガタイだけは役に立つな」

ガタイだけって……。ため息をつく僕の前で鷹央は胡坐《あぐら》を組んで座ると、監視カメラをわきに置き、リュックサックをごそごそと探りはじめる。中から大型で、やけに武骨なデザインのノートパソコンが姿を現す。ロゴなどが入っていないところを見ると、おそらくそれも鷹央の自作パソコンなのだろう。

あんなものが入っていたのか。どうりで重いはずだ。

鷹央はパソコンを起動させると、僕には意味不明の文字が並んでいる画面を見つめながら、キーボードの上で指を躍らせる。

「思った通り、映像データを無線でパソコンに送っているな。その回線に侵入して、私が作った美しい芸術作品をプレゼントしてやろう」

「芸術作品ですか?」

鷹央の肩越しに画面を覗き込んだ鴻ノ池がつぶやく。鷹央は「ああ、そうだ」と口角を上げると、トーンと『Enter』のキーをたたく。それと同時に、画面に映っていた文字が蛍光の緑色に変色し、すさまじいスピードで上から下へと流れていく。その光景は映画『マトリックス』に登場するプログラムを彷彿《ほうふつ》させた。

「それなんですか?」

僕が訊《たず》ねると、鷹央は得意げに鼻をひくつかせた。

「私がこの二日間で作ったハッキングプログラムだ。『マトリックス』みたいにしたんだ。かっこいいだろ」

ああ、意識して作っていたのか。似ているはずだ。

しかし、二日間ということは、前回僕たちがここに潜入した際の映像を見た直後に、プログラムを作りはじめたということだ。そういえば、映像を見てすぐ、パソコンに向かっていた。

つまり、その時点で鷹央は『四階病棟の幽霊』のトリックに気付き、さらに犯人が映像データを無線で送っていることまで想定していたということだ。

相変わらずのとんでもない頭の回転速度に、尊敬と呆れが同程度にブレンドされた感情を抱いていると、鷹央が「ビンゴ！」と声を上げて両手を突き上げた。

見るとさっきまで『マトリックス』もどきのプログラムが流れていた画面に、若い男の姿が映し出されていた。年齢は二十代前半といったところだろうか。小太りで、脂《あぶら》ぎった髪は肩辺りまで伸びている。その顔は、驚愕《きょうがく》の表情のまま固まっていた。おそらく、パソコンで監視カメラの映像を見ていたところ、いきなり画面に鷹央が映し出されたのだろう。

「やっぱり、見学していたな。お前のパソコンは私が乗っ取らせてもらった。お前の名前、住所、通っている大学をはじめとした個人情報も筒抜けだ。さらには、卑猥《ひわい》な画像を集めたフォルダも私の管理下にある。私がその気になれば、お前の個人情報と歪《ゆが》んだ性癖をまとめて、全世界に公開できるということだ」

鷹央は小悪魔的と言うには、あまりにも悪意がこもりすぎた微笑を浮かべた。パソコン画面に映っている男の表情が蠕動《ぜんどう》していく。

「画面越しじゃなんだし、とりあえず直接顔を合わせて話そうか。秘蔵フォルダが世界に向けて火を噴くのを避けたければ、一時間以内にここに来い。お前が作り出した『幽霊の出る四階病棟』にな」

5

「申し訳ありませんでしたー！」

　男が土下座をして声を張り上げる。

『四階病棟の幽霊』のトリックが解明されてから約一時間後、鷹央に脅された男は指示通り時計山病院の三階病棟にやってきて、床に額をこすりつけていた。

　鷹央が調べたところ、男の名前は下田大輔《しもだだいすけ》、二十一歳で理工学系の大学の二年生ということだった。

　下田へ警告を発したあと、鷹央は「さて、それじゃあ時間を有効活用するか」と言うと、僕たちを引き連れて屋上へと戻り探索を開始した。屋上を隅々まで見回したあと鷹央は時計台にのぼり、時山恵子が落下したと思われる屋根や、大量の歯車と巨大な振り子で埋め尽くされた内部を観察した。

　体力がなく、さらにかなりドジなところがある鷹央を、鉄梯子《てつばしご》をのぼらせて巨大な時計台の上へと移動させ、さらには屋根の端にある入り口から内部に入れるのはかなり危険を伴う作業だった。ただ、鷹央が用意していた登山用のハーネスとロープで僕と鷹央の体を繋ぐことでなんとか安全を確保しつつ（鴻ノ池に「これで身も心も繋がってるって感じですね」とからかわれつつ）、なんとかミッションを完遂することができた。

鷹央を背負って鉄梯子の上り下りをしたり、時計台の屋根の端でバランスを崩しそうになった鷹央を必死に支えたりで消耗しきった僕が屋上にへたり込んでいると、弱々しいエンジン音が聞こえてきて、下田が原付バイクでやって来たのだった。

「なあ、これって踏むべきなのか？」

約束通り三階病棟にやって来て、つかつかと僕たちに近づくや否《いな》や、全力でスライディング土下座をかました男を前にして、鷹央がつぶやく。

「鷹央先生が踏みたいなら、軽く踏んでもいいんじゃないですか」

僕が答えると、鷹央は数秒考え込んだあと、首を振る。

「べつに踏みたいとは思わないな。なんか、こいつ踏まれたら喜びそうだし」

え？　さっき言ってた歪んだ性癖って、そういうことなの？

「いつまでも土下座してないで顔を上げろ。この病棟にある『幽霊発生装置』は全部お前が仕掛けたもので間違いないんだな」

「はい、全部俺がやりました」

顔を上げた下田は、媚《こ》びるような笑みを浮かべて言う。

「俺、廃墟《はいきょ》とか探検するのが趣味なんスよ。特に、ここみたいに怪談の噂とかがある廃墟を。それで半年ぐらい前にこの病院を探検したとき、四階病棟が抜けていることに気づいて、この仕掛けを思いついたんです。単純なトリックですけど、それが逆に盲点になったのか、これまで気づかれたことはなかったんスよ」

こっちが訊ねる前から、下田はべらべらと喋《しゃべ》りはじめる。

「思いついたからって、普通ここまでする？　ここにある装置を仕掛けるのだってかなり大変でしょ」

鴻ノ池が責めるように言うと、得意げに丸い鼻を鳴らした。

「ええ、大変でしたよ。すべての装置を無線で接続して、赤外線センサーで人を感知したらまずスピーカーが作動して、そのあと霧発生装置で作った蒸気のスクリーンに映写機が幽霊を映しだすように調節したんです。この病院全体に色々な機器を設置するのに一週間以上かかりました。かなり金もかかってます」

「馬鹿じゃないの？　そこまでして他人《ひと》を驚かせたいの？」

「もちろん、幽霊でパニックになっている人を見て楽しむのも目的の一つですけど、それだけじゃありません。一番の目的はビジネスですよ」

「ビジネス？」鴻ノ池は綺麗《きれい》に整えられた眉をひそめる。

「ええ、そうです。この仕掛けでパニックになった人たちの映像を動画投稿サイトに載せるつもりだったんですよ。めちゃくちゃ笑える映像ですから、絶対に話題になります。全世界の人が見て、すごい動画再生回数になる。そうすれば、この設備にかけた金額の、何倍、何十倍もの金が手に入るはずなんです。半年くらい前にあった株の大暴落で大損したけど、それを全部取り戻しておつりがくるはずなんですよ」

にやにやと笑みを浮かべながら、下田は僕と鴻ノ池を指さしてきた。

「あなたたち、この前、ここに侵入した人たちですよね。お二人のリアクションは完《かん》璧《ぺき》。マジで滑稽《こっけい》で、俺、笑い過ぎて呼吸困難で死にかけましたもん」

こめかみがぴくぴくと痙攣《けいれん》する。僕は奥歯に力を込めて、腹の底から湧《わ》き上がってくる怒りを必死に抑え込む。そうしないと、下田の顔面に全力の前蹴《まえげ》りをめり込ませてしまいそうだった。

「鷹央先生……」無表情になった鴻ノ池が、地獄の底から響いてくるような声でつぶやく。「こいつの関節、外しちゃっていいですかね?」

さっと顔色が変わった下田を横目に、鷹央は質問を返した。

「肩関節か?」

「いえ、首です。頸椎《けいつい》を捻《ね》じり外しちゃいたいんですけど」

下田の口から「ひぃ」と小さな悲鳴が漏れる。

「……首はやめとけ。さすがにやばい」

肩をすくめた鷹央は、細かく震えている下田を見下ろす。

「お前も五体満足で帰りたきゃ、余計なことを言わないで私の質問にだけ答えろ。いいな」

こくこくと何度も頷く下田を、鷹央は「よし」と睥睨《へいげい》する。

「お前は数ヶ月前、金と労力をかけてここに『幽霊発生装置』をしかけた。さらに、ネット上に『四階病棟の幽霊』の噂をばらまき、この三階病棟に侵入者を誘い込んだうえ、そいつらが逃げ惑う動画を撮影した。ここまでは間違いないな」

「はい、間違いありません」

ちらちらと鴻ノ池に警戒の視線を送りつつ、下田は頷く。

「お前はその映像を動画投稿サイトに載せて金を稼ぐつもりだったと言ったが、私が調べたところ、そんな動画は見つからなかった。それはなんでだ？」

「……さすがに、動画を載せて話題になったら、ここの仕掛けも見つかると思ったんです。だから、ある程度、動画のストックが出来てから公開するつもりでした」

「なるほど、そうすれば複数の動画を投稿することができ、収益を上げられると思っていたんだな」

「はい。けど、もう十個以上映像を撮影できたんで、先週あたりにアップロードするつもりでした。動画の編集も終わっていたんです。けど、予定外のことが起きて……。先週、この病院で本当に人が死んだんです」

下田が声を絞りだす。鷹央の片眉がピクリと動いた。

「あの日、俺のパソコンに反応がありました。この病院の正面玄関の入り口にも赤外線センサーを取り付けてあるんで、侵入者が来たら連絡が来るようになっていたんです。俺はまた、ネットの噂を見た奴《やつ》が肝試しに来たと思ったんです。けれど違いました。その女は、屋上に行ったあと、他の奴らみたいに外階段に向かおうとはしませんでした」

「屋上にもカメラが仕掛けてあるということか？」

鷹央が訊ねると、下田は「はい」とあごを引いた。

「屋上は普通に防犯カメラを置いたんじゃ目立つんで、排水口に小型のカメラを仕掛けてあります」

「ったく、警察の奴らそのカメラも見つけてないじゃないか。適当な捜査しやがって」

鷹央は大きく舌を鳴らす。僕も同じ気分だった。おそらく、時山恵子の件は自殺だと最初から思い込み、彼女が飛び降りたと思われる時計台とその周辺しか調べていないのだろう。

「なんで外階段に行こうとしないのか、不思議に思って映像を見ていたんです。そうしたら、女はいきなり時計台の梯子をのぼりはじめました。それを見て、こいつは肝試しに来たんじゃないって気づいたんです」

「それで、慌てて警察に通報したのか」

鷹央のセリフを聞いて、僕は目を見張る。時山恵子が飛び降りた夜、警察に入った匿名《とくめい》の通報。それをしたのはこの男だったのか。

「はい、そうです」下田は弱々しく答える。「通報すれば警察が止められるかもしれないと思って。でも……ダメでした」

「時山恵子が飛び降りたところを、お前はリアルタイムで見ているのか？　その映像も撮影しているのか？」

鷹央が勢い込んで訊ねると、下田は首を横に振った。

「いえ、カメラの角度的に時計台の上は見えません。ただ、その後すぐに警察が来て、色々と調べている映像を見て分かったんです。あの女が飛び降りたんだって」

下田はうなだれる。辺りに重い静寂が降りた。

「実際に人が死んだから、動画投稿サイトに映像をあげることが出来なくなったってわけだ」

「そんな事件があった直後に、同じ場所で撮影したドッキリ動画を投稿したりしたら、不謹慎だって大炎上するのが目に見えてましたからね。ほとぼりが冷めるまで、少なくとも何ヶ月か置いてから投稿するつもりでした」

何ヶ月置いたところで、実際に人が転落死している場所で、しかも被写体に同意も得ずに撮影した動画を投稿するのは十分に不謹慎だと思うのだが……。

「なるほどな。大まかなことは分かったよ」

「それじゃあ、俺は許してもらえるんでしょうか?」

跪《ひざまず》いたまま、下田は媚びるような笑みを浮かべてくる。

「許す……ねえ。まあ、私は別に許してやってもいいんだが、まんまとお前の仕掛けに引っかかり、醜態をさらす羽目になったこの二人はどうかな」

鷹央は僕と鴻ノ池を指さす。意図を理解した僕は、険しい表情で下田を睨みつける。鴻ノ池も怒りに満ちた表情を作って……。

いや、こいつ本気でキレてない? 殺気の籠《こも》った視線で下田を射抜く鴻ノ池に、僕は思わず後ずさりする。

「ちなみにこの二人は私の部下で、空手と合気道の有段者でもある武闘派だ。しかもお前がやったことに対してひどく怒っている。このままだとお前、ぼこぼこのバラバラにされちまうかもな」

恐怖で固まる下田に、鷹央は笑みを浮かべながら顔を近づけた。

「私の『お願い』を聞いてくれるなら、お前の身の安全を保証してやらないこともないぞ」

6

「ただいま！」

玄関扉を開けた鷹央は、部屋に群生する〝本の樹《き》〟を避けてパソコンデスクに近づくと、そこに置かれていた椅子に勢いよく腰掛けた。

「いやあ、さすがに少し疲れたな」

鷹央はパソコンの電源を入れる。まだなにかするつもりなのか。普段は冬場の変温動物のように引きこもって動かないくせに、相変わらず『謎《なぞ》』を前にしたときは無尽蔵のバイタリティを発揮する。

「少しどころじゃないです」

全身の細胞を冒す疲労をおぼえながら、僕は大きくため息をつく。

時計山病院での下田の訊問《じんもん》を終えた僕は、天医会総合病院の屋上にある〝家〟まで鷹央を送ってきていた。駐車場で別れた鴻ノ池は、バイクで自宅へと戻っている。

腕時計に視線を落とすと、時刻はすでに午前四時を回っていた。

「それじゃあ、僕は帰ります。お疲れ様でした」

外に出ようと踵を返すと、「おい、ちょっと待てって」という声が追いかけてきた。

「なんですか。一刻も早く帰って休みたいんですけど……」

「今日の勤務開始時刻まであと五時間を切っているんだ。わざわざ家に帰るより、そのソファーで仮眠を取った方が休めるだろ」

鷹央はパソコンの画面を眺めたまま、少し離れた位置にあるソファーを指さす。

言われてみればそうかもしれない。僕はあごを撫でて考える。これから帰宅しても三時間も眠れないだろう。ここで休めば、自宅までの往復時間が節約できる分、睡眠時間を確保することができる。

実は、医局エリアの奥にある各科の当直室の中には、統括診断部のものもあるのだが、かなりベッドが硬いのでほとんど使っていなかった。あのベッドに寝るくらいなら、この〝家〟のソファーの方が数段、寝心地がいい。

若い女性である鷹央の〝家〟に泊まることに以前は多少の抵抗をおぼえていたが、何度か繰り返すうちに最近は気にならなくなっていた。この〝家〟は統括診断部の医局を兼ねている。医局のソファーで夜を明かすことは、医者にはよくあることだ。そもそもこの〝家〟で、本当の意味での鷹央のプライベート空間は、『開かずの扉』の奥にある彼女の寝室だけなのだ。

「それじゃあ、お言葉に甘えます」

そう言ってソファーへ向かおうとした僕に、鷹央が手招きをしてくる。

「寝る前にちょっとこれを見ろよ」

ああ、やっぱりなにかさせるつもりで呼び止めたのか。そんな気がしていたよ。

内心で愚痴をつぶやきながら、僕は「なんですか？」とパソコンデスクに近づいていく。こういうときは下手に抵抗するより、素直に従った方が早く済む。これまでの経験で、僕はそう悟っていた。

「さっそく下田がデータを送って来たぞ。よっぽどお前たちが怖かったみたいだな」

「僕たちというより、主に鴻ノ池でしょうね。あいつ、ほっといたら本当に下田の頸椎を捻じ切りそうでしたからね」

身の安全を保証する代わりに鷹央が提示した条件というのが、これまでに下田が時計山病院で撮影したすべての映像データを渡すことだった。それを聞いた下田は「家に帰り次第、すぐに送らせていただきます！」と背筋を伸ばし、小走りに病棟から逃げていった。その背中に鴻ノ池が、「もし動画投稿サイトに載せたりしたら、全身の関節外してやるからね」と満面の笑みで脅しをかけたので、僕の醜態が全世界に晒《さら》されることもないだろう。

「さて、それじゃあさっそく見るとするか」

鷹央がマウスを操作して、下田から送られて来たというデータファイルを開いていく。あの夜、時山恵子の身になにが起きたのか、これで分かるかもしれない。

疲労と眠気も忘れ、僕は画面を覗《のぞ》き込む。ディスプレイに映像が映し出される。神経質に辺りを見回しながら、暗い廊下を歩く僕と鴻ノ池の映像が。

「……鷹央先生」

僕は低い声でつぶやく。画面には、現れた幽霊に驚いた僕たちが、「うわ……、うわ……」と情けない悲鳴を上げつつ、何度も転びそうになりながら逃げ出すシーンが映し出された。それを見て、鷹央は腹を抱えて笑い出す。

「いまの小鳥の顔……。見たか、いまの……。でかい図体《ずうたい》して、あんな……」

笑い過ぎて呼吸困難になっている鷹央に冷たい一瞥《いちべつ》をくれると、僕は無言でソファーに向かおうとする。

「冗談だって。そんなに怒るなよ。けど、いまの小鳥の……」

目に浮かんだ涙を拭《ぬぐ》った鷹央が、再び「ひっひっ」としゃっくりのような音を立てて笑い出す。

「……さっさと時山恵子さんの映像を見せてください。そうじゃなきゃ寝ます」

低い声で言うと、鷹央は「悪い悪い」といいながらマウスを操作する。僕と鴻ノ池の情けない姿の代わりに、無人の時計山病院の屋上がディスプレイに映し出される。やや下方から、屋上全体を映した映像だった。奥に時計台が見える。

「これが、その映像だ」

いつの間にか、鷹央の顔から笑みが消えていた。真剣な表情で画面を見つめている。

やがて、中年の女性が画面に現れた。その顔を見て僕は唇を嚙《か》む。時山恵子、先週僕が救急室で必死に蘇生術を施した女性だった。

懐中電灯を持った恵子は、きょろきょろと辺りを見回しながら、ゆっくりと時計台に向かっていく。時計台のそばまでたどり着いた彼女は、少し迷うようなそぶりを見せたあと靴を脱ぐと、懐中電灯をスカートのポケットに入れて鉄梯子をのぼりはじめた。梯子をのぼり切ったところで、恵子の姿が見えなくなる。下方から撮影しているため、時計台の上の様子を見ることはできなかった。しかし、僕はまばたきをすることも忘れディスプレイを見つめる。

もし、由梨が主張している通り、時山恵子が自殺したのでなければ。もし、何者かに殺害されたのだとしたら、このあと犯人が姿を現わすはずだ。

息苦しさをおぼえつつ映像を眺めていると、鷹央の体が小さく震えた。

「ん？　鷹央先生、どうかしましたか？」

訊ねると、鷹央は片手を耳に当てながら「いや……、なんでもない」と歯切れ悪く言った。煮え切らない態度に首を傾《かし》げつつ、僕は映像を眺め続ける。

しかし、なにも起こらなかった。五分経《た》っても、十分経っても、屋上に犯人らしき人物が現れることはなかった。

そのうちにパソコンからかすかにパトカーのサイレン音が聞こえてくる。サイレン音は次第に大きくなり、そして止まった。それから数分待つと、ようやく屋上に人影が現れた。制服を着た二人の警察官が。

懐中電灯を手にしながら屋上を見回っていた警官の一人が、画面の奥のフェンスから身を乗り出して何かを叫ぶ。もう一人が、小走りにそちらに向かっていった。

地面に懐中電灯を向けた警官が、険しい表情で肩に付いた無線機に向かってなにやら報告している。警官たちが何を見つけたのかは明らかだった。

転落した時山恵子。すでに彼女は、時計台の上から落ちていたのだ。

鷹央が気怠《けだる》そうにマウスを操作する。画面に映し出されていた動画が消える。

「犯人は……映っていませんでしたね……」

躊躇《ためら》いがちに声をかけると、鷹央は後頭部で両手を組み、椅子の背に体重をかける。

「まあ、予想できたことだな。時山恵子を時計台から突き落としたと思われるような人物が映っていたら、下田もさすがに警察に情報提供していただろ」

言われてみればその通りだ。

「じゃあ、恵子さんは一人で時計台にのぼって、そこから転落したということになりますよね」

「そうだな……」鷹央は曖昧《あいまい》に答える。

「あの……、犯人がカメラに映らない位置から時計台にのぼって、恵子さんを突き落とした可能性はないですかね。クライミングの道具なんか使えば可能かと思うんです」

「さすがに、そんな痕跡《こんせき》があったら、警察が気づくだろ」

「そうとも言えないいんじゃないですか。だって、いまの映像を撮った隠しカメラに気づかない程度しか調べていないいんですよ」

「実際の転落現場と、そこから離れた屋上の端では、鑑識の力の入れようも大きく変わるはずだ。まあ、それよりもお前の説にはおかしな点がある」

「え、おかしな点？」

「そうだよ。なんで犯人は、そんなことをする必要があるんだ。あんな位置から撮影されているなんて分かるはずないのに」

「あっ！」

声を上げる僕を、鷹央は横目で見る。

「そう、下田が排水口に隠しカメラを仕掛けたのは数ヶ月前だ。あの角度から撮影されているなんて誰も気づかない。時山恵子を突き落とすのに、わざわざ特殊な器具を使って、時計台の横からのぼる必要なんてないはずだ。そんなことをすれば逆に目立つし、ターゲットである時山恵子に気づかれてしまうリスクも高くなる」

「ですね……」

少し考えれば当たり前のことだ。疲労と睡眠不足で頭が回らなくなっているようだ。

「それじゃあ、やっぱり恵子さんは自殺か事故で亡《な》くなったということなんですか?」

僕が訊ねると、鷹央は天井を見つめたまま、ぽつりとつぶやいた。

「もしくは、『廃病院の呪《のろ》い』に殺されたか……」

7

「では、期日までにいま挙げた書類の方、なにとぞよろしくお願いしますよ」

トカゲを彷彿させる顔をした中年の男性が早口で言う。

鷹央の〝家〟で数時間の仮眠をとったあと、僕は通常の業務をはじめた。患者の診察などを行ったあとの昼下がり、僕は時山一志の依頼でやって来た沼本《ぬまもと》という弁護士と、病棟の隅にある病状説明室で話をしていた。

整髪料でがっちりと頭髪を固めた沼本は、時山恵子の死亡を証明するためのものをはじめ、いくつもの書類を「できるだけ早く記入してください」と押し付けてきた。

書類仕事って、時間がかかるんだよな……。

内心で疲労をおぼえつつも、僕は「承知しました」と頷《うなず》く。

「それでは、失礼いたします」

沼本はさっと立ち上がると、会釈《えしゃく》をして病室から去っていく。せわしない男だ。

沼本が置いていった書類を手に取った僕は、病状説明室をあとにして廊下に出る。

さて、由梨さんの回診をしたあと、どこかで書類仕事をするか。

そんなことを考えて由梨の病室の前までやってくると、扉の向こう側から「帰って！」という叫び声が聞こえてきた。

一瞬、自分に向けられたものかと思い、身がすくんでしまう。

「お願いだから、帰ってよ！　ここから出ていって！　あなたの顔なんて見たくない！」

ヒステリックな声が続けざまに聞こえてくる。その言葉が僕に対してではなく、病室のなかにいる誰かに向かってのものであることに気づき、慌《あわ》てて扉を開ける。

室内に入ると、扉のそばにスーツ姿の男が青い顔で立ち尽くしていた。その手には、花束が握られている。年齢は四十代半ばといったところだろうか。中肉中背で、優しげな顔をしているが、どこか頼りなさそうな雰囲気を醸《かも》し出している。

男の足元には枕《まくら》が転がっていた。状況から見て、由梨に投げつけられたものだろう。

「小鳥遊先生、その人を追い出して！」

ベッドで上体を起こした由梨が、男を指さしながら叫ぶ。

「え？　追い出すってこの人は……？」

僕が戸惑っていると、男は首をすくめるようにして頭を下げた。

「突然申し訳ありません。私、甲斐原勝《かいばらまさる》と申します。由梨の実の父親です」

「あなたなんか、父親じゃない！　お母さんと私を捨てたくせに！」

涙を溜《た》めた目で男を睨《にら》みつけながら、由梨は絶叫する。その一言で状況を理解した僕は、甲斐原と名乗った男の腕を摑《つか》んだ。

「とりあえず、いったんここから出ましょう」

甲斐原は迷うようなそぶりを見せたが、由梨に再び「出てって！」と怒鳴られ、渋々と僕に従った。

「少しお話ししましょう」

病室から出た僕は、うなだれている甲斐原を近くにある面談室へと連れて行く。患者が見舞客との面談などに使用する部屋にやって来た僕は、甲斐原を椅子に座らせると、自販機で缶コーヒーを二つ買った。

「よろしければどうぞ」

缶コーヒーを差し出すと、甲斐原は緩慢に顔をあげたあと、力なくそれを受け取った。

「小鳥遊《ゆう》優と言います。由梨さんの担当医をしております」

自己紹介しつつそばの椅子に座ると、甲斐原は「お世話になっております」と頭を下げた。

「甲斐原さんは、由梨さんの実のお父様ということでよろしいですね」

「はい……、そうです」

力ない声で甲斐原は答える。

「どうして、由梨さんがここに入院していることを？　あなたには連絡が行っていなかったはずですが」

「由梨の母親、恵子さんと私の共通の知人が連絡してきてくれたんです。彼女が亡くなったことと、由梨がここに入院していることを」

「それで、お見舞いに来ようと思った？」

甲斐原は力なくあごを引く。

「あなたはたしか、これまで一度も由梨さんと顔を合わせたことがなかったんですよね。それなのにどうしていまさら？」

思わず、責めるような口調になってしまう。

「いえ……、恵子さんがいなくなったら、由梨が一人になってしまうと思って」

「それは、あなたがお二人を捨てたからじゃないですか？」

他人が口を出すようなことではないと思いつつも、僕はさらに糾弾する。

「捨てた……。ええ、捨てたんです……。ただ、本当はそんなことしたくなかった」

膝《ひざ》の上に置いた拳《こぶし》を握りしめながら、甲斐原は言葉を絞り出す。

「……どういうことです？」

僕は鼻の付け根にしわを寄せて聞き返すと、甲斐原はぽつぽつと話しはじめた。

「十八年前、恵子さんの妊娠が分かったとき、私は彼女と結婚するつもりでした。家族三人で支え合って生きていくつもりだったんです」

「けれど、実際にはそうなっていないじゃないですか」

「恵子さんの父親、時山剛一郎《ごういちろう》さんに強く反対されたんです」

時山剛一郎、たしか十一年前に医療過誤を起こし、時計台の上から飛び降りた時計山病院の院長。

「なぜ、反対を？」

「私が医療職ではなく、メーカーの技術者だったからです」

「は？　どういうことですか？」

「時山家は、代々医業を営んできた家系です。剛一郎さんの兄弟も全員医師で、奥さんもいとこの女性医師だったということでした。そんな家系の中で医療者でない私が家族になるのは許せない。すぐに別れろ。そう剛一郎さんは言いました」

ああ、そう言えば先日、剛一郎の長男である一志も、医療の道を目指さないと決めたとき、父親から雷を落とされたと言っていたな。

「だからって、そんな……。粘り強く交渉すれば……」

「別れないなら、子供を堕《お》ろさせる。剛一郎さんはそう言いました」

想像を絶する言葉に、僕は言葉を失う。そんな僕を尻目《しりめ》に、甲斐原は自虐《じぎゃく》的に言葉を続ける。

「あの人は本気でした。本当に別れないと子供を、由梨を堕ろさせるつもりでした。その代わり、私が身を引けば、子供の一生は安泰だ。そう言って、僕に選択を迫りました」

「……だから、あなたは身を引いた」

「はい、それ以外の選択肢がなかったんです」

甲斐原は食いしばった歯の隙間《すきま》から言葉を絞り出す。

「でも、十一年前、剛一郎さんが亡くなったとき、やり直すチャンスがあったんじゃ？」

「そのとき……、私はすでに新しい家族を持っていました」

「そうなんですね……」僕は静かに頷く。

「ただ、時計山病院が潰《つぶ》れて経済的に苦しいだろうから、養育費だけでも援助しようと思いました。まあ、私もしがない会社員なので、それほどの額ではなかったですが。

けれど、断られました。由梨は自分一人で育てていくから、任せておいてと」

甲斐原はハンカチを取り出すと、目元を拭う。

「本当に強い女性だったんです。恵子さんは」

「いまのことを由梨さんに伝えれば、少しは心を開いてもらえるんじゃ……」

僕の提案に、甲斐原はふるふると首を横に振った。

「話は聞いてもらえませんでした。名乗った瞬間に、『出ていって！』と叫ばれてしまい」

「なら、僕の方から由梨さんにお伝えしましょうか？」

「いえ、他人の口から伝えてもらうようなことではありません。それに、いまさらなにを言ったところで、言い訳にしかなりません。僕が彼女たちを捨てたのは、事実なんですから」

甲斐原はゆっくりと立ち上がる。

「由梨に話を聞いてもらえるまで、できるだけ毎日お見舞いに来るつもりです。会ってもらえなくてもいいから……」

寂しそうに微笑《ほほえ》むと、甲斐原は「由梨のことをお願いいたします」と一礼して、花束を手にしたまま面談室をあとにする。

僕はただ、その寂しそうな背中を見送ることしかできなかった。

8

「仕事終わりましたー」

玄関扉を開けた僕が〝家〟に入ると、「おう、お疲れさん」という鷹央の声が出迎えてくれた。

「本当に疲れましたよ」

僕は愚痴っぽくつぶやく。甲斐原が帰ったあと、由梨の病室へと行ったが、「すみません、今日は話したくないです」と追い返されていた。

その後、沼本から頼まれた書類の記入をはじめ、他科から依頼があった患者の検査のオーダー、保険請求に必要な書類の整理など溜まっていた仕事を終えたら、かなり遅くなってしまった。時刻はすでに午後八時を回っている。

インフルエンザで鷹央が動けなかったのと、その後も『廃病院の呪い』の調査に労力が取られているせいで、やや通常業務が滞り、最近残業することが多くなっていた。

まあ、大学病院の外科医局にいた頃は、週の半分は病院に泊まり込んでいたから、それに比べれば全然楽なんだけどさ。

内心でそんなことをつぶやきつつ、僕はパソコンの前に座っている鷹央に近づいていく。ディスプレイには、時計山病院の時計台に、時山恵子がのぼっていく映像が映し出されていた。

「またその映像を見ていたんですか?」僕は呆《あき》れ声で言う。「いくらそれを見ても、恵子さんがなんで転落したかは分からないですよ。映っていないんだから。病理と毒物検査の結果を待つしかないんじゃないですか?」

鷹央はパソコンのわきに置かれていた紙の束を無言で差し出してきた。

「なんですか、これ?」

受け取った用紙に僕は視線を落とす。そこには『ヒ素』や『青酸化合物』などの、物騒な単語が並んでいた。

「大学の研究室から届いた毒物検査の結果だ。時山恵子からは一切の毒物が検出されなかった。ちなみに、さっき久保《くぼ》から連絡があった。すべての臓器をスライスして、顕微鏡で詳しく調べたが、膵臓癌《すいぞうがん》以外の疾患の形跡は全く認められなかったらしい」

「ということは、毒物で気を失って転落したって説はなくなりますね。癌の方も、まだ倒れるほど状態は悪くなかったんで、否定的ですよね」

「完全に否定できるわけじゃない。検査に引っかからない毒物や、病理解剖では発見できない疾患は存在するからな。ただ、可能性が低くなったのは確かだ」

「毒を盛られたのでも、なにかの疾患を発症したわけでもない。そして、転落したとき時計台の上にいたのは被害者一人だった……」

そこで言葉を切った僕は、すこし躊躇ったあと言葉を続ける。

「やっぱり、時山恵子さんは自分から飛び降りたんじゃないでしょうか」

由梨には受け入れがたいことだろうが、状況を見ると自殺としか思えなかった。

「その可能性はある。もちろん、事故、他殺、そして呪い殺された可能性もな」

「いや、呪いはちょっと……」

オカルトは、先日の幽霊騒動でこりごりだ。

「まだなんの確証も得られていないんだから、あらゆる可能性が除外できない。いまは時山恵子の身になにが起きたのか、真実にたどり着く手がかりを見つけることに集中するべきなんだよ」

「たしかにそうですけど、その映像を見ていれば手がかりが見つかるんですか？」

疲労が溜まっているせいか、どうも皮肉っぽい口調になってしまう。

「見ていたんじゃない、聞いていたんだ」

「聞いていた？」

僕が聞き返すと、鷹央は「しっ」と唇の前で左手の人差し指を立てた。指示通り僕は口をつぐんだ。数秒後、鷹央は「なっ」と得意げに言う。

「なっ、と言われても困るんですが……」

困惑しつつ言うと、鷹央は映像を「聞こえなかったのかよ」と巻き戻しはじめる。

「本当に小さい音だから、注意して聞けよ。……もうすぐだ」

言われたとおり耳を澄ましていると、ほんのかすかにパンッという音が聞こえた気がした。

「なっ、聞こえただろ」

「たしかになにか聞こえた気がしないでもないですが、いまの音になにか意味が？」

「意味があるかもしれないし、ないのかもしれない。ただ、手がかりが少ないいまの状況では、どんな小さな可能性でもあたる必要があるんだよ」

「でも、遠くで車がクラクションでも鳴らしたんじゃないですか？」

「クラクションにしては音が短かった気がする。樹々のざわめきでも、時山恵子の足音でもない」

「あの……、もしかして恵子さんが地面に打ちつけられた音では？」

僕がおずおずと言うと、鷹央は目を閉じて首を振る。

「転落した音はもっとはっきりと収録されている。この数秒後にな」

「ということは、この音を発生させた『何か』によって、恵子さんは転落したっていうことですか⁉」

僕が目を見張ると、鷹央は目を開けて肩をすくめる。

「その可能性もあるというだけだ。一応、該当部分のデータを知り合いの音響分析の専門家に送って解析を頼んでみた。いまのところ、その結果待ちかな」

鷹央はこきこきと首を鳴らした。

この人って何気に色々な専門家と繋《つな》がっているよな。僕がそんなことを考えていると、突然アラーム音が部屋に響き渡った。部屋の中心に鎮座するグランドピアノの上に置かれた赤色灯が、不吉な赤色で部屋を染め上げる。

あんなもの、この部屋にあったっけ？　なにが起こったか分からず僕が硬直していると、鷹央は前のめりになってキーボードを打ちはじめる。次の瞬間、壁に取り付けられた大型テレビの電源が入る。画面が八分割されたテレビに映し出された映像。それは僕が知っている場所を映したものだった。

「これって、もしかして時計山病院の映像ですか⁉」

一階ロビー、非常階段、屋上、外階段、そして『幽霊の出る四階病棟』等、見覚えがある場所の映像に、僕は驚きの声を上げる。

「ああ、そうだ。下田から時計山病院に仕掛けたシステムをプレゼントしてもらったんだ。それで、侵入者がいたらアラームが鳴るようにセットしておいたんだ」

なにがプレゼントだ。きっと下田を脅して奪い取ったのだろう。

呆れつつ、僕はディスプレイを眺める。いったい誰が時計山病院に侵入したというのだろう。ネットの噂《うわさ》に誘い込まれて、廃墟の探検に来た若者だろうか。

画面の右隅に映っている、一階フロアを暗視カメラでとらえた映像に、一人の男が懐中電灯を片手に歩いているのが映し出されていた。一見したところ、若者ではなく中年の男性のようだ。かなり太っている。

神経質にフロアを見回しながら振り向いた男の顔を見た瞬間、僕は「あっ⁉」と声を上げる。鷹央も目を大きく見開いている。

見覚えのある男だった。時山文太、由梨の伯父にして、死亡した時山恵子の兄。

「なんで文太さんが時計山病院に……？　名古屋に帰ったはずじゃ……」

呆然《ぼうぜん》と僕がつぶやくと、鷹央が勢いよく椅子《いす》から立ち上がった。

「小鳥、行くぞ！」

「え？　行くって、どこにですか？」

「時計山病院に決まっているだろ」

「で、でも、現場に行かなくても、文太さんの行動はここで見られるんじゃ……」

「見られるのは病院の一部に過ぎない。死角が多いんだよ。時計台の上とかな」

「文太さんも時計台の上に行くって言うんですか？」

「時計台は妹である時山恵子が転落した事件現場だ。なんの目的でこの男が時計山病院に侵入したのかは知らんが、時計台にのぼる可能性はある」

鷹央は部屋着である若草色の手術着の上に、薄手のカーディガンを羽織ると、玄関に向かっていく。僕も慌ててその後を追った。

「鷹央先生、大丈夫ですか？」

僕が声を押し殺して訊《たず》ねると、膝に手を置いたまま鷹央は迷子の子供のような眼差《まなざ》しを向けてきた。どうやら答える余裕もないらしい。

天医会総合病院からアクアを飛ばし、十五分ほどで時計山病院が建つ丘までやって来た僕たちは、病院から三百メートルほど離れたところで車を降り、月明かりに薄く照らされた道を徒歩でここまでやってきていた。

「私たちに監視されていることに気づかれず、時山文太がなにをするつもりなのか観察したい」

鷹央がそう主張したためだった。

しかし、インフルエンザで病み上がりの鷹央にとって、わずか三百メートルとはいえ、それなりに険しい山道は厳しかったようだ。百メートルも進まないうちに息が切れはじめ、時計山病院まであと三十メートルほどに迫ったいまは、息も絶え絶えの状況だ。

「あと少しです。頑張りましょう」

「私のことは……いいから……、お前一人……だけで行ってくれ……」

「いや、戦争映画の負傷兵みたいなセリフ言われても……」

ただ苦しいから、もう歩きたくないだけでしょ。

「ほら、鷹央先生、ぐだぐだ言ってないで行きますよ」

僕が手を引いて歩こうとすると、鷹央は駄々をこねるように首を高速で左右に振る。

夜の山道に放置するわけにもいかないし、こりゃ背負っていくしかないかな。

そんなことを考えつつ、ふと視線を上げた僕は大きく息を呑《の》む。

「鷹央先生、あれを見てください」

僕は時計山病院の屋上を指さす。「あれ？」と不思議そうに首を上げた鷹央も、大きな瞳《ひとみ》を見開いた。

病院の屋上にある巨大な時計台、その上に男の姿が見えた。かなり距離があり、しかも月光と麓《ふもと》の街からのわずかな明かりしかないので、はっきりとは見えないが、そのでっぷりとしたシルエットは間違いなく時山文太のものだった。

僕は目を凝らす。男は右手で頭を押さえるような仕草をしている。それで、僕は時計台の上にいるのが文太だという確信を強める。今日はそれなりに風が強い。きっと、かつらが飛ばされないように押さえているのだろう。

「……扉を開けているな」

　鷹央のつぶやきを聞いた僕は、文太の足元で開いた状態で時計台の扉が固定されていることに気づく。

「時計台の中に入るつもりですかね。なんでそんなことを……?」

　囁《ささや》くように訊《たず》ねると、鷹央は「分からん」と低い声で答えた。そのとき、頭に一つの仮説が浮かぶ。

「もしかして、時計台の内部に恵子さんを転落させた仕掛けがあるとか。その証拠を消すために来たんじゃないですか?」

「そうかもしれないし、そうじゃないかもしれない。なんにしろ、もっと近くで観察しないと」

　鷹央は走り出そうとする。しかし、山道で疲労した足が、彼女の意思に付いてこなかった。足を縺《もつ》れさせた鷹央は、顔面からダイブするように道のわきに生い茂っている雑草の中へと倒れこんでいく。

　ぐげっ、というガマガエルが車に轢《ひ》かれたような悲鳴が響きわたる。同時に、時計台の上にいる人物が振り向いた。

　気づかれた⁉　僕は慌てて屋上からは木の幹で死角になる位置に移動すると、鷹央を助け起こす。

「大きな声上げないでください。気づかれたかもしれないじゃないですか」

僕が押し殺した声で非難すると、鷹央は泣きそうな顔で低いが形のいい鼻を押さえた。

「仕方がないだろ、めちゃくちゃ痛かったんだぞ。鼻、潰れてないか?」

「大丈夫ですよ、それより静かにしてください」

僕たちは木の陰からそっと顔を出して、時計台をうかがう。文太らしき男は側頭部を押さえたまま、こちらを見ている。

次の瞬間、『それ』は起こった。

突然、時計台の上の男が雷に撃たれたかのごとく体を反らせると、両手で胸を押さえた。まるで、胸部を銃弾で貫かれたかのように。

一瞬の硬直のあと、男の体が力なく崩れ落ちる。軟体動物のようにぐにゃりと倒れていったその体が、時計台の端から零《こぼ》れ落ち、重力に引かれて落下していくのを僕はただ呆然と見つめることしかできなかった。

重い音が鼓膜を揺らす。絶望的なまでに重く、大きな音。それを聞いて僕は我に返る。

「鷹央先生、救急車を呼んでください!」

「え? えっ……?」

「救急車です。天医会総合病院に運びます。すぐに一一九番に電話してください」

パニックになっている鷹央に指示を飛ばす。彼女が「わ、分かった」と頷いた瞬間、僕は地面を蹴《け》って走り出した。

正面から廃病院の敷地に入り、建物を迂回《うかい》して裏手に回っていく。先週、時山恵子が墜落した場所、そこに彼はいた。

口と鼻から血を流し、四肢がおかしな方向に曲がっている人物。それは予想通り、時山文太だった。

文太に駆け寄った僕は、その首筋に手を触れる。血液の生温かく、ぬるりとした感触が伝わってきたが、指先が頸動脈《けいどうみゃく》の拍動に触れることはなかった。

僕は文太の胸骨の上に両手を重ねると、体重をかけて押し込みはじめる。心臓マッサージをするたびに、だらりと開いた文太の口から血が漏れだす。

僕は唇をかみしめると、ただひたすらに蘇生術を続けた。目の前の男性が決して助かることはないと、心の隅で気づきながら。

遠くから風に乗って、救急車のサイレン音がかすかに聞こえてきた。

幕間Ⅱ

二発目の『魔弾』があの男の胸を貫いた。

あの男の巨体が地面に衝突する音を聞き、人影は歓喜に身を震わせる。これで、あの穢《けが》れた一族を二人も葬《ほうむ》り去ることができた。

完璧《かんぺき》だ……。

『魔弾』を放った手にはまだ甘い衝撃が残っている。人影はその手をゆっくりと開閉すると、唇の端を上げた。

ここまでは予定通りだ。すべてがうまく行っている。

時山恵子《ときやまけいこ》と同じように、時山文太《ぶんた》の死も、自殺もしくは事故として処理されるだろう。

もはや、計画は成就したと言っても過言ではない。

ただ、もし不測の事態が起こったとしたら……。

人影は籠《こも》った声でつぶやいた。

「……そのときは、三発目の『魔弾』を放てばいいだけの話だ」

第三章　不可視の銃弾

1

「あなた方、いったいなにをしているんですか？」

椅子《いす》に腰かけた成瀬《なるせ》は、これ見よがしにため息をつく。

時山文太《ときやまぶんた》が時計台から転落してから約三時間後、僕と鷹央《たかお》は天医会《てんいかい》総合病院の屋上に建つ〝家〟で田無《たなし》署の刑事である成瀬と話していた。

いや、話しているというのは正確ではないのかもしれない。僕たちに対する成瀬の態度は、もはや『尋問』に近いものだった。

三時間前、時計台から転落して心肺停止状態となった時山文太は、僕と救急隊員に蘇生《そせい》術を施されながら天医会総合病院の救急部に搬送された。そこで当直の救急医に引き継がれ、合計一時間以上の蘇生処置を受けたが、彼の心拍が再開することはなかった。

普段、搬送された患者が、明らかな病死以外の原因で死亡した場合は所轄署《しょかつ》である田無署に連絡を入れることになっている。しかし、今回の場合、僕たちが転落を目撃し、救急要請をしたという特殊なケースだ。田無署から夜勤の警官が派遣されて来ても話がこじれそうだったので、僕は裏技を使うことにした。

田無署で『タカタカペア（僕はこの呼称が嫌いだ）の担当者』と化している成瀬に、直接通報するという裏技を。

僕からの連絡を受けた成瀬は、「またおかしなことに首を突っ込んでいるんですか⁉　いい加減にしてください！」と苛立《いらだ》たしげに言ったものの、時計山病院に警察を送るように手配したうえで、自ら僕たちを『尋問』しにやって来ていた。

「先日、転落死した時山恵子《けいこ》の件を調べていたら、今日、時山文太が時計台の上から転落するのを目撃したんだ」

鷹央が適当極まりない説明をすると、成瀬はかぶりを振る。

「いつも言っているでしょ、素人《しろうと》が事件に首を突っ込むなって」

「そのセリフには、『私たち警察が捜査をしているんだから』という枕詞《まくらことば》がついていたはずだ。しかし、今回お前たち警察は、時山恵子は自殺だと断定し捜査を行わなかった。だからこそ、私たちが動かないといけなかったんだよ」

鷹央に正論を突きつけられた成瀬は、「ぐっ」と言葉に詰まる。

「それで、どうしてあなた方は今夜、あの廃病院に行ったんですか？　時山文太がそこにいたのを知っていたんですか？」

旗色が悪いのを悟ったのか、成瀬は話題を変えた。

「あの病院に侵入者がいたら分かるようにしておいたんだ。そうしたら、今夜、名古屋に帰ったはずの時山文太が現れた。これは時山恵子の件に関係あるかもしれないと思ったから、私たちは病院に向かったんだ」

「待ってください」成瀬は眉根《まゆね》を寄せて声を上げる。「侵入者がいたら分かるようにって、どうやって？　それに、その人物が時山文太だってどうして分かったんですか？」

「どうしてって、仕掛けてあるカメラの映像で確認したからだよ」

「カメラ⁉　先日の件のあと、そんなものまで設置していたんですか？」

「いや、そのカメラは数ヶ月前から下田《しもだ》っていう男によって設置されていた。だから、先週転落する前の、時山恵子の映像も残っている」

「数ヶ月前⁉　その下田っていうのは、一体誰なんですか⁉」

鷹央の不親切極まりない説明で混乱した成瀬が、声を張り上げる。

「それはですね……」

しかたがないので、僕は成瀬に順を追って説明をしていく。下田に少し悪い気もするが、鷹央が彼に約束したのは『秘蔵フォルダを公開しない』ことと、『僕と鴻ノ池《こうのいけ》をけしかけない』ことだ。警察に話すのは契約違反ではないだろう。

まあ、ちょっと仁義にもとる行為のような気もするけど。

下田に対して罪悪感をおぼえつつ僕が一通りの説明を終えると、成瀬は頭痛をおぼえたかのように額を押さえた。

「そんな映像があるなら、なんで警察に情報提供しなかったんですか」

「だから、お前らが自殺だと断定して捜査を……」

鷹央にまぜっかえされた成瀬は、「ああ、分かりました。その話はもういいです」と投げやりに言う。

「過去のことにこれ以上文句は言いませんから、前回の時山恵子と、今回の時山文太、二人の映像を提供してください。こちらで調べてみます」

「おい待て、過去のことについて文句を言いたいのはこっちの方だ。お前ら警察は、適当な捜査しかしないで、自殺だって断定し……」

僕はソファーから立ち上がると、しつこく食い下がる鷹央の背後に回り込み、掌《てのひら》で彼女の口を塞《ふさ》ぐ。このままじゃ、話が先に進まない。

「映像を提供するのはやぶさかじゃありません。こちらも『善良な市民』としての義務は果たしたいと思っていますからね。ただ、せっかく提供するからには、有効に使ってもらいたいんですよ」

皮肉を込めて言うと、成瀬は「どういう意味ですか？」と太い眉を上げた。

「警察が今回の件を、事件としてしっかり捜査する気があるかどうか訊《き》いているんです。前回みたいに『事件性はなし』ってことでお茶を濁さないか心配しているんですよ」

「いま、検視官が時計山病院の現場を調べています。その後、時山文太の遺体も調べるでしょう。その上で、今回の件を捜査するかどうかが決定されます」

「そんな、官僚の国会答弁みたいな、お役所丸出しの回答なんていらないんですよ。今回のは事故でも、もちろん自殺でもありません。明らかに事件です。文太さんは誰かに殺害されたんですよ」

「……それは、時山文太が誰かに突き落とされる瞬間を目撃したという意味ですか？」

成瀬は軽く身を乗り出すと、低く押し殺した声で訊《たず》ねてくる。

「いいえ、違います。僕が見た限り、文太さんが転落したとき、時計台の上には彼一人しかいませんでした」

そろそろ手を噛《か》まれそうな気配をおぼえたので、僕は鷹央の口からそっと手を引く。口が解放された鷹央は、まず「私にもそう見えた」と同意したあと、あらためて僕の手を一齣みした。脳天まで突き抜ける痛みに、僕は小さく悲鳴を上げる。

「なら、どうして殺害されたなんて言えるんですか？　時計台の上に一人しかいないなら、自殺か事故と考えるのが当然でしょう」

「そうじゃないんですよ」

鷹央の尖《とが》った八重歯による痛みに顔をしかめながら、僕は首を振る。

「転落寸前、文太さんは胸を押さえて反り返ったんです。まるで、銃弾で胸を貫かれたかのように」

「……つまり、時山文太は何者かに狙撃《そげき》され、その結果、時計台から転落したとおっしゃるんですか」

「実際に狙撃されたかどうかは分かりませんが、あのとき文太さんの体になにか異常が起きていたことは確かです。彼は殺されたんですよ。文太さんだけじゃない、きっと妹の時山恵子さんも同じように殺されたんです」

まくしたてると、成瀬は苦虫をかみつぶしたような表情で、丸太のように太い両腕を組む。部屋に重い沈黙が降りた。

「十九人……」

一分以上黙り込んだあと、成瀬はぽつりとつぶやいた。

「調べたところ、十一年前に医療ミスに絶望して身を投げた女性患者をはじめとして、十九人もの人物が時計山病院の時計台から転落死しています。時山恵子、時山文太を合わせてね」

「十九人……」

想像を絶する数字に僕は言葉を失う。ネットの噂《うわさ》では『十人以上』とあったが、どうせ興味を惹《ひ》かせるためオーバーに書かれているのだろうと思っていた。それがまさか、二十人近い人々があの時計台から転落死しているとは……。『廃病院の呪《のろ》い』と噂されるのも当然だ。

「今回の時山文太以前の十八人については、いずれも自殺として処理されています」

焦《じ》らすかのように言葉を切った成瀬は、鋭い眼差《まなざ》しを向けてくる。

「あなたがたは、これまでにあの時計台から転落した人々も殺害されたとお考えなんですか？　十年以上の間、誰にも気づかれることなく、二十人近い人々を殺害した犯人が存在していると？」

成瀬の押し殺した声が空気を揺らす。気温が急激に下がったような気がして、僕は身を震わせる。

「これまでの事件については、ほとんど情報がないので分からん。しかし、その可能性も否定はできない。どうだ、少しは本気で捜査してみる気になったか？」

鷹央はあごを引くと、成瀬を睨《ね》め上げる。成瀬は硬い表情で口を結んだままだった。

そのとき、振動音が響く。成瀬はスーツの内ポケットからスマートフォンを取り出すと、「失礼」と言って耳に当てる。

三分ほど通話をしたあと、成瀬はスマートフォンを懐《ふところ》に戻した。

「同僚の捜査員から連絡です。さきほど、国際電話で時山文太についての情報提供があったらしいです」

「国際電話？」意味が分からず、僕は聞き返す。

「はい、兄の時山一志《かずし》から『弟が電話でおかしなことを口走ったうえ、時計山病院に行くと言っている。様子がおかしかったので心配だ』と連絡があったようです」

「その連絡があったのはいつだ？」すかさず鷹央が訊ねた。

「詳しい時間までは分かりませんが、どうやら時山文太が飛び降りた時間の前後だったようですね」

時計台から転落する前、文太はシンガポールにいる兄に連絡を取っていた。これは何を意味するのだろう。必死に考え込んでいると、成瀬が「もう一つ、お知らせすることがあります」と言った。

「検視官の判断で、時山文太の遺体を司法解剖することになりました」

鷹央が「本当か⁉」と大声を上げる。僕も思わず身を乗り出していた。

司法解剖が行われるのは、「事件性があると思われる場合」とされている。つまり警察はようやく、今回の件が単なる自殺や事故ではなく、殺人事件かもしれないと考えはじめたのだ。

「はい、遺体はすぐに都内の大学病院に搬送されるそうです」

司法解剖は一般的に、医学部の法医学教室の教授などの手によって行われる。そして、徹底的に犯罪の痕跡《こんせき》を洗い出すのだ。

「それじゃあ、殺人事件として田無署に捜査本部が立つんですね。今回の件だけでなく、時山恵子さんや、他の被害者についても捜査するんですか？」

僕が勢い込んで訊ねると、成瀬は顔をしかめて手を振った。

「まだ、事件が起こってから三時間しか経《た》っていないんですよ。そこまで分かるわけがないでしょ。いま決まっているのは、とりあえず司法解剖するということだけですよ」

成瀬は腰を上げる。

「さて、私は遺体の移送に立ち会う必要があるので、今日のところは失礼します。あと、時計山病院で撮影された映像はできるだけ早く頂けると助かります。では、またあらためて詳しくお話を聞きに伺いますので、覚悟しておいてください」

そう言い残して、成瀬は〝家〟から出ていった。

「また私から捜査のアドバイスを貰《もら》いに来るつもりだとは、成瀬もようやく協力する気になってきたか」

鷹央は満足げに頷《うなず》く。

いや、いまの「お話を聞きに伺います」は明らかに、「今夜のことについて詳しく尋問するからな」という意味だろう。

内心で突っ込みを入れていると、鷹央は振り返って僕を見てくる。

「小鳥《ことり》、お前、たしか時山一志の連絡先を知っているよな」

「はい、由梨《ゆり》さんになにかあったら、すぐに連絡するよう名刺を渡されましたから」

「それを寄越せ」鷹央が手を差しだしてくる。

「一志さんに電話するつもりですか？」

僕は財布から、先日受け取った名刺を取り出すと、それを渡した。

「ああ、そうだ。色々と確認したいことがあるからな」

鷹央はソファーのそばのテーブルに置かれていた自分のスマートフォンを手に取った。

「転落する前に、文太さんが何を言っていたかですか？」

「ああ、それも一つだな」

「そんなに急ぐ必要はないんじゃないですか。たぶん、一志さんは警察から、文太さんが亡《な》くなったことを聞いているでしょ。妹に次いで、弟まで亡くしたんでショックを受けていると思うんですよ。少し時間を置いてからの方がいいんじゃないですか？」

「時間を置いたら、意味がないんだよ」

スマートフォンに番号を入力しながら、鷹央はつぶやく。

「意味がない？」

「ああ、そうだ。本当に時山一志がシンガポールにいるかどうか確認しないとな。時計山病院の周辺からシンガポールまで、さすがに三時間では移動できないだろ」

「一志さんのアリバイを確認する気ですか⁉」

甲高い声を上げると、鷹央は指の動きを止めてじろりと僕を睨《にら》んできた。

「当り前だろ。血縁関係のある人物が連続して死亡したんだ。こういうときは、まずは身内を疑うのが筋だ」

「でも、一志さんには動機が……」

「兄弟なんだ、外から見えない動機があってもおかしくないだろ。それに、もしかしたら遺産を狙《ねら》っているのかもしれない」

「遺産って……、文太さんや恵子さんより、一志さんの方が遥《はる》かに裕福そうでしたよ」

「あくまでも一例だよ。いまの時点ではどうやって殺されたかさえも、はっきりしていないんだ。関係者全員を疑ってみるべきなんだよ」

そう言うと、鷹央は『通話』のアイコンに触れた。かすかに呼び出し音が聞こえてくる。数秒後、回線が繫《つな》がったらしく鷹央が話しはじめる。

「時山一志だな。私は天久《あめく》鷹央だ。聞きたいことがあって電話したんだ。しかし、ちゃんとシンガポールにいたな。国際電話でかけたから、そこがシンガポールであることは間違いない。ということは、三時間前、お前は時計山病院にはいなかったという……」

鷹央がそこまでまくしたてたところで、僕は慌《あわ》ててスマートフォンを取り上げる。

「ああ、なにすんだよ⁉」

抗議の声を上げる鷹央を無視して、僕は一志に話しかける。

「突然申し訳ありません、先日お目にかかった天医会総合病院の小鳥遊《たかなし》です。文太さんのことは、本当にご愁傷さまでした。実は、一志さんに伺いたいことがありまして、こうしてお電話差し上げました。おつらいときに恐縮ですが、少しお時間を頂いてもよろしいでしょうか？」

電話の向こう側から、一志の『はぁ』という戸惑いの声が聞こえてくる。僕は（スマートフォンを取り返そうとする鷹央の手を避けながら）最初に電話に出たのが上司で、由梨の主治医でもあることを伝える。鷹央が失礼なことを訊ねるかもしれないが可能なら大目に見て欲しいことなどを、できるだけ丁寧に説明したあと、鷹央に「これでいいでしょ」と言ってスマートフォンをスピーカーモードにした。

「それじゃあ、最初の質問だ。今夜、時山文太から電話があったらしいな。具体的にはどんなことを言ってきていたんだ？」

鷹央はなんの前置きもなく質問をする。弟を亡くしたばかりの一志にするには適切とは思えない問いだが、鷹央はその辺りの空気を読む能力が極端に低い。本人にはまったく悪気がないだけに余計にたちが悪く、頻繁にトラブルを引き起こす。なんとか僕がフォローしなくては。そんなことを考えていると、スマートフォンから一志の声が聞こえてきた。

『どんなことと言われましても、私にもよく理解できなかったんですよ。「埋蔵金がある場所が分かった」とか、「恵子はそのせいで死んだんだ」とか』

やや困惑を含んだ口調だが、鷹央の失礼な対応に対する怒りは感じなかった。僕は胸を撫《な》でおろす。

「埋蔵金？　それは、戦中に時山家の祖先が隠したと言われている財宝のことか？」

たしか、ネットでそのような噂を目にした気がする。

『はい、私も以前聞いたことあります。私の曾祖父《そうそふ》に当たる人物が、日本の敗戦を予想して、終戦前に財産の大部分を宝石などに換えてどこかに隠したと。単なる与太話だと思っていました』

「なぜ、時山文太が急にそんなことを言い出したのか分からないのか？」

『私が聞きたいくらいですよ。ただ、文太が言っていたのはそれだけじゃありませんでした。「最近、誰かに監視されている気がする」とか、「誰かが追ってくる」とか、わけの分からないことを口走っていました』

「監視？　いったい誰が監視しているって言うんだ？」

『分かりません。かなり支離滅裂なことを口走っていて、なにがなんだか』

一志の声には困惑が濃く溶け込んでいた。

誰かに監視されている。誰かに追いかけられている。それだけ聞くと、被害妄想のように聞こえた。それらの症状は精神疾患によって引き起こされることがある。そして、妄想に追い詰められた人物が、苦しみから逃げるために自らの命を絶つことも決して少なくはない。

しかし、文太のそれは妄想だったのだろうか。実際、文太は僕が見ている前で、何者かに狙撃されたかのような反応をして転落した。彼は本当に誰かに追われ、そして殺害されたのではないだろうか。

だとしたら、文太が口にした『埋蔵金』という言葉は何を意味するのだろう。

思考が絡《から》まった僕が頭を押さえていると、スマートフォンから『あの……』という声が聞こえてくる。

『先ほど、警察から連絡があって、文太が死亡したと聞きました。小鳥遊先生はそのことをご存知なんですね？』

「……はい、知っています」

『では、どのように文太が亡くなったかもご存知なんですか？ 「病気かなにかで死んだんですか？」と警察に訊いたんですが、なにやらはぐらかされてしまって……』

文太が死亡した経緯について、一志に教えてもいいのだろうか？ 数瞬迷ったあと、僕は静かに言う。

「文太さんは恵子さんと同じように、時計山病院の時計台から転落しました」

スマートフォンの向こう側から、息を呑《の》む気配が伝わってくる。

十数秒の沈黙のあと、一志のかすれ声が聞こえてきた。

『なんで文太が病院に……。名古屋に帰ったんじゃ……』

「そう思っていましたが、東京に戻ってきていたみたいです」

『それじゃあ……、文太も自殺したということですか？ 恵子のあとを追って？』

「いや、そうとは言い切れないぞ」鷹央が組んでいた腕を解く。「時山文太は何者かに殺害されたのかもしれない。妹である恵子の死も、自殺や事故ではなく、殺人事件だった可能性が高い」

『殺人……事件……』

再びスマートフォンから声が聞こえなくなる。矢継ぎ早に伝えられる衝撃的な情報についていけなくなったのかもしれない。

「おい、聞こえているか？　他にも訊きたいことがあるんだがいいか？」

鷹央が呼びかけると、スマートフォンから『あ、はい……』という呆《ほう》けた声が響く。

「十一年前、時計山病院で起きた医療過誤の件を知っているか？」

予想外の鷹央のセリフに、僕は目を見開く。

『……知ってはいます。けれど、それが今回の件となにか関係があるんですか？』

一志の声のトーンが一気に低くなる。代々続いてきた病院が廃業に追い込まれた事件だ。口にするのも苦痛なのだろう。

「関係あるかないかは、まだ分からない。ただ、いまの時点では事件解決のためにできるだけ情報を集める必要があるんだ」

『事件解決？　あなたは医師ですよね。どうして、医師が事件を調べる必要があるんですか？』

あまりにも当然の質問に、鷹央は間髪いれずに答えた。

「時山由梨を治療するためだ」

『……由梨ちゃんを？』

「そうだ。時山由梨は母親が自分を置いて自殺したかもしれないということに強く苦しめられている。母親になにがあったのかを知るまで、その苦しみが癒《いや》されることはない。だから私は主治医として約束したんだ。私が真実を解き明かしてやるとな」

力強く言った鷹央は、僕が手にしているスマートフォンを見つめる。

「姪《めい》を救いたいのなら、知っていることを全部教えてくれ」

『……分かりました』

十数秒の沈黙のあとにつぶやくと、一志は淡々と話しはじめた。

『患者さんは、たしか畑山理恵《はたけやまりえ》さんという四十代の女性。一度、嘔吐《おうと》と腹痛でうちの父の外来を受診して、腹部のレントゲンを撮影して、ウイルス性の胃腸炎だろうということで薬を処方されました』

「その診断が間違っていたのか？」

『いえ、違います。それから半年ほどして、畑山さんが今度は咳《せき》が止まらず血痰《けったん》が出るということで、またうちの病院を受診したんです。検査をした結果、かなり進行した肺癌《がん》で、すでに手術は不可能で、余命数ヶ月と診断されました』

「四十代で末期の肺癌か……。まあ、珍しいがあり得ないことじゃない。しかし、いまの話を聞いても、なにが医療過誤なのか分からないんだが」

鷹央が首を傾げる。

『問題は半年前に撮影していた腹部のレントゲンだったんです。そのレントゲンには肺の下の方が映っていたということでした』

腹部のレントゲン写真を撮影する際、肺の下部が映りこむのは珍しいことではない。

僕はそこまでの話を聞いて、なにが起きたのかをうっすらと理解する。

「そのレントゲン写真に映りこんでいた肺に、癌の所見があったんだな」

『……はい、その通りです』一志は硬い声で答えた。

嘔吐と腹痛の原因を見つけるために撮影した腹部レントゲン写真。当然、医師としては胃や腸などの所見に意識を集中させる。偶然映りこんだ肺にあった病変を見逃すのもあり得ない話ではない。

「それを医療過誤と言うかどうかは、かなり難しいところだな。けれど、お前の父親はその件について患者に謝罪した」

『はい、そうです。父は自分のミスだと言って畑山さんとその家族に謝罪しました。半年前の時点で自分が癌に気づいていれば、治療可能だったかもしれないと。それを伝えた三日後、畑山さんは屋上にある時計台から飛び降りて……自殺しました』

なんともやりきれない話だった。鉛のように重い沈黙が部屋に降りる。

小さく息を吐いた鷹央がゆっくりと口を開く。

「そのあと、お前の父親はマスコミに責められたんだな。医療過誤で癌を見落とし、患者を自殺にまで追い込んだ医師として」

『畑山さんの兄が、マスコミ関係者だったんです。そして父と、うちの病院を糾弾する大キャンペーンを張りました。あの頃は医師や病院を叩《たた》くと視聴率が取れるという雰囲気があったので、他の局もこぞってその流れに乗りました。その時期、他に大きな事件などがなかったこともあって、父の医療ミスはワイドショーで連日のように取り上げられ、ときには「殺人医師」とまで罵《ののし》られました』

電話から歯ぎしりのような音が聞こえてくる。

『当然、病院にくる患者は激減し、経営は一気に傾きはじめました。そして、その状況に耐えきれなくなった父は、時計台から飛び降りました。……まるで、畑山さんのあとを追うように』

電話から大きなため息が聞こえてくる。

『私が知っているのは、これくらいです。もういいでしょうか？』

疲労が滲《にじ》む声で一志が言う。

「あと一つだけ教えてくれ。その畑山理恵という患者には、兄の他に家族はいたか？」

『たしかご両親はすでに他界されていたはずです。ただ、彼女はシングルマザーで、小学生の息子さんがいたと思います』

「そうか」

そうつぶやいたきり、鷹央は腕を組んで黙り込んでしまう。

『……もう、これでよろしいのでしょうか？』

スマートフォンから一志の声が聞こえてくる。考え込んだ鷹央がなにも答えないのを見て、僕は口を開いた。

「あの、一志さんはまたこちらにいらっしゃいますか？　文太さんの葬儀やらなんやらがあると思うんですが……」

少し黙りこんだあと、一志は『いえ』と答えた。

『今回、日本に戻るつもりはありません。文太の葬儀については、可能なら別れた奥さんにお願いしようかと思います。もし必要なら葬儀に掛かる代金などは払ってもいいですが、帰国はしません』

「それは、お仕事の都合がつかないということでしょうか？」

『たしかに仕事も忙しいですが、それ以上に日本に行くのが……怖いんです』

「怖い？」

『はい、そうです。弟妹が二人も続けて命を落としたんです。状況からしたら自殺に見えますが、私にはなにか裏がある気がしてなりません。誰かが時山家の血縁者を順に……殺害しているような。だから、事件の真相が分かるまで、私はシンガポールに留まるつもりです。もし私の命を狙《ねら》っている者がいたとしても、日本から数千キロ離れたここには手を出せないでしょうから』

恐怖に満ちた声で一志はまくしたてる。

「……時山家の血縁者は、もう一人いますよ」

僕が低い声でつぶやくと、一志は『分かっています』と慌てて取り繕うように言った。

『もちろん、由梨ちゃんにもできるだけ早くシンガポールに来てもらうようにします』

「承知しました。それでは失礼いたします」

僕は慇懃《いんぎん》無礼につぶやくと電話を切った。自己保身を最優先に考え、こちらが促すまで家族を亡くしたばかりの姪について言及しなかった一志にいら立っていた。

僕は深呼吸をくり返し、怒りを息に溶かして吐き出していく。

弟と妹が相次いで不審な死を遂げ、パニックになっているのだ。自分の保身で頭がいっぱいになるのも仕方がない。それよりも事件の真相をあばくことに意識を集中させなくては。

さっき一志が言ったように、もし時山家の人々を順に殺害しているとすれば、次に標的になるのは、血縁者の中で唯一《ゆいいつ》日本にいる由梨である可能性が高い。

時山恵子と時山文太の兄妹の身になにが起こったのか分からなければ、由梨の安全は確保できないのだ。

いや、待てよ。僕は額に手を当てる。真相をあばくべきなのは、時山兄妹の事件だけじゃないのかもしれない。成瀬の話によると、あの時計台からはすでに十九人もの人々が転落死している。その人々も、自殺ではなく殺されたのか？　だとしたら、犯人は時山家だけを狙っているわけではなくなる。

十一年間かけて、十九人もの人間を時計台から転落させた連続殺人犯が存在するのだろうか。そうだとしたら、犯人はなんの目的で、そしてどうやって人々をあの時計台から落としていったのだろうか。軽い頭痛をおぼえ、僕は顔をしかめる。

そんなに大量の人間を殺害する理由も、そして手を触れることなく被害者を時計台から突き落とす方法も想像がつかない。もしかしたら、すべて僕たちの勘違いなのではないか。そんな気がしてくる。

犠牲者たちは、警察の見解通りやはり自殺だった。にもかかわらず、由梨の「お母さんが自殺するわけがない」という言葉に引っ張られ、殺人事件であると思い込んでいるのかもしれない。

たしかに、転落する寸前、時山文太は銃撃されたかのように胸を押さえた。しかし、いまとなってはその記憶も正しかったのかどうか分からなくなっている。辺りは暗かったし、かなり距離があった。思い込みが目を曇らせて、文太が撃たれたかのように見えただけなのではないだろうか。

いったいなにが真実なんだろう？　頭痛が悪化していく。

「鷹央先生、恵子さんと文太さんが転落したのは、本当に事件だったんでしょうか？　なんかあらためて考えると、自殺だった気もしてきて……」

僕がおずおずと訊ねると、鷹央はいきなり立ち上がり、パソコンデスクに向かう。椅子に腰かけた鷹央は、パソコンの電源を入れるとディスプレイに映像を表示させる。画面の奥に映る時計台の鉄梯子《てつばしご》を、文太が腹の脂肪を揺らしながら必死にのぼっている。文太が転落する直前の、屋上を映しだした映像。

鷹央はマウスを操作して、映像を早送りしていく。

「ああ、映像を成瀬さんに送るんですか？」

つぶやく僕に向かって、鷹央は画面を見つめたまま「静かにしろ！」と鋭く言う。その迫力に、僕は慌てて両手を口に当てて黙り込んだ。

鷹央先生はきっとなにか気づいたんだ。そして、この映像を見て手がかりを……。

そこまで考えた僕は、鷹央が目を閉じていることに気づく。

いったいなにを？　首をひねった瞬間、かすかにパンッという音が鼓膜を揺らし、僕は大きく目を開く。同じ音を聞いたことがあった。時山恵子が落下する寸前の映像に記録されていた破裂音。

「いまのって……」

僕がつぶやくのと同時に、今度は重い音が画面から響いてくる。時山文太の巨体が地面に叩きつけられた音。

恵子のときと同様に、文太が転落する寸前、現場には小さな破裂音が響いていた。ということは……。

口を半開きにして固まる僕の前で、鷹央がゆっくりと瞼《まぶた》を上げてつぶやいた。

「これは自殺なんかじゃない。……殺人事件だ」

2

けたたましい着信音が、深く沈んでいた意識を強制的に掬《すく》い上げる。ソファーに横になって眠っていた僕は、手探りでそばにあるローテーブルの上に置かれた内線電話の受話器を取り上げた。毛布代わりに体にかけていた白衣が、床に落ちる。

「はい……、統括診断部の医局です……」

寝起きのため声が嗄《か》れてしまう。

昨夜、時山文太の転落死を目撃した僕は、そのまま鷹央の〝家〟のソファーで夜をあかした。成瀬からの『尋問』を終え、シンガポールにいる時山一志に電話をして話を聞き終えた時点で時刻は午前三時を回っていた。そこから自宅に帰っていては仮眠もほとんど取れないということで、前日に続いてこのソファーで夜を明かす羽目になっていた。

僕は壁時計に視線を向ける。時刻は間もなく午前八時になるところだった。

『こちら、一階の総合受付です』

受付嬢の声が聞こえてくる。寝起きの頭にはやや刺激の強すぎる、潑剌《はつらつ》とした声。

僕は漬物石が入っているかのように重い頭を振る。

「ちょっと、声のトーンを落として……」

『はい？　なんでしょうか？』

「いえ、なんでもないです」

答えながら僕は、朝だというのに遮光カーテンのせいで薄暗い部屋を見回す。僕がソファーで横になった時点では、鷹央はまだパソコンの前に座っていたが、いまはその姿は見えなかった。さすがに寝室で休んでいるらしい。

「それで、なんの用ですか？」

『統括診断部のドクターとお話ししたいという方がいらしています』

「僕たちと話を？」

こんな時間に誰だろう？　成瀬だとしたら、わざわざ受付を通さず、直接この〝家〟にやってくるだろうし。

『はい、えーっと、時山文太さんという方の元奥様だということです』

時山文太の元妻⁉　頭に掛かっていた靄《もや》が一気に晴れる。

「すぐに行きますので、待っていてもらってください！」

電話を切った僕がソファーから立ち上がると、部屋の奥にある〝禁断の扉〟が開き、中から手術着姿の鷹央が姿を現わした。

「うるさいなぁ。どこからの電話だったんだよ」

目をこすりながら、鷹央は不機嫌そうに言う。どうやら、僕の声で目が覚めてしまったらしい。ウェーブが掛かっている髪は、寝癖なのか普段より何割かボリュームが増している。

寝巻としている手術着は乱れていて、片方の華奢《きゃしゃ》な肩が露出し、裾《すそ》がまくれ上がって臍《へそ》の周囲の白い腹部が覗《のぞ》いていた。足には片方だけ、ウサギをモチーフにしたデザインの白いスリッパを履いている。

「ああ、ほらほら、そんな寝ぼけた子供みたいな、みっともない格好で出てこないで」

鷹央に近づいた僕は、手術着を直してやって露出していた肩と臍を隠すと、近くのテーブルに置かれていた櫛《くし》で鷹央の髪を梳《す》いていく。

「誰が寝ぼけた子供みたいだ……、私は一人前のレディ……」

睡魔の猛攻に耐えているらしく、いつもの反論にも力がない。大人しくわずかに茶色がかった柔らかい髪を僕に委《ゆだ》ねていた鷹央の体が、ゆっくりと左右に揺れはじめる。

「立ったまま寝ないでください！」

「寝てないぞ。私は断じて寝ていないぞ」

はっとした顔になった鷹央は、軽く頭を振ったあと僕を見上げる。

「それで、なんの電話だったんだよ」

「文太さんの元奥さんが僕たちに会いたいって一階に来ているらしいんです」

「時山文太の前妻⁉」鷹央は眠そうに細めていた目を見開く。「なんでそれを早く言わないんだ。なにか重要な情報が聞けるかもしれない。ほら、さっさと行くぞ」

一瞬で完全に覚醒《かくせい》した鷹央は、櫛を持つ僕の手を振り払うと、玄関に向かう。

「ああ、ちょっと待ってくださいよ。白衣ぐらいは羽織っていかないと」

鷹央と自分の白衣を手にした僕は、急いで彼女のあとを追ったのだった。


「このたびはご愁傷さまでした」

僕が深々と頭を下げると、隣に座る鷹央も首をすくめるように慌てて会釈《えしゃく》をした。

「恐れ入ります」

僕たちの正面の席に腰掛けた女性は、はっきりとした声で言った。

「時山文太の前妻で、田邊真知子《たなべまちこ》と申します」

一階まで降りた僕たちは、受付で待っていた田邊真知子を空いている外来診察室へと連れてきていた。本当なら病棟にある病状説明室を使いたかったのだが、現在使用中らしくここで話を聞くことになった。

僕は自己紹介したあと、鷹央を紹介する。鷹央が僕の上司で、さらにこの病院の副院長であると聞いて真知子は一瞬、目を見張ったものの、すぐにどこか哀《かな》しげで硬い表情に戻った。

じろじろ見て失礼にならないように注意しつつ、僕は真知子を観察する。年齢は四十代の半ばといったところだろうか。やや肉付きがよい体格をしている。身につけている服やバッグなどは、落ち着いたファッションながら高級感を醸《かも》し出していた。

「お忙しいところ、お時間を取っていただいてありがとうございます」

「いえ、そんなことは……」

僕が言うと、真知子は首を横に振った。

「実は私も医師で、都内の小さな病院で外科医をしています。ですから、お二人が当直明けにもかかわらず、無理に時間を作って下さったことは分かっています」

どうやら、僕たちが起き抜けであることを見抜き、そのうえで、当直で病院に泊まり込んでいたと勘違いしているようだ。

「いや、別に当直ってわけじゃないぞ。ただ、お前の元夫の……」

元夫の事件を調査していて徹夜になったなどと言う必要はない。僕は素早く片手で鷹央の口を押さえながら、「そんなところです……」と作り笑いを浮かべる。

僕たちに訝《いぶか》しげな視線を送りつつ、真知子は「つまらないものですが」と、わきに置いていた紙袋を差し出してくる。どうやら、菓子折りのようだ。

「ご丁寧にありがとうございます」

僕が受け取ろうとすると、横から伸びてきた鷹央の手が紙袋をかすめ取った。

「これって、あれじゃないか。有名な和菓子店のやつだろ。全然、つまらないものなんかじゃないぞ」

紙袋の中身を覗き込んだ鷹央ははしゃいだ声を上げる。

「なあ、これっていま食べてもいいか？」

あっけにとられた真知子が「え、ええ、どうぞ」と答えると、鷹央は紙袋から箱を取り出し、いそいそと包装紙を破いていく。僕は一瞬、咎《とが》めようとするが、なにか食べてもらっていた方が、話がスムーズに進むと思い直して、「申し訳ありません」と真知子に再度頭を下げた。

「いいえ、気になさらないでください。せっかくなら、目の前で食べてもらった方が嬉《うれ》しいし」

会ってからはじめて、真知子は笑みを浮かべた。

「それで、今日いらっしゃったのはどのようなご用件でしょうか？」

箱に詰め込まれていたどら焼きに鷹央がかぶりつくのを横目に、僕は訊ねる。

「警察の方からうかがいました。転落した時山の治療に、先生方が一生懸命当たってくれたと。ですから、お礼をしなければと思いまして」

おそらく、話をしたのは成瀬だろう。僕たちが文太の転落現場を目撃したことについては隠してくれたようだ。

「文太さんの件については、昨夜連絡があったんですか？」

「はい、日付が変わったかどうかといった時間でしょうか。携帯にいきなり刑事さんから電話がかかってきて、時山が時計山病院から転落して死亡したので、身元の確認をお願いできないかと言われました。彼が東京にいることすら知らなかったので、最初はたちの悪い冗談かと思いましたよ」

真知子は力なく首を左右に振った。

「失礼ですが、すでに離婚されているのに真知子さんに連絡が行ったんですか？」

「時山の身内はシンガポールにいるお兄さんと、未成年の姪御さんしか残っていないらしいんです。ですから、私に連絡が来ても仕方がないですね」

真知子がため息をつくと、どら焼きを一個たいらげた鷹央が口を挟んできた。

「なあ、なんでお前は時山文太と離婚したんだ？」

あまりにも直接的な質問に、顔の筋肉が歪《ゆが》んでしまう。たしかに、その情報はいつかは訊かなくてはと思ってはいたが、あとで上手《うま》く聞き出すつもりだった。

なにを言われたのか分からないといった様子で、真知子は固まる。彼女が激怒するのではないかと、心臓が締め付けられるような思いだった。

数秒の硬直のあと、真知子はぷっと吹き出した。

「まさか、そんなこと訊かれるとは思ってなかった。面白い子ね。あなたみたいな子、けっこう好きよ」

一転して砕けた口調で言いながら、真知子は肩をすくめる。どうやら逆鱗《げきりん》に触れることはなく、逆に鷹央を気に入ってもらえたらしい。

安堵《あんど》の息をつく僕の横で、鷹央は「……子？」と眉間《みけん》にしわを寄せた。

これ以上、余計なことを喋《しゃべ》らせないよう、僕は菓子折りから新しいどら焼きを取り出すと、鷹央の口に突っ込んだ。

「失礼なことを訊いて、申し訳ありません」

僕が謝罪すると、真知子はパタパタと手を振った。

「いいのよ、あの人のことをちょっと話したい気分だったから。そうねえ、なんで離婚したかというと、彼の浪費癖と女癖の悪さに我慢できなくなったからかな」

「金遣いが荒く、しかも不倫していたことか？　そんな男なら、別れた方が正解だな。というか、そんなダメ男となんで結婚したんだ」

口に入っていたどら焼きの欠片《かけら》を呑み込んだ鷹央が、また余計なことを言う。

黙ってどら焼きを食べていてくれないかな……。

「たしかに、なんで結婚なんてしたのかしらねえ。時山は大学の同級生でね、研修医時代も同じ病院で働いていたから、なんとなく情が移っちゃったのかもね」

真知子は懐《なつ》かしそうに目を細めて、天井あたりに視線を送る。

「まあ、離婚したけどさ、移っちゃった情っていうやつは簡単に消せないのよ。だからさ、時山が死んだっていわれたときは自分でも驚くぐらいショックを受けちゃった」

わずかに潤《うる》んだ目を、真知子は慌ててハンカチで拭《ぬぐ》った。

「だからね、時山の形見かなにか残っていないかなと思って、思わずここを訪ねてきちゃったわけ。ごめんなさいね、そんな理由で忙しいところをお邪魔して」

「いえ、そんなことはありません。けれど、文太さんの持ち物は全部、警察に回収されたので、ここには残っていないんです」

「そっか、残念……」

真知子はどこまでも寂しげな笑みを浮かべた。それを見て、僕はとっさに口を開く。

「あの、文太さんの持ち物を相続とかは……」

「いやあ、それはできないんじゃないかな。法律のことは詳しくないけど、だいぶ前に離婚しているから、私に相続権なんてないんじゃない。そもそも、権利があったとしてもごめんだけどね。財産より、借金の方がはるかに多いだろうから」

「借金？」僕は思わず聞き返す。「文太さんに借金があったんですか？　名古屋で開業していたんじゃ？」

「開業医っていっても、ほんの一年ぐらい前にはじめたばっかりだからね。しかも、閑古鳥が鳴いて毎月大赤字らしかったわよ。開業の際に銀行にだいぶ借金もしていたから、かなりの負債だったはず」

「最近は、開業も厳しいからな」

もそもそとどら焼きを食《は》みながら、鷹央がつぶやく。真知子は苦笑を浮かべた。

「そう、しかもあいつ、専門は糖尿病内科なのよ。患者さんだって嫌でしょ、あんなでっぷりと太った男から『甘いものを控えるように』とか『毎日運動をしなさい』なんて言われたら」

そりゃそうだな……。

「まあ、そんな感じで開業がうまくいかなくて悩んでいたのかな。だからって、自殺なんてする必要ないのに。なんで、そこまで思いつめる前に、私に一言相談してくれなかったんだろ」

　真知子は再びハンカチを目元に当てる。

　一瞬、文太が自殺したと真知子が思い込んでいることを不審に思うが、すぐに状況を理解する。成瀬は「おそらく自殺だと思われます」と真知子に連絡したのだろう。そうすれば、噂が大きく広がり、マスコミなどが集まってくるリスクを避けられる。事件だと確定すれば、そのときにあらためてそう説明すればいいだけの話だ。

　鷹央が余計なことを口走らないか警戒して、僕は横を見る。しかし、どら焼きで頬をリスのように膨らませている彼女に、喋る余裕はなさそうだった。

「ごめんなさいね、勤務前に無駄話に付き合わせちゃって。そろそろお暇《いとま》しないとね。でも、お二人に話せて、少しだけ胸のつかえがとれたわ。ありがとう」

　気丈に微笑《ほほえ》むと、真知子は椅子《いす》から立ち上がる。

　扉を開けて出ていこうとする真知子に、僕は「あの……」と声をかける。ドアの取っ手を摑《つか》んだまま、真知子はふりかえった。

「文太さんのお葬式は、真知子さんがなさるんですか？」

「ええ、もちろん」真知子は即答する。「別れたとは言っても、十年以上、夫婦だった仲ですからね。時山と私はなんというか……ソウルメイトって感じの関係だったのよ。だから、私が責任を持って送り出してあげないと」

「素晴らしいパートナーを持てて、文太さんは幸せでしたね」

真知子は「だといいけど」と目を細めて外来から出ていった。

「鷹央先生……」

どら焼きがのどに詰まったのか、平手で胸元を叩いている鷹央に声をかける。

「絶対にこの事件の真相をあばいて、文太さんの件は自殺じゃないって証明しましょう」

「ん？　どうしたんだ、急にやる気を出して」

なんとかどら焼きを呑み込んだ鷹央が、不思議そうに訊ねてくる。

「だって、このままじゃ真知子さんがかわいそうじゃないですか。元とはいえ旦那《だんな》さんが急に亡くなって、なにもしてあげられなかったっていう後悔だけが残って」

「今回の件に限らず、死というものは、概して突然やってくるものだ」

次のどら焼きに伸ばしていた手を止めた鷹央が、真剣な表情で言う。

「もちろん、癌のようにある程度死期が読める疾患もあるが、それだって確実に言い当てられるものじゃない。死を完全に予測できるレベルに医学は……、いや、人間はまだ達していないんだ」

鷹央がなにを言おうとしているのか、僕にはよくわからなかった。しかし、なぜかその話に引き込まれてしまう。

「逆に言えば、常に『死』は身近に潜んでいるということだ。お前にも、もちろん私にもな。お前だって医者なんだから知っているだろ、人間というのは無数の器官がそれぞれの機能を果たすことで生命を維持していることを。そのうちの一つでも機能を損なうだけで、致命的な状況になりうることを」

僕は「はい」と深く頷く。

「つまり、人間の生命というのは、それ自体が奇跡的なバランスの上に成り立っているものなんだ。そのバランスは、ちょっとしたことで容易に崩れ去る。だからこそ、『死』を身近に意識しつつ、奇跡的に保たれている自分の生命に感謝しながら毎日を生きる。それこそが正しい姿なんだと私は思っている。特に、臨床現場に出て、日常的に『人の死』に触れるようになってからはな」

「メメント・モリって奴《やつ》ですね」

たしかに僕も救急部で急病や事故などで、予期せぬ死を迎えた人々を数えられないくらい見てきた。その中には、僕自身より若い人々も少なくなかった。

「身近な者を喪《うしな》うと、誰もが後悔の念を抱くものだ。その人物が生きているうちに、もっとなにかしてあげれば良かったと。それを完全に防ぐことはできない。しかし、『死』が身近にあると意識して毎日を過ごすことで、後悔を少なくすることはできるはずだ。まあ、簡単に言うと、親しい人物は普段から大切にしておけってことだな」

「そうですね」僕は心から同意する。

「鷹央先生には、そういう親しい相手はいるんですか？」

「私にか？」

鷹央は驚いたような表情で自分を指さしたあと、「まあ、それなりにな」とはぐらかすようにつぶやいて、新しいどら焼きに手を伸ばした。

「いい加減にしてください。あんまり食べ過ぎると、糖尿病になりますよ」

僕が箱ごと取り上げると、鷹央は「あと一つ、あと一つだけ！」と両手を伸ばして必死に迫ってくる。せっかくいい話をしていたのに台無しだ。僕は「本当に最後の一つですからね」と言い聞かせると、小ぶりのどら焼きを鷹央に渡した。満面の笑みを浮かべて、鷹央はいそいそと包装紙を破りはじめる。

「そうすると、真知子さんの苦悩も仕方がないものなんですかね」

箱を紙袋の中にしまいながら僕は言うと、どら焼きを咀嚼《そしゃく》しながら鷹央が話しはじめる。

「ひかひにゃ、ときゅに……」

「呑み込んでから喋ってください」

鷹央は喉《のど》を鳴らしてどら焼きを嚥下《えんげ》すると、あらためて口を開く。

「しかし、とくに自殺の場合、遺された人々の心に強い後悔が湧き上がりがちだ。もし時山文太が自殺ではないと判明すれば、田邊真知子の気持ちもかなり楽になるだろうな」

どら焼きを一気に平らげた鷹央は、指先を舐《な》めながら口角を上げた。

「うまいどら焼きもくれたし、お礼に事件を解決してやろうぜ」

3

田邊真知子との面談を終えた僕たちは、午前外来を受診する患者がちらほらとやって来はじめた一階の外来待合を横切っていく。

「さて、それじゃあ患者の回診と行くか」

元気よく言う鷹央に、僕は「そうですね……」と覇気のない返事をする。

「なんだよ、その気の抜けた声は。まだ目が醒《さ》めてないのか」

「まあ、睡眠不足でだるいのは間違いないんですが……」

というか、あなたは元気ですね。僕は心の中で付け足す。

普段は、最低七時間は眠らないと「だるい」だの「眠い」だのと文句を言いながら左右に揺れているくせに、今回のように『謎《なぞ》』を目の前にしているときは短い睡眠もまったく苦にしなくなる。

なんか、変な薬つかっていたりしないよな……。

視線を注ぐと、鷹央は「なんだよ、その目は」と睨んでくる。僕は慌てて「なんでもありません」と胸の前で両手を振った。

まあ、超人的な頭脳を持て余し気味の鷹央にとって、『謎』を解き、それによって他人を救うという現在のようなシチュエーションは、最高の腕の見せ所なのだろう。テンションが上がるのも当然だ。

彼女にとっては、『謎』の存在そのものが脳内麻薬を分泌《ぶんぴつ》させるトリガーになっているのかもしれない。鷹央が『謎』と対峙《たいじ》するたびに巻き込まれる僕としては、彼女がその脳内麻薬の依存症にならないことを祈るばかりだ（すでに手遅れかもしれないが）。

「情けないこと言うなよな。大学病院の外科にいたときは、はるかにつらい勤務に耐えていただろ」

「それは、そうなんですが……」

「歳には勝てないか。お前も三十路《みそじ》だからな」

「ほっといてください！」

あなただって僕と二歳しか違わないでしょうが。舌の先まで出かかったその言葉を、僕は呑み込む。もし口にしたら大きな災いが訪れる。そんな予感が、直前で思いとどまらせてくれた。

「そんなに体鍛えているのに、やっぱり中身は老化していくんだな。まあ、三十代になれば、そろそろ中年と呼ばれるのももうすぐ……」

なにやら腹が立つことを言っている鷹央の言葉を聞き流しつつ、僕はため息をつく。気分が落ち込んでいるのは睡眠不足（それと鷹央の暴言）のせいだけではなかった。

いま統括診断部に入院している患者は、時山由梨だけだ。つまり回診に行くということは、彼女と顔を合わせることに他ならない。そうなれば、伯父である文太が転落死したことも伝えないわけにはいかなくなる。

由梨は母親の死が自殺ではなかったと確信している。伯父まで転落死したことを聞けば、誰かが時山家の人々を連続して殺しているのではと考え、強い恐怖をおぼえるだろう。時山一志がそうであったように。

ショックで不安定になっている由梨に、さらなる精神的な負担を強いることに、気分が沈んでしまう。

重い足を引きずりながら、鷹央とともにエレベーターの前までやってきたとき、背後から「鷹央！」という声が響いた。

鷹央はびくりと体を硬直させると、首の関節が油切れを起こしたかのように、ぎこちなく振り返る。つられて僕も背後を見ると、そこにはモデルのように長身で細身の、目が醒めるほど美しい女性が腰に手を当てて立っていた。

「ね、姉ちゃん……」鷹央が恐怖の滲む声を絞り出す。

「あっ、おはようございます、真鶴《まづる》さん」

僕が挨拶すると、鷹央の姉である天久真鶴は「おはようございます、小鳥遊先生」と蕩《とろ》けるような笑みを浮かべたあと、すぐに険しい表情に戻って鷹央を睨《にら》みつける。

「鷹央、頼んでいた書類の処理は終わったの？」

「いや……、それは……前向きに善処中というか……」

鷹央はおどおどと視線を彷徨《さまよ》わせる。

ああ、そういえば二日ほど前、「インフルエンザで休んでいた間の副院長の仕事を、姉ちゃんが一気に持ってきた」とか愚痴をこぼしていたな。この様子だと、まったく手を付けてなかったようだ。

「昨日までに片付けておいてってお願いしたでしょ。忘れていたのかしら？　そんなわけないわよね。あなたはすべての事柄を記憶しておけるものね。それでもやっていないということは、私がお願いした仕事の優先順位が、あなたの中で低かったってことよね。違う？」

真鶴は抑揚なく、一定のリズムでまくし立てながら鷹央に顔を近づけていく。その顔には笑みが張り付いているが、目は全く笑っていない。

こんな優しくて妹想《おも》いの姉を、鷹央がなぜ恐れているのか最初のころは分からなかったが、最近は真鶴の恐ろしさをなんとなく理解できるようになってきた。

鼻先が触れそうな距離まで顔を近づけられた鷹央は、大型肉食獣に睨まれた小動物のように硬直して、細かく震えている。

「いや……、その……、統括診断部の部長としての仕事が忙しくて……」

「副院長の仕事も同じくらい大切です。いまからすぐにやってもらうから来なさい」

真鶴は無造作に鷹央の白衣の後ろ襟をつかむ。抵抗は無駄だと悟ったのか、鷹央はがくりと力なくうなだれた。

「それじゃあ、行きましょ。小鳥遊先生、少し鷹央をお借りしますね」

一転して柔らかい笑みを浮かべた真鶴は、後ろ襟をつかまれてうなだれたままの鷹央を引きずっていく。その姿は子猫が親猫に首筋を噛《か》まれ、脱力した状態で運ばれていく光景を彷彿《ほうふつ》させた。

「えーっと、とりあえず頑張ってください」

僕は死にそうな表情で連れていかれる鷹央を見送る。

これはかなり時間がかかりそうだな。ゆっくり準備を整えて、それでも鷹央が合流できなければ、一人で由梨に会うとするか。

僕はエレベーターに乗ると、（統括診断部以外の）各科の医局がある三階へと移動する。医局エリアの奥には当直用のシャワールームも完備されていた。僕はそのうちの一室に入ってシャワーを浴びてひげを剃《そ》ると、職員食堂で朝食をとり、屋上にある自分のデスクのあるプレハブ小屋に戻って新しい白衣に着替える。

「さて……と」

白衣のボタンを留めた僕は、腕時計に視線を落とす。鷹央が真鶴に拉致《らち》されてから一時間ほど経《た》ったが、戻ってくる気配はない。すでに時刻は午前十時に近づいていた。午後には外来もあるし、いつまでも回診を後回しにしておくわけにはいかない。

プレハブ小屋を出た僕は、階段で十階病棟に降り、由梨の病室へと向かう。

ノックをしてドアを開けると、部屋には由梨のほかにスーツ姿の中年男性がいた。由梨と向かい合うような形でパイプ椅子に腰かけている男には見覚えがあった。一志が手配した弁護士で、名前はたしか、沼本《ぬまもと》とかいったはずだ。

「ああ、ごめん由梨さん。お客さんが来ていたんだ」

僕が出直そうとすると、沼本が立ち上がる。

「いえ、大丈夫ですよ。ちょうど話が終わって帰るところでしたので」

バッグをわきに抱えた沼本は、「それじゃあ、いまの話、考えておいてください」と由梨に声をかける。しかし、由梨はうつむいたまま答えなかった。

「では、失礼します」

由梨の態度を気にするそぶりも見せず、沼本は会釈をして僕とすれ違うと、病室から出ていった。扉が閉まる乾いた音が病室の空気を揺らす。

「あの……、由梨さん」

声をかけると、ようやく僕の存在に気付いたかのように、由梨は緩慢な動きでこちらを見上げると、「あ、小鳥遊先生……」とか細い声で言った。その顔は蒼白で、よく見ると全身が細かく震えている。

「大丈夫？　あの弁護士からなにか言われたの⁉」

あまりにも弱々しい由梨の様子に、僕は慌《あわ》てて言う。少しずつ精神的なショックから回復していたはずなのに、その姿は母親の死を知った直後に戻ってしまったかのようだった。

「文太おじさんが、死んだって……、時計台から落ちたって、本当……なんですか？」

震える唇の隙間《すきま》から、由梨はか細い声を絞り出す。思わず舌打ちしそうになってしまう。僕がのろのろしている間に、弁護士が文太の死を由梨に伝えてしまった。

できる限り衝撃を与えぬよう、細心の注意を払って文太の死を伝えるつもりだった。しかし、由梨の様子を見ると弁護士はそのような配慮を払わなかったようだ。いきなり突き付けられた衝撃的な情報が、心の傷に薄く張っていたかさぶたを剝《は》がしてしまったのだろう。

「……ああ、本当だよ」

数秒の躊躇のあとに答えると、由梨の体に走っていた震えが一段と大きくなる。

「なんで……そんなことに……？」

「それはまだ分からないんだ。けれど、今回はあまりにも異常だっていうことで警察が捜査をはじめている。きっと、文太さん、そして恵子さんの身になにが起きたのか、すぐに分かるよ」

僕は少ない好材料を必死に挙げてみる。しかし、由梨の震えが収まることはなかった。

「誰かがうちの親戚《しんせき》を殺しているんですか？　もしかして……、私も狙われているんですか？」

由梨は寒さに耐えるように、自分の両肩を抱いた。

なんと言えば、目の前で怯《おび》えている少女の恐怖を、少しでもやわらげることができるのだろうか？　頭を絞るが、良い案は浮かばなかった。

「教えてください、小鳥遊先生。誰かが私も殺そうとしているんですか⁉」

喘《あえ》ぐように由梨は言葉を絞り出す。

「……分からない。正直、まだなにも分かっていないんだよ。ただ、状況から見て、文太さんは何者かに殺害されたと思われるんだ。誰かが時山家の人たちを狙っているという可能性は否定できない」

僕が正直に答えると、由梨の両手がだらりと下がった。

「さっき、弁護士さんが言っていたんです。誰かが時山家を狙っているかもしれないから、一志おじさんは日本には来られないって……。そして、私にも安全のため、できるだけ早くシンガポールに来て欲しいって……」

なるほど、沼本は一志に依頼され、早くシンガポールに移住して、身の安全を確保して欲しいというメッセージを伝えに来たのか。あの有能そうな弁護士のことだ、由梨が同意さえすれば、すぐにでもシンガポールへ渡航する手はずを整えてくれるだろう。

時山恵子、そして時山文太と続けざまに転落死し、しかもそれが何者かの手によって意図的に行われた可能性が高くなったいま、次の標的として由梨が狙われることは十分に考えられる。時山家の中で、いま日本にいるのは由梨ただ一人だけなのだから。

「由梨さんはどうするつもりなの？」

僕はできるだけ由梨を刺激しないよう、ゆっくりとした口調で訊《たず》ねる。

一志が言うとおり、シンガポールに避難するのが一番いいのかもしれない。少なくとも、日本にいるよりは危険性が低くなるだろう。

「……分かりません」

由梨は痛みをこらえるような表情で、首を横に振った。

「シンガポールの方が安全だってことは分かっているんです。でも、あっちに行ったら、いつ戻ってこられるか分からない。何年もいないといけないかもしれないし、もしお母さんと文太おじさんの事件が解決しなかったら、ずっと戻ってこられないかもしれない」

「ああ、そうだね」

「私、ずっと東京で育ってきたんです。友達もここにしかいないんです。みんなといきなり別れて、もう会えないかもしれないなんて……」

母親と突然死別し、さらに仲のいい友人たちとも別れて見知らぬ国で生活をはじめる。まだ高校生の少女にとって、それはとても過酷な選択だろう。

「私、シンガポールになんか行きたくありません。でも、日本にいたら危険かもしれない……。もう、どうしていいのか分からないんです。どうしてこんなことに……」

うなだれたまま力なく首を横に振る由梨の姿は痛々しく、胸が締め付けられる。由梨は緩慢に顔を上げると、縋《すが》りつくような視線を僕に注ぐ。

「小鳥遊先生……、私はどうすればいいんですか？」

由梨の視線に射抜かれながら、僕はのどを鳴らして唾《つば》を飲み下す。いま、彼女の心は精巧な硝子細工のごとく脆《もろ》くなっている。もし、僕が間違った答えを口にすれば、それは容易に砕け散ってしまうだろう。

どう答える？　どう答えればいい？　背中に冷たい汗が伝うのをおぼえながら、必死に思考を巡らせたあと、僕はゆっくりと口を開いた。

「どうすればいいかは、僕には決められない。それは、由梨さんが自分で決めないといけないことだと思うから」

突き放されたように感じたのか、由梨の顔にどこまでも深い失望の色が浮かぶ。僕はすぐに「ただ……」と続けた。

「ただ、すぐに答えを出す必要はないと思うよ」

由梨は「え……」と不思議そうにつぶやいた。

「短期間に色々なことがありすぎて、君はいま混乱しているはずだ。その状態で、将来を左右するような選択をするべきじゃない。まずはここで、ゆっくり心身を休めなよ」

「でも、日本にいたら危険だって、一志おじさんが……」

「大丈夫、この病院にいる間は、君の身の安全は僕が保証するよ。君には誰も、指一本触れられないようにする」

僕が微笑みかけると、呆然《ぼうぜん》とした表情を浮かべていた由梨の目から大粒の涙がこぼれだした。押し殺した泣き声が、彼女の口から漏れはじめる。僕はしゃくりあげる由梨の頭にそっと手を伸ばした。

「事件のことはひとまず忘れて、休むことに集中するんだ。大丈夫、その間に僕たちが事件を解決するからさ」

そう、最終的にシンガポールへ行くか否《いな》かは、由梨にしか決められない。しかし、その決定は自分を狙う殺人者の影におびえて下されるべきではない。落ち着いた状態で、自分の将来をよく考えて選択されるべきだ。

そのためには、事件が解決されなければならない。由梨の母親と伯父の身に何が起きたのか、真相があばかれるまで、由梨は犯人の影に怯え続けるだろうから。

鷹央先生が事件を解決するのを、全力でサポートしよう。そして、それまでの間、由梨さんの身の安全をしっかりと確保しよう。

心に決めた瞬間、由梨が立ち上がって僕に抱きついてきた。両手で白衣の襟を握った彼女は、僕の胸に顔をうずめて大声で泣きはじめる。

文太が死亡したにもかかわらず、一志が日本に来ないことで、由梨は見捨てられたような気持ちになっていたのかもしれない。だからこそ、身の安全を保証するという僕の言葉に安堵して、感情が溢《あふ》れ出したのだろう。

数秒躊躇したあと、僕は由梨の背中に両手を軽く添えた。他人に見られたら誤解されそうな状況だが、涙を流すことはいいことだ。胸に溜《た》まっていた負の感情を、涙に溶かして排出することができる。

数分間、由梨は僕の白衣に顔を当てて泣き続けた。その間、僕は柔らかく彼女の背中を撫《な》でていた。

やがて、泣き声が小さくなっていく。

「少し落ち着いたかな？」

訊ねると、由梨は白衣から手を離し、恥ずかしそうに小さく頷《うなず》いた。

「良かった。それじゃあ……」

人に見られると誤解されるから、と続けようとした瞬間、なんの前触れもなく扉が開いた。

「ようやく書類のチェックが終わったぞ。ナースに聞いたら、ここに小鳥がいるって……」

大股で病室に入ってきた鷹央は、抱き合っている（ように見える）僕と由梨を見て動きを止める。大きな瞳《ひとみ》の上を、瞼が数回往復した。

「いや、これはですね……。そうじゃなくて……」

しどろもどろで僕が言い訳しようとすると、鷹央は無言のまま白衣のポケットからスマートフォンを取り出し、どこかに電話をかけはじめる。

「あの、鷹央先生……、なにを……？」

おずおずと訊ねる僕の前で、鷹央はスマートフォンを顔の横に当てる。

「あっ、成瀬か。いま私の目の前に犯罪者がいるんで、すぐに逮捕しにきてくれ。……いや、違う。時計山病院の件じゃない。……そう、殺人じゃなくて性犯罪……」

「やめてください！　誤解です」

僕は泡を喰って鷹央に駆け寄ると、スマートフォンを奪い取り、電話を切る。

「なにをするんだ、犯罪者」

「犯罪者なんかじゃありません！」

「いや、れっきとした犯罪者だぞ。未成年との淫行《いんこう》は、都条例で……」

「だから、誤解なんですってば！」

僕は泣きそうになりながら声を張り上げる。脳裏には手錠を嵌《は》められ、腰縄を打たれて連行される自分の姿が浮かんでいた。先日の連続放火殺人で容疑をかけられたとき以上の危機感に襲われる。

「なにが誤解なもんか。ほら見ろ、被害者が泣いているじゃないか」

鷹央はまだ目が潤んでいる由梨を指さす。

「見損なったぞ、小鳥。いくらモテないからって、未成年の女子高生を襲うなんて。私はそんなふうに育てたおぼえはないぞ」

「襲ってもないし、そもそも鷹央先生に育てられていません！」

僕が必死に釈明していると、由梨が「あの……」と首をすくめながら近づいてくる。

「小鳥遊先生は私を襲ったりしていません。逆に私が先生に飛びついて泣いちゃったんです」

まさに天の助け。僕は思わず両手を合わせて、由梨を拝んでしまう。

被害者（？）である由梨の証言を聞いた鷹央は、目をしばたたかせると、僕を指さした。

「こいつにそう言うように強要されているのか？ もしそうなら、私が守ってやるから、安心して本当のことを言ってくれていいぞ」

「いえ、本当なんです。小鳥遊先生は私を慰めてくれただけなんです」

由梨の言葉を聞いた鷹央は、数秒間立ち尽くしたあと、僕の背中を平手で叩《たた》いた。

「そうだと思っていたぞ。うちの小鳥がそんな卑劣なことをするわけないもんな。私は信じていたぞ」

「……どの口が言うんですか？」

僕が零下の視線を浴びせかけると、鷹央は媚《こ》びるような笑みを浮かべる。

「まあ、誤解が解けて良かったよ。さて、それじゃああらためて回診を……」

「……回診はもう終わりました。それじゃあ由梨さん、また来るからね」

僕は由梨に向かって（心からの感謝を込めた）笑顔を浮かべると、そのまま病室をあとにする。

「おーい、小鳥。そんなに怒るなよ」

　廊下を進んでいくと、鷹央が小走りで追いかけてきた。

「……怒るなよ？　性犯罪者として告発されかけたのに、怒るなって言うんですか？」

「いや、まあ……、それは悪かった……」

　首をすくめ、上目遣いに視線を送ってくる鷹央を、僕は無視して歩き続ける。

　実は内心、怒りはほぼ収まっていた。客観的に見れば、（密室で女子高生と抱き合っていたという）誤解されても仕方がない状況だったのだから。

　ただせっかく、珍しく攻撃する立場になったのだ。少しは普段の鬱憤《うっぷん》を晴らさせてもらっても罰は当たらないだろう。

「悲しいですよ。もっと信頼してもらえていると思っていたのに」

　立ち止まった僕が、芝居じみた仕草で首を横に振ると、鷹央はわたわたと白衣や手術着のポケットを探りはじめる。

　やがて、鷹央はポケットから飴玉《あめだま》を見つけ、それを僕に差し出した。

「そうだ、小鳥、これ食べないか」

　どうやら、甘いもので機嫌を取るつもりらしい。あまりにも子供じみたその行為に、僕は思わず吹き出しそうになる。

まあ、僕も鷹央が臍を曲げたとき、同じように甘味で機嫌を取っている。ここで矛を収めなければフェアとは言えないだろう。

僕は飴玉を受け取ると、包装を破って口に放り込む。

「美味《お》しいですね。まあ、飴玉ももらったし、とりあえずさっきのことは忘れますよ」

口の中で飴玉を転がしながら言うと、鷹央の顔がぱっと明るくなった。

「そうか、良かった良かった」

安堵したためか上機嫌になった鷹央は、また僕の背中を叩いてくる。

「しかし、甘いものを貰《もら》ったくらいで機嫌を直すなんて、単純なやつだな」

「……どの口が言うんですか？」

廊下でそんな会話を交わしていると、正面から見覚えのある男が歩いてきた。由梨の実の父親である、甲斐原勝《かいばらまさる》だった。

僕たちに気づいた甲斐原は、会釈をして近づいてくる。その手には、小さなフルーツバスケットが提げられていた。おそらく、由梨の見舞いに来たのだろう。

「こんにちは、甲斐原さん」

「こんにちは、小鳥遊先生。あの……、由梨と面会したいんですが、会ってもらえるかどうか訊《き》いてはもらえないでしょうか？」

甲斐原はおどおどとした態度で言う。数瞬考えたあと、僕は首を横に振った。

「今日は、やめておいた方がいいと思います」

ただでさえ精神的に不安定になっている由梨に、甲斐原を会わせるのはどう考えても適切だとは思えない。

「由梨になにかあったんですか⁉」

甲斐原が血相を変えて詰め寄ってくる。

「いえ、由梨さんになにかあったわけではありません。ただ、かなりショックな出来事があって消耗しています。ですから、今日は甲斐原さんが面会するのにふさわしい日ではないと思います」

僕が諭すように言うと、甲斐原は肩を落として頷いた。

「あの、これだけでも由梨に渡してはもらえませんか」

甲斐原はフルーツバスケットを僕に渡してくる。

「分かりました。後ほど渡しておきます」

「もし私からの見舞い品は受け取れないと由梨が言ったら、皆様で召し上がっていただいて結構です。それでは失礼します」

一礼した甲斐原は廊下を引き返していく。その背中は老人のように曲がっていた。

「あれが、時山由梨の実の父親か？」

訊ねる鷹央に、僕は頷く。

「はい、そうです」

「寂しそうだったな」

鷹央のつぶやきに、僕はフルーツバスケットを持ったまま、「そうですね」と頷いた。

4

「捜査しないだぁ⁉」

鷹央の叫び声が〝家〟の壁を震わせた。

「大きい声を出さないでください」

椅子に腰かけた成瀬が、両手で耳をふさぐ。

その日の夕方、成瀬が報告することがあると連絡してきたので、鷹央、僕、（そしてなぜか）鴻ノ池は屋上の〝家〟で話を聞くことにした。

僕たちが腰掛けるソファーの前に置かれた椅子に座った成瀬は、開口一番、「時山文太の件ですが、捜査はしないことに決定しました」と言ったのだった。

「どういうことだ！　説明しろ」

ソファーから腰を浮かした鷹央が詰め寄ると、成瀬は面倒くさそうに手を振った。

「特に説明することなんてありません。時山文太は自殺した。そう検視官が判断したということです。なので捜査本部の設置はもちろん、私たち所轄《しょかつ》の刑事も捜査しないことに決まりました」

「なに馬鹿《ばか》なことを言っているんだ！　あれは間違いなく殺人事件だ！」

「その証拠はどこにありますか？」成瀬は淡々と訊ねる。

「時山文太は転落する前、なにかに撃たれたように体をのけぞらせて胸を押さえたんだ。私と小鳥が目撃したって言っただろ」

「残念ながら、その証言は信憑性《しんぴょうせい》がないと判断されました。現場は暗く、しかもあなたがたが目撃したという位置は、病院からある程度離れていた。たんなる見間違いかもしれません。そうでなくても、あなたがたタカタカペアは要注意人物として、信用がないんですから」

「その呼び方、やめてください！」

僕の抗議を成瀬は黙殺する。隣に座っていた鴻ノ池が「いいじゃないですか、タカタカペア。響きが可愛《かわい》くて」と耳打ちしてきた。

「私は映像記憶を持っている。見間違いなんかしない！　あのとき、時山文太は何者かによって転落させられたんだ」

「転落させられたっていうのは、具体的にはどうやってですか？　あなた方は、時山文太が胸を撃たれたように見えたと言っていましたがね、司法解剖した結果、そんな痕跡《こんせき》は全く認められませんでしたよ。胸部の皮膚にも、皮下組織にも、もちろん心臓にも、まったく異常はなかったということです」

鷹央の表情が引きつる。僕も軽く唇を噛んだ。法医学の専門家の手による司法解剖なら、なにか犯罪の証拠が見つかるかもと思っていた。あのとき、文太の胸を貫いた『銃弾』の正体が分かるかもと。しかし、淡い期待は儚《はかな》く消えてしまった。

「そう言えば、あなた方は時山恵子を自分たちで解剖したんですよね。その結果はどうだったんですか？　膵臓癌《すいぞうがん》のほかになにか異常は見つかりました？　見えない銃弾に貫かれたかのような異常が」

「……いや、そんなものはなかった」

鷹央が声を絞り出すと、「そら見たことか」といった感じで、成瀬が唇の端を上げる。

「元妻である田邊真知子から色々と話を聞くことができました。それによると、時山文太は去年、銀行から金を借りてクリニックを開業したものの、患者がほとんど来ず、赤字続きだったということです。その情報も自殺説の裏づけになりました。あと、あなた方からの情報もね」

「私たちからの情報？」鷹央は眉《まゆ》を顰《ひそ》める。

「ええ、そうですよ。あなた方は時山文太が転落したとき、時計台には誰もいなかったと証言しましたよね。そして、提出して頂いた防犯カメラの映像でも、時山文太が一人で自主的に時計台にのぼっている姿が映っています。司法解剖の結果、元妻の証言、そしてあなた方からの情報、全《すべ》てを総合した結果、時山文太は時計台から飛び降りて自殺したという検視結果となったんです」

「ちょっと待て！」鷹央は声を張り上げる。「時山恵子と時山文太が転落する数秒前に響いた破裂するような音、あれはどう考えているんだ。あれこそ、事件が他殺である一番の証拠だろ」

「別に意味のある音ではないと判断されたみたいですね。偶然、同じタイミングで自動車のバックファイヤーの音が響いたんじゃないか、そう考えているようです」

「そんな偶然があるか！」

鷹央の声が裏返る。僕も同じ気持ちだった。

「私に言われても困りますよ。決定したのは検視官ですから。私たちはその決定に従うしかないんですよ」

「自分の意思はないのかよ、このロボットめ」

「なんとでも言ってください。末端の警官が自分勝手に動き回っては、警察は組織として機能しません。私たちはいわば、前線の兵隊のようなものなんですよ。ですから、今回の事件の捜査を日常業務の中心に置くことはできません」

「……中心に置くことはできない？　なんだ、その思わせぶりなセリフは？」

鷹央の片眉がピクリと上がった。

「最近は大きな事件も少なくて、珍しく勤務中に暇な時間があったりするんですよ。うちの課長はそんなとき、『昔のものでもいいから、事件を見つけてきて捜査してろ』って無茶な命令してきます。まあ、さっき言ったように私のようなしがない末端の刑事は、その命令に逆らうわけにはいきません」

「……？　なにが言いたいんだ。もったいつけてないで、本題に入れよ」

行間を読むことが苦手な鷹央がかぶりを振ると、かすかに笑みを浮かべていた成瀬は顔をしかめる。

「過去十一年で二十人近い人間が時計山病院で転落しているのは、課長の言う『昔の事件』の要件を満たしているってことですよ。つまり、その事件を調べても、命令違反には当たらないと言っているんです」

嚙んで含めるように成瀬が言う。鷹央は元々大きい目を見開いたあと、立ち上がって成瀬に向かって手を差し伸べた。

「おめでとう、ロボット君。お前はようやく心を手に入れたようだな」

「……昔から心は持ってます。だからこそ、あなたと話すたびに苛《いら》つくんですよ」

成瀬は鷹央の手を無視して立ち上がる。

「勘違いしないでくださいよ。べつにあなた方みたいな素人《しろうと》に、積極的に協力したいってわけじゃない。二十人近い人間が殺害された疑いがあるなんて知ったら、刑事として放っておけないというだけです」

かぶりを振る成瀬を不思議そうに見上げた鷹央は、振り返って僕に視線を送ってくる。

「なあ、これが『ツンデレ』ってやつか」

「いや……、それはちょっと違うのでは……」僕は引きつった笑みを浮かべた。

「それで、あなたはどんな情報が必要なんですか？　どんな情報があれば、時計山病院の連続転落死の真相をあばけるって言うんですか」

ぴくぴくと頰の筋肉を痙攣《けいれん》させつつ、成瀬が低い声で訊ねてくる。鷹央はあごに手をやって数秒間考え込んだあと、左手の人差し指を立てた。

「時計山病院で転落死した被害者たち全員について、現場の状況と、なぜ自殺と判断したのか、まずはそれを調べてくれ」

「なるほど、この歯車とあっちの歯車が組み合わさって秒針を動かしていたわけだな。脱進機の力は最終的にあそこに伝わっていくわけだ」

鷹央は手にしたランタン型の懐中電灯で、大小さまざまな歯車が複雑に組み合わさった時計の裏側を照らしている。

5

二日後、土曜日の昼下がり、僕と鷹央は時計山病院の時計台の中にいた。

昨夜、鷹央が「明日の昼、時計山病院に行くぞ。日が出ているうちに調べれば、夜には気づかなかった手がかりが見つかるかもしれない」と言い出した。仕方なく僕は、休みの日にもかかわらずアクアで天医会総合病院へと行き、鷹央と（なぜかついてきた）鴻ノ池を拾って、また時計山病院へとやってきていた。

鷹央が待つ〝家〟に行く前、由梨の病室にも顔を出した。

副院長である鷹央が手配して、由梨の病室の前を警備員が二十四時間体制で監視していた。これで少なくとも入院中は、由梨の身に危険が及ぶことはないはずだ。

窓際《まどぎわ》に置かれたパイプ椅子に腰かけて外を見ていた由梨の顔色は、一昨日《おととい》に比べればだいぶ良くなっていた。伯父の死によって受けたショックが少しは和らいだのだろう。しかし、その表情には深い苦悩が刻まれていた。

当面の安全は確保されたが、危険が消えたわけではない。それに、危険があろうとなかろうと、シンガポールへ行くか否かを近いうちに決めなければいけないのだ。

母親を亡《な》くした強いショック、誰かに狙《ねら》われているかもしれないという恐怖、そして人生を左右する選択を迫られるプレッシャー、それらが由梨を苛《さいな》んでいるのだろう。

さらなる負担をさけるため、僕はできるだけ事件の話題を避けて言葉を交わした。好きなタレントや音楽、映画などの会話を交わす中で、少しだけだが由梨も笑みを浮かべることがあった。

一回り以上歳が離れている彼女とのジェネレーションギャップに戸惑いつつ、なんとか共通の話題を探していたとき、僕は床頭台《しょうとうだい》の上に小さなフルーツバスケットが置かれていることに気づいた。それは、一昨日、由梨の父親である甲斐原勝が持ってきた見舞い品だった。

フルーツバスケットに盛られた果物は、一昨日に比べて減っていて、由梨がそれを口にした痕跡があった。

少し時間が経ち、父親に対する嫌悪感《けんおかん》もいくらか弱まったのかもしれない。少なくとも、見舞い品を捨てるのは勿体《もったい》ないと思うほどに。その変化はきっと好ましいものだろう。そう思い、思わず口元が緩んだ。

十数分、たわいない話をしたあと、僕は「また夕方にでも顔を見せるから」と言い残して病室を出た。そして、屋上の〝家〟で鷹央と鴻ノ池を回収してこの時計山病院へと向かったのだった。

「この電源を入れれば、振り子が作動して、脱進機が動き出すっていうわけか」

たくさんのボタンがついている操作盤らしき機器を眺めていた鷹央は、その下部に設置されている扉を取り外し、配線が複雑に入り乱れている内部の観察をはじめる。

先日、ここで『四階病棟の幽霊』の正体を暴いた際も、この時計台の内部の観察はしたが、あのときは下田がやってくるまでの一時間以内という時間制限があったため、じっくりと調べることはできていなかった。

「鷹央先生、なにか分かりましたか？」

配線を一つ一つ手に取って調べている鷹央に声をかける。しかし、自分の世界に入り込んで聞こえないのか、鷹央は「ここが、こっちに繋《つな》がって……」など、ぶつぶつとつぶやくだけだった。

「とりあえず、感電しないように気をつけてくださいね」

まあ、電気は通っていないはずなんで大丈夫だろう。そんなことを考えていると、鷹央が手の動きを止め「感電……か」とつぶやく。

「どうかしましたか？」

「いや、なんでもない」

　鷹央は再び操作盤の内部を調べはじめる。手持ち無沙汰《ぶさた》になった僕は、そばにある柵《さく》に手をかけて、その奥に広がる時計台の機械部分を眺める。大きなものでは直径三メートルほどもありそうな歯車の森が広がっている。間違って巻き込まれたりしたら、人間など簡単にミンチになってしまいそうだ。だからこそ、こうしてしっかりと柵を作り、向こう側に落ちないようにしているのだろう。

　僕は柵から顔を出し、足場の下に視線を落とす。巨大な振り子の下に、外から見える大きな鐘がついている。鐘のそばに開いた窓から、外の光が差し込んでいるおかげで、夜に来たときよりもだいぶ明るく、細かい内部の構造が見て取れた。

「昔は、正午にあの鐘が鳴る音が、麓《ふもと》の街まで響いたものだ」

　いつの間にか僕の横に立っていた鷹央が、柵の隙間から下を見て言う。どうやら、操作盤を調べ終えたようだ。

「正午だけですか？」

「そりゃそうだろ。麓まで響くってことはとんでもない音量だぞ。いくら音が窓を通して外に向かっていくとはいえ、入院患者がいる病院で一時間ごとにそんな爆音を立てられるかよ。というか、一日一回でもそれなりに問題になっていたみたいだぞ」

「あの、ちょっと思いついたんですけど、恵子さんと文太さんが転落する前に響いた音って、この鐘の音だったりしませんかね」

「はぁ？　なに言ってるんだよ。あれくらい巨大な鐘が鳴ったら、あんな小さな音のわけがないだろ」

「いえ、だいぶ放置されていたから、鐘の内部も劣化して、まともに音が出なかっただけだとか。それで、もしかしたら鐘が動いたことでこの時計台自体が揺れて、転落したってことは……」

「ないな」鷹央は僕の仮説を一言で切り捨てる。「あの鐘が動いたくらいで、上にいた人間がバランス崩すぐらい時計台が揺れるわけがないだろ。そもそも、時山文太は反り返って胸を押さえていたんだぞ。揺れのせいで転落したわけじゃない」

「いえ、この時計台自体も劣化して震えるようになったんですよ。文太さんが反り返ったのは、必死にバランスを取ろうとしたからじゃ」

「劣化した時計台がそんなに震えたら、間違いなく崩壊するだろ。第一、あの音は鐘の音じゃない、火薬が破裂する音だ」

「え？　どうしてそんなことが分かるんですか？」

「映像から抽出した音を専門家に送って、分析してもらっているって言っただろ。今朝、その回答が送られてきた。あれは間違いなく火薬が爆発したものだ」

そんな情報があるなら、早く教えてくれ。そうすれば、おかしな仮説を立てて恥をかくこともなかったのに。

「火薬ということは、銃声ということですか？　やっぱり、文太さんはあのとき、銃撃されていたんですか？」

気を取り直して訊ねると、鷹央は難しい顔で鼻の頭を掻《か》いた。

「火薬の破裂音が響いたとき、時計台の上はおろか、病院内にも被害者の他に人影はなかった。そして、時山文太は胸を押さえて体をのけぞらせたあと、崩れ落ちた。総合的に見れば、遠方から狙撃《そげき》されたとしか思えない。しかし、司法解剖してもそんな痕跡は全く見つからなかった」

「肉体に全く傷つけることなく、被害者を失神させるような銃弾で撃ち抜かれたということですか？」

そんなことがあり得るのだろうか？　僕はこめかみを押さえる。

「もしそんな銃弾が存在したとしたら、まさに『魔弾』だな。犯人は『魔弾の射手』ということになる」

皮肉っぽくつぶやいた鷹央は、再び鐘を見下ろす。

「あの感じは青銅かな。振り子はおそらく鉛で出来ていて、歯車も金属製か。すべて電気をよく通すな。あとは、外部にある時計の針の材質も……」

ぶつぶつとつぶやきながら自分の世界に入り込んだ鷹央の邪魔をしないよう、僕は口をつぐんで時計台の内部を見回す。

なぜ、十九人もの人々が、この時計台から転落したのだろう？　そこに何者かの悪意が働いていたのだろうか？　だとしたら、この時計台自体に、被害者たちの命を奪う仕掛けが施されているのか？　頭を絞るが、答えは出なかった。

「さて、とりあえず見たいものは全部見たし、ここから出るか」

数分考えこんだあと、鷹央が言う。ようやく、この埃《ほこり》っぽい空間から出ることができる。僕は足場を移動し、鉄製の階段へと向かう。出口のそばまで階段をのぼると、僕はそこに置いておいたロープで自分と鷹央の体を繫ぐ。

ここから出ると、時計台の端まで五十センチほどしかない。万が一のことを考えて僕と鷹央はハーネスを着け、鷹央が鉄梯子《てつばしご》をのぼるときと、時計台の内部に入るときは、転落してもロープで僕が支えられるようにしていた。

「べつにこんなもの着けなくても大丈夫なのに」

「ダメです。まったく起伏のない病棟の廊下でも、よく躓《つまず》いているような人の言葉なんて信用できません」

僕はバシッと言うと、鷹央は頰を膨らませながらも従ってくれた。

いったん、時計台の上に出たあと、鉄梯子で屋上へと降りた僕たちを、待機していた鴻ノ池が迎える。

「お二人とも、お疲れ様です。もうすぐ午後一時ですし、お昼にしませんか」

屋上にはレジャーシートが敷かれ、サンドイッチが詰め込まれた弁当箱が広げられている。緑茶のペットボトルも三本置かれていた。用意のいい奴《やつ》だ。これを運びたかったから、今日はバイクではなく僕の運転するアクアに乗ってきたのだろう。

「鷹央先生には特別に、生クリームたっぷりのフルーツサンドを作ってきましたよ」

「おお、美味《うま》そうだな」

はしゃいだ声を上げた鷹央は、スニーカーを脱いでレジャーシートに上がる。

「汚れたところを触ったんですから、食べる前に手を拭《ふ》いてくださいよ」

僕が声をかけると、鷹央は「分かっているよ」と唇を尖《とが》らせた。

「はい、これどうぞ」

鴻ノ池がバッグからウェットティッシュを取り出して鷹央に渡す。本当に用意のいい奴だ。

朝、急いで出たため、朝食を摂《と》る余裕がなかった。サンドイッチを前にして、急に空腹が襲い掛かってくる。「小鳥先生もどうぞ」と言われ、僕は遠慮なく頂くことにする。

レジャーシートの上で胡坐《あぐら》をかき、鴻ノ池が差し出してくれたウェットティッシュで手を拭いた僕は「いただきます」と両手を合わせ、卵サンドを手にする。隣では鷹央がイチゴのフルーツサンドをぱくついている。イチゴと一緒に挟んである生クリームが口の周りに付いていた。

三角形の卵サンドを口に含むと、マヨネーズのほどよい塩気と、濃厚な卵の風味が口の中に広がった。僕はほんの数十秒で平らげると、ハムサンドに手を伸ばす。そのとき、重低音が内臓を揺らした。

「なんだ？」

僕はハムサンドを手にしたまま、視線を彷徨わせる。隣では鷹央が、バナナサンドをくわえたまま、まばたきをくり返していた。

「ああ、工事が再開しちゃったみたいですね」鴻ノ池が首筋を掻く。

僕が「工事？」とつぶやくと、鴻ノ池は靴を履いて屋上の端へと行き、遠くを指さす。

「あそこでなんか工事をやっているんですよ。鷹央先生と小鳥先生が時計台の中に入ったあと、ずっと騒音が響いてましたよ」

鴻ノ池に近づいた僕は、彼女が指さす方向を見る。この時計山病院が建つ丘の麓近くの斜面で、かなり大規模な工事が行われていた。十数台の重機が、生えている樹々《きぎ》をなぎ倒し、地面を掘り、そこにコンクリートを流し込んでいる。

「かなり大規模な工事だな」

サンドイッチを手にしたまま、鷹央も近づいてきた。

「そういや、この辺りを再開発するとかいう話が数年前から上がっていたな。なんか、地元住民がかなり反対運動をしてもめていたけど、ようやく進んだのか」

「これだけうるさいと、反対運動するのも分かる気がしますね。結構離れているここにまで、振動が伝わってくるんですから」

鴻ノ池は肩をすくめた。

「振動か……」

鷹央は低い声でつぶやくと、表情を硬くして工事現場を眺める。

「どうしました、鷹央先生。フルーツサンド、美味しくなかったですか？」

「いや、そんなことはない。美味いぞ」

鷹央はそういって、手にしていたサンドイッチを口に運ぶ。

「良かったです。朝から頑張って作ったかいがありました。せっかく統括診断部のメンバー三人そろってピクニックに行くんだからって、頑張ったんですよ」

「これはピクニックじゃない。それに、お前は統括診断部の所属じゃなく、研修医だろ」

突っ込みを入れる僕の背中を叩いたあと、鴻ノ池は両手を広げた。

「細かいことは言いっこなしですよ。工事の音はうるさいけど、景色は最高じゃないですか。丘の上から、この地域一帯を見下ろせるんですから」

「地域一帯を見下ろせる……」

僕が言うと、鴻ノ池は「どうしました？」と小首を傾《かし》げた。

「地域一帯を見下ろせるということは、この辺りのどこからでもこの病院は見えるってことだよな。特に時計台は」

「まあ、そりゃあそうですね」

「もし狙撃手《そげきしゅ》がいたとしたら、どこから撃ったのか特定することが難しいと思ってな」

「え、やっぱり被害者たちは狙撃されていたんですか？　でも、司法解剖でそんな痕跡はなかったんですよね」

事件についての情報を（しつこく纏《まと》わりついて僕の口を割らせることで）共有している鴻ノ池が訊ねてくる。

「ああ、そうだ。けれど、やっぱり文太さんは狙撃されたとしか思えないんだよ」

胸を押さえてのけぞった文太の姿が脳裏をよぎった。

「体に傷をつけないで命を奪う銃弾なんてあるんですか？」

「分からないよ。それが分からないから苦労しているんだろ」

もしそんな『魔弾』があったとして、その射程はどれくらいなのだろうか？　文太が転落した日、彼以外の人物が時計山病院に侵入した痕跡はなかった。それに、文太が転落後すぐに僕は時計山病院の敷地に入り、そして鷹央は街から病院へと向かう一本道で救急要請をしていた。しかし、二人とも犯人らしき人物を目撃してはいない。

そうなると犯人は時計山病院の敷地の外から狙撃を行ったということだろうか。けれど、十階以上の高さがある建物の屋上にそびえ立つ時計台の上の人物を、遠方から狙撃するのはかなり困難なはずだ。それに、あの日はかなり風が強かった。狙撃に適した条件とはいえない。にもかかわらず、文太は胸のど真ん中を押さえてのけぞった。犯人はどこから、どんな凶器を使って文太を狙撃したのだろう。いくら考えても見当もつかなかった。

そのとき、軽快な着信音が響いた。鷹央がズボンのポケットからスマートフォンを取り出し、なにやら通話をはじめた。

「そうか……。ああ、分かった……。それじゃあ、午後七時にうちで」

数十秒、相手と言葉を交わしたあと、鷹央はスマートフォンをポケットに戻す。

「誰からだったんですか？」

「成瀬からだ。頼んでいたことを調べ終わったから、今日の夜に報告しに来るってよ」

ああ、時計台から転落した被害者たちの身元と、その状況をもう調べたのか。さすがに刑事だけあって仕事が早い。

「これで、少しでも事件解決の手がかりが見つかればいいですね」

僕が言うと、鷹央は「ああ……」と頷いて、遠くの工事現場を眺める。

「魔弾の射手……か」

鷹央のつぶやきを、工事の騒音が掻き消していった。

6

「それで、結果はどうだったんだ?」

ソファーに座った鷹央が前のめりになりながら成瀬に言う。

時計山病院の調査から帰った僕たちは、早めの夕食をとりつつ、事件についての話し合いなどをしながら成瀬を待った。そして夜七時ごろ、約束通り成瀬は調査の結果を報告するため、鷹央の〝家〟にやってきていた。

「そんな急《せ》かさないでくださいよ。これが結果です」

成瀬は無造作に、ソファーの前にあるローテーブルに資料の束らしきものを放る。

「おお、さすがは警察官だな。こういう仕事だけは有能だ」

「『だけ』は余計です。それが、調べものを頼んだ人の態度ですか」

成瀬が顔を歪《ゆが》ませると、鷹央は左手で資料を手に取りつつ、右手をパタパタと振った。

「たんに、警察が保管してある資料を探してきただけで、十九人分の殺人事件の謎が解けるかもしれないんだぞ。喜べよ」

「十九人分の殺人事件ですか。残念ながら、そううまくはいかないみたいですけどね」

成瀬は皮肉っぽく鼻を鳴らした。資料を捲《めく》っていた鷹央は、「どういうことだ」と手の動きを止める。

「その資料を読んでいただければ分かりますよ。時計山病院の時計台から飛び降りたほとんどの人間は殺されたのではなく、明らかに自ら命を絶っているんですよ」

「なに⁉」

鷹央は声を上げると、せわしなく資料を捲っていく。両隣に座っている僕と鴻ノ池も資料に視線をそそぐ。そこには死亡した人間についての詳細や、現場の状況などに加えて、遺書らしきものを写した写真が貼《は》られている。

ほとんどのページで、遺書の写真が目に飛び込んできた。

「十九人のうち、十三人は現場に遺書を残しています。もちろん、筆跡鑑定も行われ、本人が書いたものであると確認されています」

「十三人……」想像以上の多さに、僕は思わずつぶやく。

「そして、残りの六人のうちの二人も、明らかな遺書はありませんが、日ごろから『死にたい』と繰り返していて、何度か自殺未遂を繰り返していた人物です」

「だとすると、残った四人は……」

僕は資料から顔を上げて成瀬を見る。

「まずは最初に飛び降りた畑山理恵という女性です。そして残りの三人は……」

「時山家の三人」鷹央はぱたりと資料を閉じた。

「そうなります。というわけで、少なくとも今回の事件は十九人もの人間が、見えない銃弾により狙撃されて転落したという大事件ではありませんでした」

成瀬は芝居じみた仕草で、肩をすくめる。

「畑山理恵……」

鷹央がぼそりとつぶやく。成瀬は「なんですか?」と眉根を寄せた。

「警察は最初に転落した畑山理恵については、自殺だと断定したんだな」

「ええ、そうですね。時山剛一郎《ごういちろう》の誤診によって癌が進行した畑山理恵は、『死にたい』と周囲に漏らしていたらしいです。また、転落する数分前、屋上へと続く階段を一人でふらふらとのぼっていく彼女の姿も目撃されています。遺書こそありませんが、自殺と判断するのは当然でしょう」

「それが正しいとすると、残りは時山家の三人だけ……」

つぶやいた鷹央は、口元に手を当ててなにやら考え込みはじめる。

「その時山家の三人についても、誤診、癌、借金と、自殺の動機となるようなバックグラウンドがあります。やはり今回の事件は、全員単なる自殺だったんではないですか？　人生に絶望した人間が、自殺の名所となっている場所にやってきて、次々と……」

「いつだ？」

唐突に鷹央は甲高い声を上げると、資料を捲りはじめる。

「どうしたんですか、鷹央先生」

ただならぬ様子に僕が声をかけると、鷹央は時山剛一郎についての資料のページを開いて顔を近づける。

「時山剛一郎は何時に時計台から転落したんだ」

資料を目で追っていた鷹央が、「これだ！」と資料の一部を指さす。そこには、『午後〇時三十五分、警察に連絡』と書かれていた。

病院で転落したのだから、すぐに救急部に搬送されて救命処置を受けただろう。警察に連絡するのは多くの場合、治療が一段落してからのことが多いので、転落したのは警察への通報の三十分ほど前と言ったところだろうか。

「昼……、時計台……、鐘……、見えない銃弾……」

鷹央は天井あたりに視線を彷徨《さまよ》わせたあと、ふらっと立ち上がり、そのまま玄関へと向かう。

「鷹央先生。どこに行くんですか？」

慌てて声をかけると鷹央は振り返ることなく言った。

「夜風に当たって考えをまとめたい。今日はご苦労だったな。解散していいぞ」

鷹央の姿が玄関扉の向こう側に消えていく。残された僕たち三人は、互いの顔を見合わせることしかできなかった。

「まったく、人を呼び出しておいて、必要な情報を貰ったらすぐに解散ですか。相変わらず自分勝手な人ですね」

小さく舌を鳴らすと、成瀬が椅子《いす》から立ち上がり、玄関へと向かう。この部屋にいても仕方がないので、僕と鴻ノ池もそれに続いた。

屋上に出ると、端にあるフェンスを両手で摑《つか》んで、鷹央が街の夜景を見下ろしていた。

「あの……、鷹央先生、大丈夫ですか」

小さく見えるその背中に不安をおぼえた僕が声をかけると、鷹央は軽く片手を挙げて答えた。

初夏の夜風に含まれた新緑の香りが、僕の鼻先をかすめていった。

7

「こんばんは、由梨さん」

二日後の午後六時すぎ、僕は時山由梨の病室を訪れていた。今日は他科から依頼があった患者の回診や、外来業務が忙しかったため、こんな時間になってしまっていた。

鷹央先生が手伝わないんだもんな。僕は内心で愚痴をこぼす。二日前の夜、成瀬からの報告を受けて以来、鷹央は〝家〟に籠《こも》ってどこかに電話をしたり、ネットでなにやら必死に調べたりしている。そのせいで、僕にしわ寄せがきて、一日中忙しく働きまわらなくてはならなかった。

「こんばんは、小鳥遊先生」

窓際のベッドで横になっている由梨は、僕を見てかすかに口角を上げる。笑顔が出るだけまだ精神的には安定してきている方なのだろう。母親の死を知ってからの数日は、その顔にはほとんど表情らしき表情が浮かんでいなかった。

「体調はどうかな？」

「……相変わらずです」

弱々しく答えた由梨は、僕から視線をそらし、すでに日が落ちかけている外を見る。どことなく拒絶されているような気配をおぼえ、僕は戸惑ってしまう。なにか、彼女の気に障《さわ》るようなことをしただろうか。

「小鳥遊先生……」窓の方を向いたまま、由梨は言う。「お母さんがなんで死んだのか、分かりましたか？　自殺じゃないって証明できましたか？」

僕は一瞬言葉に詰まったあと、正直に「いいや」と答える。

「いろいろと情報は集まって来たんだ。けど、まだ恵子さんになにが起こったかまではっきりしていなくて」

「……そうですか」由梨の声にははっきりとした失望が混ざっていた。

「けれど、きっともうすぐ真実が見えてくるはずで……」

釈明する僕の声を「小鳥遊先生」という由梨の言葉が遮る。

「私、今週中にシンガポールに行くことにしました。そして、一志おじさんの養子になります」

「そうか……」

僕はゆっくりと頷《うなず》く。由梨の将来を考えれば、それが一番いい選択なのかもしれない。ただできることなら、彼女がこの病院にいる間に、母親の身になにが起きたのかを教えてあげたかった。

「それで、小鳥遊先生に一つお願いがあります」

「お願い？」

僕が聞き返すと、ようやく由梨はこちらを向いた。その表情には強い決意が浮かんでいた。

「ほんの数分前に、甲斐原さんが面会に来たんです。もちろん断りましたけど」

由梨は実父のことを名字で呼んだ。そこに強い拒絶を感じる。

「そうなんだ。それで、僕にお願いっていうのは」

「甲斐原さんには、面談室で待ってもらっています。申し訳ないんですが、私がシンガポールに行って一志おじさんの養子になることを、あの人に伝えてもらえませんか。そして、私には二度とかかわらないで欲しいとも」

一息にまくしたてた由梨は、胸に手を当てて大きく息を吐いた。

「……そんな大切なこと、僕が伝えていいのかな。由梨さんが自分の口で直接言った方がいいんじゃないか」

「いいえ」由梨ははっきりと首を横に振った。「私はあの人と会いたくありません」

「そうか……、分かった、伝えてくるよ」

僕が頷くと、由梨は緊張の糸が解けたのか、起こしていた上体をベッドに横たえた。

「すみません、少し疲れたんで一人にしてもらってもいいですか？」

「ああ、ごめんね。疲れているのに」

出口に向かった僕がドアの取っ手を摑むと、背後から「小鳥遊先生」と声をかけられる。

「ん？　どうかした？」

「先生には凄《すご》く感謝しています。お母さんが……亡くなって、凄くつらかったけど、小鳥遊先生のおかげでなんとか耐えることができました」

「僕はなんにもやってないよ」

謙遜《けんそん》でもなく、僕はそう言う。実際、由梨の精神的な治療にかんしては、精神科医に一任している。事件の捜査についても、役に立っているとはとても言えない。僕がしたことと言えば、毎日この病室を訪れて、由梨とたわいない会話を交わしたことぐらいだ。

「そんなことありません！」

これまでにないほどの、由梨の強い口調に僕は体を震わせる。はっと我に返ったような表情になった由梨は、俯《うつむ》くとぽつぽつと話しはじめた。

「ここに入院してから、凄く孤独だったんです。もちろん、お母さんとの思い出が染《し》み込んだ部屋に一人帰るのは耐えきれなかったから、それには感謝していました。けれど、看護師さんも精神科の先生もすごく忙しそうで、あくまでお仕事として私にかかわってくれているだけでした」

　天医会総合病院のような大規模病院では、日々大勢の患者を診察する。そのため、一人一人の患者に時間をかける余裕がなくなりがちだ。

「けれど、小鳥遊先生は違いました。私の話をよく聞いてくれた。おかげで、とっても楽になったんです。なんか近所のお兄さんって感じでした」

　近所のおじさんと言われなかったことに安堵《あんど》しつつ、僕は微笑《ほほえ》む。

「少しでも役に立てたなら嬉《うれ》しいよ。もうすぐシンガポールに行くにしても、それまでは僕の大切な患者さんだから、できる限りのことはするからね」

「大切な……」

　由梨は俯いてしまった。よく見ると、その頰が少し赤くなっている。ちょっと気障《きざ》すぎて引かれてしまっただろうか。

「それじゃあ、甲斐原さんと話してくるよ。由梨さん、またね」

「はい……、また」

　どこか哀《かな》しげに言いながら、由梨は小さく手を振った。

　病室をあとにした僕は、面談室に向かう。由梨の話通り、そこでは甲斐原が暗い顔で座っていた。「甲斐原さん」と声をかけると、彼ははっと顔を上げる。

「どうも、小鳥遊です。ちょっとお話よろしいでしょうか」

「は、はい、もちろん」

緊張に満ちた声で言う甲斐原の前の席に座った僕は、できるだけ彼にショックを与えないように注意しつつ、由梨からのメッセージを伝える。

「シンガポール……」

僕の話を聞き終えた甲斐原は呆然《ぼうぜん》とつぶやいた。

「残念ながら、由梨さんはそう決めたということです。今週中に向かうとのことでした」

「そうか、シンガポールで伯父さんの養子になるのか……。たしかに、それがあの子にとって一番いいのかもしれませんね」

聞いている者の胸が締め付けられるほど、哀しげに甲斐原はつぶやく。気持ちを落ち着けるかのように数回深呼吸をくり返した甲斐原は、僕の目をまっすぐに見た。

「小鳥遊先生、もし由梨の退院が決まったら教えていただけませんか。あの子に渡さないといけないいものがあるんです」

「この前のような見舞い品ですか？　それなら、また僕が代わりに渡しておきましょうか？」

「いえ、それだけは自分の手で渡さないといけないんです」

「でも、由梨さんが受け取ってくれるかどうか……」

「受け取ってくれます。絶対に受け取ってくれるはずです」

拳《こぶし》を握りしめて言うと、甲斐原は立ち上がって大股《おおまた》に面談室から出ていった。

その背中を見送った僕はゆっくりと席を立つ。生まれてからずっと顔を合わせていなかったとはいえ、実の娘に徹底的に拒否されている甲斐原に少し同情心が湧《わ》いていた。

さて、一通りの仕事も終わったから、医局に戻るか。

僕は階段をのぼって屋上に出ると、鷹央の〝家〟に入る。

「今日の仕事、終わりましたよ。誰かさんが全然手伝ってくれなかったんで大変でした」

思い切り嫌味を込めて言うが、パソコンの前に座っている鷹央は意に介すことなく
「おう、お疲れさん」と片手を挙げるだけだった。

「いったい、この前からなにを調べているんですか？」

鷹央の肩越しにディスプレイを覗《のぞ》き込むが、そこには細かい英字と数字の羅列が映っていた。疲れていてわざわざそれを解読する気力はない。

「なにか手がかりはあったんですか？　『魔弾』の正体に繋がる手がかりは」

僕がため息交じりに言うと、鷹央はこともなげに「あったぞ」と答える。

「あった⁉」僕は大きく目を見開く。

「ああ、『魔弾』のからくりは予想がついている。問題はその『射手』が誰かだ」

「つまり、犯人は誰かってことですよね」

「そうだ。いまは、それについての手がかりをひたすらに集めているところだ」

「鷹央先生、『魔弾』の正体ってなんなんですか⁉ どうやって遠方から正確に、しかも遺体に傷を残すことなく銃撃ができるっていうんですか？」

僕が早口で訊《たず》ねると、鷹央は振り返ってにやにやとした笑みを浮かべた。

いつもこうなのだ。謎《なぞ》が解けても鷹央はなかなか説明しようとしない。「仮説の段階で説明しても混乱させるだけだからな」とかなんとか言っているが、他人に説明することがあまり得意ではないので、ただ面倒なんだろうと踏んでいる。

「鷹央先生、もったいつけてるような状況じゃないんですよ。由梨さんは今週中に……」

僕が文句を言っていると、内線電話がけたたましい着信音を立てはじめた。

「なんだよ、こんなときに」

愚痴をこぼしつつ、受話器を取り上げると、看護師の絶叫が聞こえてきた。

『統括診断部の医局ですか？ こちら十階病棟です！ 大変なんです！』

「どうしたんですか、そんなに慌《あわ》てて」

鼓膜の痛みを感じて受話器を少し顔から離すと、看護師はかすれ声で報告した。

『由梨さんがいないんです。時山由梨さんが、病室から姿を消しました』

幕間Ⅲ

横から吹いてくる強い風が、髪を乱す。由梨《ゆり》は頭の横に手を当てながら、ゆっくりとコンクリートでできた足場を歩いていく。見下ろす街の夜景が美しかった。

ここが、お母さんが死んだ場所……。母親との思い出が頭をよぎる。その記憶はキラキラと輝いていて、胸が締め付けられる。天医会《てんいかい》総合病院を抜け出した由梨は、時計山病院の屋上にある時計台の上までやってきていた。大切な使命を果たすために。

「ここに、あれがあるんだ……」

小声でつぶやきながら、由梨は時計台の屋根を進んでいく。奥にある、時計台の内部へと入る扉に向かって。

「あの中に……」

痛みをおぼえるほどに心臓の鼓動が加速する。口の中がカラカラに乾いていく。

扉に近づいた由梨は、片手で取っ手を持つと、力いっぱい扉を引いた。大きな軋《きし》みを上げながら持ち上がった扉は、百二十度ほど開いたところで自然に固定される。

扉の下からは階段が姿を現わしている。覗《のぞ》き込むが、階段の奥は闇《やみ》がわだかまって何も見えなかった。

「本当に、この中にあれがあるの？」

つぶやきつつ、由梨は慎重に時計台の内部へと入るため、扉が口を開けている方へと回り込んでいく。屋根の縁までは、五十センチもない。

恐怖で足が震える。けれど、やらないわけにはいかない。

「入ります！」

自分を鼓舞するように言った瞬間、破裂音が鼓膜を震わせた。

なにが起こったか分からなかった。ただ、胸の中心を衝撃が貫いた。

由梨は両手で胸を押さえて体をのけぞらせる。視界が白く変色していく。硬直した筋肉が、一気に弛緩《しかん》していく。

全身の骨がなくなったかのような感覚だった。体を支えることが出来ない。その場に崩れ落ちた由梨の上半身が、屋根の端から零《こぼ》れそうになる。

どこか掴《つか》まなきゃ。とっさに手を伸ばそうとするが、脳と体を繋《つな》ぐ回線が遮断されてしまったかのように、ピクリとも動かすことができなかった。

頭、そして肩が、屋根の端からずり落ちていく。もはや由梨には、重力に逆らう術《すべ》が残されていなかった。全身が宙空に投げ出される。白く濁った視界の中で、由梨は地面が近づいていくのを呆然と見続けた。

激しい衝撃が体を襲った瞬間、由梨の意識は闇の中へと落ちていった。

第四章　断空の魔弾

1

「由梨《ゆり》さんがいないってどういうことですか⁉」

時山《ときやま》由梨が病室から消えたという報告を受けた僕は、受話器を両手で持ちながら大声で叫ぶ。

『いま、時山さんの病室に検温に行ったんです。そうしたら、いなくなっていました』

「ちゃんと探したんですか？」

『探しましたよ。トイレもベッドの下も』

「そんな……。だって、病室の前には警備員が……」

『警備員の話だと、二、三十分くらい前にトイレに行って、部屋の前から離れていたらしいです。そのときに消えたんじゃないかということでした』

思わず舌打ちが口ではじける。二十四時間体制で監視してくれるはずだったのに。

『あの、どうしましょう?』看護師がおずおずと訊《き》いてくる。

「手の空いているナースと警備員で、院内の捜索をしてください」

そう言って僕は素早く受話器をフックに戻す。

「時山由梨が失踪したのか?」

いまの通話が聞こえていたのか、鷹央《たかお》が訊いてくる。

「はい、警備員がトイレに行った隙《すき》にいなくなったということです。ずっと監視してくれているはずなのに」

「それを責めるのは酷だろう。患者一人をつきっきりで守るのは、警備員の本来の仕事じゃない。私が無理に頼んでやってもらっているんだからな」

「分かっています。でも……」

理性では分かっていても、感情がついていかないのだ。

「時山由梨がいなくなったのはいつだ?」

「ナースの話では、二、三十分前ということでした。どうしましょう。もしかしたら、由梨さんは恵子《けいこ》さんや文太《ぶんた》さんを殺した犯人に連れ去られたんじゃ……」

「落ち着け!」

鷹央に一喝され、背筋が伸びる。

「ここは病院だぞ。大声を出せば、すぐにスタッフがやってくる。しかも、警備員がトイレに行っていたと言っても、二、三分といったところだろ。その間に、十七歳の女子高生を誰にも気づかれずに拉致《らち》し、院外に運び出すなんてほぼ不可能だ」

「誘拐じゃないなら、どうして由梨さんは病室から消えたって言うんですか？」

「おそらく、自分の意思で出て行ったんだろう。警備員の隙をついてな」

「自分の意思⁉ なんでそんなことを？」

院外は危険だと、彼女は分かっていたはずなのに。

「分からない。いまは理由を考えるより、時山由梨を見つけ出して身柄を保護することの方が大切だ」

「見つけ出すって、どうやってですか」

「時山由梨がなぜ病室を抜け出したのか、そしてどこに向かったのかを考えるんだ」

鷹央は難しい表情で腕を組む。

安全な病室を抜け出してまで向かうべき場所なんて、果たして存在するのだろうか。

「時計山病院……」

腕を解いた鷹央がぽつりとつぶやく。僕は「え？」と聞き返した。

「時計山病院だ！ 時山由梨は時計山病院に向かった可能性が高い。三十分前に姿を消したなら、タクシーを使っていればもう到着しているころだ。小鳥《ことり》、急ぐぞ」

鷹央は小走りに玄関に向かって走る。

「待ってください。なんで由梨さんが時計山病院に行くんですか？」

「説明は車の中でする。いまは、少しでも早く時計山病院に向かう必要があるんだ」

そうまくしたてる鷹央と並んで、僕は屋上を横切ると、階段で十階へと降りる。胸を焼く焦燥感に耐えながらエレベーターを待っていると、スーツ姿の男が駆け寄ってきた。一志《かずし》に雇われた弁護士である沼本《ぬまもと》だった。

「小鳥遊《たかなし》先生、どういうことなんですか!?　いま来たら、由梨さんがいなくなっていると聞いたんですが？」

「すみません、緊急事態でいまはゆっくり説明している時間がないんです」

「彼女の身に、なにか良くないことが起こっているんですか？」

「あとであらためて説明します。すみません」

僕は早口で言うと、やって来たエレベーターに入り『閉』のボタンを連打する。まだなにか言いたげな沼本の姿が、扉の向こう側に消えた。

一階まで降りた僕と鷹央は、急いで裏口にある駐車場へと向かうと、アクアに乗りこむ。

イグニッションボタンを押すと、慣れたＲＸ－８のロータリーエンジンと比べて弱々しい振動が座席を通して伝わってきた。

「急げ！　早く行くぞ！」

鷹央の言葉とともに、僕は車を発進させる。駐車場を出て広い車道へと出た僕は、アクセルを踏み込んだ。ＲＸ－８に乗っていたときは、背もたれに押し付けられるような加速を感じたものだが、ファミリー向きのこの小型車の加速はどこまでも穏やかだった。

ああ、ここに相棒がいたら。先日、黒焦《くろこ》げになったＲＸ－８の記憶を反芻《はんすう》しつつ、僕は時計山病院に向かってアクアを走らせた。

2

「なんで、こんなことに……」

目の前の草むらに力なく倒れる由梨を見ながら、僕はつぶやく。周囲を赤色灯のどこか刺々《とげとげ》しい光が照らしている。そばにはパトカーと救急車が止まっていた。

十数分前、由梨が時計台の上から転落するのを、時計山病院に到着していた僕と鷹央は目撃した。屋根の端から落ちる寸前、由梨は胸を押さえて体をのけぞらせ、そして力なく崩れ落ちていた。先日の時山文太と同じように。

由梨が『魔弾』に銃撃されたのは疑いようもなかった。同時に、恵子と文太も自殺などではなく、『魔弾の射手』により殺害されたことも。

しかし、いまだに『魔弾』の正体はまったく分かっていない。

「また、被害者が増えたってことになるんですか。これで二十人目の転落者ということになりますね」

近づいてきた成瀬《なるせ》が、ため息交じりに言う。

「それで、救命処置はしないんですか？」

「……そんなことをしてなんになるんだ」

鷹央はがりがりと頭を掻《か》きながら言う。

そう、たしかに救命処置など意味はない。心臓マッサージなどをすれば、由梨の体を傷つけるだけだ。

「すぐに病院に連れて帰るから、ゆっくり休むんだよ」

僕は草むらに倒れ伏す由梨のそばにしゃがみこむと、その頬を軽く撫《な》でた。掌《てのひら》に、紅い血液が付着する。

僕がしっかりしていれば。胸が締め付けられる。

「で、もちろん今回の件は自殺なんかじゃないんですよね」

「ああ、そうだ。今回も『魔弾の射手』による犯行だ。時山由梨は『魔弾』に貫かれて、あの時計台から転落したんだ」

「その『魔弾』っていうのがなんなのか、分かっているんですか」

「ああ、もちろんだ」鷹央は重々しく頷《うなず》く。

「鷹央先生、いまはまず由梨さんを救急車に乗せましょう。そして、病院に連れて行って、体を綺麗《きれい》にしてあげないと」

「そうだな。その通りだ」

近づいてきた鷹央は、由梨の傍らにひざまずくと、その耳元に囁《ささや》いた。

「お前のおかげで全部分かった。仇《かたき》はとってやるからな」

かすかに、「はい」という由梨の返事が聞こえるような気がした。

3

由梨が時計台から転落して三日後の夕方、僕は、鷹央、成瀬とともに会議室にいた。普段、話し合いなどにつかう病状説明室とは違い、医局エリアの奥にある会議室は、ゆうに二十人以上は収容できるスペースがある。医師たちが各科の医局会などによく使うこの空間には、長机が一列に並べられ、その両側に椅子《いす》がいくつも置かれている。

ノックの音が空気を揺らす。僕が「どうぞ」と言うと、扉が開き鴻ノ池《こうのいけ》が顔を出した。

「お連れしました」

鴻ノ池に続いて、一人の男が会議室に入ってきた。

「今日はわざわざおいでくださって、本当にありがとうございます」

僕が頭を下げると、男は「いえ、そんな」と胸の前で手を振った。

「どうぞ、そちらにお座りください」

鴻ノ池に促された男は、机を挟んで僕たちの向かい側の席に腰掛ける。

鴻ノ池はこちらにやってくると、僕の隣の椅子を引いて腰をおろした。

さて、これで準備が整った。僕は胸に手を当てて緊張を抑えていく。

「かなり広い部屋ですね」

男はきょろきょろと部屋を見回した。僕は「ええ」とあごを引く。

「偶然この会議室が空いていたので、広い方がいいと思いまして」

「それで、そちらの方は？」

鷹央の隣に座る成瀬に警戒の色が浮かぶ眼差しを向けた。

「田無《たなし》署刑事課の成瀬と申します。由梨さんの件につきまして、詳しくご説明をしようと思い、本日同席させていただきます」

成瀬が慇懃に言うと、男は「はあ……、そうですか」と曖昧《あいまい》にうなずいたあと、大きなため息をついた。

「しかし、いまだに信じられません。彼女まで時計台から転落するなんて。こちらに入院しているから、安全だと思い込んでいました」

「由梨さんの件にかんしましては、全面的にこちらの責任です。申し訳ございません」

僕は深々と頭を下げる。

「いえ、小鳥遊先生に謝っていただくことではありません。彼女が自分で選んだことですから。ずっと一緒に生きてきた母親の死を受け入れることが、彼女にはできなかったのでしょう。だからこそ、母親と同じ場所で自らの命を絶った。……本当に悲劇です」

男が力なく首を振ったとき、それまで黙っていた鷹央が口を開いた。

「自殺なんかじゃないぞ」

「……はい？　どういう意味ですか？」

男が訝しげにつぶやくと、鷹央は大きく両手を広げた。

「そのまんまの意味だよ。時山由梨は自ら命を絶ったわけじゃない。それだけじゃない、時山恵子、時山文太の件も自殺なんかじゃない」

「自殺じゃない？　なら、どうして三人は時計台の上なんかに行ったんですか？」

「何者かにおびき出されたんだよ」

鷹央は唇の端を上げる。

「時山恵子と時山文太をおびき出す材料は、おそらく『時計山病院の埋蔵金』だろう。時山家の祖先が、戦後に没収されないよう、財産を宝石などに換えてどこかに隠したと噂《うわさ》される財宝。時山恵子と時山文太は、とある人物からこう言われたんだよ。『埋蔵金を隠してある場所が分かった。時計台の内部だ。そこを探してくれ』ってね」

男は硬く口を結んだまま、なにも言わなかった。鷹央は気にする素振りも見せず、説明を続ける。

「時山恵子は、自らの命が尽きる前に、娘に一人で生きていくための糧《かて》を遺《のこ》しておきたかった。時山文太は開業に失敗して借金で首が回らない状態だった。そんななか、大金の隠し場所が分かったと言われれば、確認せずにはいられないってわけだ」

「……由梨の場合はどうなんですか？　彼女も埋蔵金を手にするためにあの時計台にのぼったって言うんですか？　すでに母親と伯父が転落死しているっていうのに。そんなの不自然だと思いますけど」

詰問するように男が言うと、鷹央は首を横に振った。

「いや、違う。とある人物は、時山由梨にこう言ったんだ。『母親は自殺する前、時計台の中に娘への手紙を隠したはずだ』ってな。突然母親を失った時山由梨にとって、母親からのメッセージはなによりも欲しいものだからな」

「……もし、あなたが言うとおりだとしたら、三人の転落死は自殺ではなく事故だということですか？　時計台の屋根にある扉を開けて内部に入ろうとしたが、足場が狭いため、足を踏み外して落下してしまったと」

「ほう、あの時計台の内部に入るためには、わずかな足場しかない方から階段を降りる必要があると知っているのか。詳しいじゃないか」

鷹央が皮肉っぽく言うと、男の顔に動揺が走った。

「ま、まあ、あそこには何度か行ったことがありますから……」

「そういうことにしておいてやろう。しかし、事故死なんかじゃない。いくら狭いとは言え、五十センチ程度は足場があるんだ。よほどの不注意でない限り、三人もの人間が転落したりはしないよ」

「……自殺でも、事故でもないと？」

男が低く籠《こも》った声で問うと、鷹央は若草色の手術着に包まれた胸を張った。

「そう、あれは事件、連続殺人事件だ」

部屋に沈黙が降りる。壁時計の秒針が時を刻む音が、やけに大きく聞こえた。

最初に沈黙を破ったのは男だった。

「つまり、三人は何者かに時計台の上に誘い出され、そこから突き落とされたということですか？　もしかしたら、犯人は時計台の内部に隠れていて、入ってこようとした三人を押して落としたんですか？」

「いやいや、そうじゃない。三人の事件の際、あの時計台は偶然撮影されていたんだ」

「偶然？」男は眉《まゆ》を顰《ひそ》める。

「そう、偶然だ。まあ、そこは本筋には関係ないから、深く突っ込むな。大切なのは、転落したとき時計台の上には、被害者たちしかいなかったということだ」

「それなら、やっぱり自殺か事故ということになりませんか。その場にいないのに、どうやって時計台の上の人間を転落させたって言うんですか？」

男が訊《たず》ねると、鷹央は不敵な笑みを浮かべ、左手の人差し指をぴょこんと立てた。

「簡単だ。狙撃《そげき》されたんだよ」

「狙撃された⁉」

「ああ、そうだ。内部に入ろうと時計台の屋根の端に立っていたとき、被害者たちは遠方から狙撃されたんだ。その衝撃でくずれおち、そして転落してしまったんだ」

「待ってください！」男は掌を突き出してくる。「狙撃されたっていうことは、三人の遺体には銃弾などの証拠が残っていたんですか？」

「いや、時山恵子と時山文太は解剖までしてしっかり調べたが、銃弾はおろか、銃撃されたような傷もまったく発見されなかった」

「それなら、狙撃されたなんてあり得ないんじゃ……」

男は戸惑い顔になる。しかし僕には、その表情がどこか芝居じみて見えた。

「いや、三人は狙撃されたんだよ。体には全く傷をつけることなく、全身の自由を奪い、ほぼ百発百中で、さらに極めて遠方から狙撃可能な銃弾でな。まさに『魔弾』だ」

「魔弾……」男は呆然《ぼうぜん》とその言葉をくり返す。

「犯人は三人の被害者たちに、埋蔵金や母親からの手紙をエサに、時計台の内部に行くように促した。そして、被害者が内部に入るために狭い足場に乗ったタイミングを見計らって『魔弾』を放ったんだ」

鷹央は左手で引き金を引くような仕草を見せた。

「『魔弾』に貫かれ、全身の筋肉が脱力して崩れ落ちた被害者たちは、そのまま屋根の端から転落する。あとはどれだけ警察が調べても、現場の状況からは自殺または事故にしか見えない。かくして、完全犯罪が成立だ」

そこで言葉を切った鷹央はにたりと笑みを浮かべる。

「しかし、そうは問屋が卸さなかった。私という天才が、事件の調査に乗り出したからな。犯人は不運だったな、相手が愚鈍な警察だけでなくて」

愚鈍と言われた成瀬が顔をしかめていると、男が両手をテーブルにつき、椅子から腰を浮かした。

「いったいなんの話なんですか⁉　『魔弾』だかなんだか知りませんけど、なんで私にそんな話をするんですか？」

「お前こそが三人を狙撃した犯人、『魔弾の射手』だからだよ」

鷹央はあごを引くと、声を荒らげる男を冷ややかに睨《ね》め上げた。

「そうだろ、時山一志」

男は、由梨の伯父である時山一志は大きく体を震わせた。

4

「さて、最初はなにから説明しようか。そうだな、動機からがいいか」

硬直している時山一志を眺めながら、鷹央は楽しげに言った。

「あの、鷹央先生、その前に……」

おずおずと鴻ノ池が声をかけると、鷹央は「ああ、そうだったな」と両手を合わせ、出入り口の扉に向かって、「入ってきていいぞ」と大声で言う。

扉が開き、二人の男女が室内に入ってきた。

「この二人は……」

一志がかすれ声でつぶやく。

「時山文太の元妻、田邊真知子《たなべまちこ》と、時山由梨の父親、甲斐原勝《かいばらまさる》、二人とも今回の事件で大切な人を亡《な》くしている。これから説明する話を聞く権利があるはずだと思って呼んでおいたんだ」

真知子と甲斐原は扉の前に無言で立ちながら、険しい視線を一志に注ぎ続ける。一志は怯《おび》えたような表情で顔を伏せた。

「さて、どこまで話したっけな。ああ、そうだ。今回の件の動機だったな。まあ、簡単に言えば金だ。どこにでもある卑劣でつまらない動機だな」

「でも、一志さんは一流企業に勤めているんですよね。なんで、お金が必要だったんですか？」

鴻ノ池が訊ねる。

「それについては、この二日間、ツテを頼って必死に調べてみた。シンガポールにいる知り合いに連絡を取り、その知り合いを紹介してもらい、さらにその知り合いを、という感じでお前の現状について詳しく知る人物にたどり着いた。知り合いを六人介すると、世界中の人間と繋《つな》がれるという説は、あながち間違いじゃないのかもな」

鷹央は楽しそうに言う。実生活では引きこもりで、他人とかかわることを苦手にしているくせに、相変わらずネット世界では抜群のコミュニケーション能力だ。

「そいつが色々と話してくれたぞ。数ヶ月前の株式市場の大暴落の際、お前が個人投資で大損害を被《こうむ》ったこと。その補塡《ほてん》に、会社の金に手をつけた可能性があること。会社がそれに気づきはじめ、そろそろ本格的な監査が入ることなどな。いやあ、お前の同僚に、お喋《しゃべ》りなやつがいたおかげで助かったよ」

一志の表情が歪《ゆが》んでいく。どうやら、鷹央がいま口にした情報は事実のようだ。

「けど」僕は口を挟む。「金が必要なことが、なんで今回の事件の動機になるんですか?」

ここに至っても、鷹央は僕たちにさえ事件の真相の大部分を教えていなかった。何度も説明すると面倒なので、関係者全員を集めて一気に説明したかったのだろう。

「金が必要で身内を殺すんだぞ。そんなの保険金か遺産狙《ねら》いと相場が決まっているだろ。今回、この男は被害者たちの保険金の受取人にはなっていない。そうなると、残っているのは遺産だけだ」

「遺産って言っても、恵子さんも文太さんもお金に困っていたんですよ。遺産なんてほとんどないんじゃ……」

「いや、そんなことないぞ。時計山病院が建っている土地は、一志、文太、恵子、その三人が均等に権利を持っていた。身内が全員死ねば、権利は時山一志のものになる」

「けど、あの土地にはたいした価値がないって、文太さんが……。たしか、廃病院の取り壊しに必要な金の方が、土地の値段を上回るとか」

「これまではそうだったんだろう。ただ、状況が大きく変わったんだよ。そうだよな？」

鷹央に水を向けられた一志は、無言のまま血色の悪い唇を噛《か》んだ。

「小鳥、この前見ただろ、時計山病院が建つ丘の麓《ふもと》で工事が進んでいることを。調べたところあの周辺は、今後数年間でニュータウンとして再開発され、タワーマンションや商業施設がいくつも建つらしい。そして、その目玉企画の一つが、いまは廃病院が建つあの土地に巨大なショッピングモールを建てる計画だ。あそこから四方に道路を作り、様々な地域から客を呼ぶつもりらしい」

「それじゃあ……」

「そう、土地の価格は暴騰《ぼうとう》したはずだ。そして、再開発の関係者はまず、同じ不動産業界で働いている一志にコンタクトを取った。土地全体の買い取り額は、横領した金額を十分に補塡できるものだったんだろうな。けれど、自分が権利を持っている三分の一では足りなかった」

「だからって、自分の弟妹《きょうだい》を殺すっていうんですか？」

鴻ノ池が怒りに満ちた声を上げる。

「そうしなければ横領が明るみに出て、会社を解雇されるだけでなく、犯罪者として逮捕されるからな。この男は、保身のためなら弟妹の命すら奪う卑怯《ひきょう》で残忍な人間性を持っているってことだ」

鷹央が軽蔑《けいべつ》の視線を向けると、一志は勢いよく立ち上がった。椅子が倒れて大きな音を立てる。

「いい加減にしろ！」顔を真っ赤にしながら一志が叫ぶ。「私が人殺しだと？　三人もの人間を殺しただと？　そんなわけがあるか！」

「なぜ、そんなわけがないと言えるんだ？」鷹央は挑発的に口角を上げた。

「当然だ。三人が時計台から転落したとき、私はシンガポールにいたんだぞ。現場から数千キロも離れた場所にいたんだ」

「アリバイがあるというわけか」

「そうだ！　疑うなら私のパスポートを調べればいい。それに、文太が転落してすぐ、お前たちはシンガポールにいる私に電話をかけてきただろうが。あの番号は、シンガポールのものだ。あれこそ、私がシンガポールにいた証拠だ」

たしかにその通りだった。文太が転落してから三時間後、僕たちは一志に電話し、彼がシンガポールにいることを確認している。

「それともなんだ? 私に共犯者がいるとでも? そうでなければ、殺し屋を雇ったとでも言うのか? え、どうなんだ?」

一息にまくしたてた一志は、肩で息をする。

「いや、共犯者なんていないだろうな。もちろん、殺し屋を雇ってもいない。そして、おまえは確かに事件が起こったとき、シンガポールにいた」

「なら……」

一志の表情がわずかに明るくなる。しかし、鷹央は小馬鹿《こばか》にするように鼻を鳴らした。

「でもな、そんなこと関係ないんだよ。お前がシンガポールにいようが、南極にいようが、それこそ宇宙空間にいようが、アリバイなんて成立しないんだ。被害者たちを貫いた『魔弾』は、とある機器を使うことにより、空間を超越するからな」

鷹央が言うと、真知子が口を挟んできた。

「何千キロも離れた相手を銃撃するような機器が、この世に存在するって言うの!?」

「この世に存在するどころじゃない。どこにでもある。もちろん、この部屋にもな」

鷹央のセリフに、真知子と甲斐原が部屋の中をせわしなく見回しはじめる。

「探さなくても、お前たち自身も多分持っているぞ」

「私たちも!?」

驚きの声を上げる真知子を見ながら、鷹央は白衣のポケットから『それ』を取り出す。

「これが『魔弾』を発射するための『銃』だ」

鷹央は手に持ったスマートフォンを高々と掲げた。

5

「スマートフォン？」

真知子が目を見張る。

「そう、いまやこの国の大部分の人間が所有しているこの機器こそが、空間を超越して『魔弾』を放つための凶器だ。これにより遠方から放たれた『魔弾』に貫かれ、被害者たちは時計台から転落したんだ」

鷹央は真知子から一志に視線を移す。さっきまで紅潮していた彼の顔は、いまや蒼《そう》白《はく》になっていた。

「時山文太が転落したあと、すぐに『弟からおかしな電話があった』と警察に通報したのは、スマートフォンが凶器だと悟られないようにするためだろう。転落する寸前、時山文太は病院に近づいている私たちを目撃している。おそらくお前は、弟からの電話で『誰かがいる』という報告を受けた。そしてそのまま『魔弾』を放って転落させたらスマートフォンと『魔弾』の関係に気づかれるかもしれない、場合によっては最後に会話していた相手が自分だと調べられ、疑われるかもしれないと思った。だからこそ、転落する寸前、弟がおかしな電話をしてきたことにして、スマートフォンから捜査の目を外させたんだ」

僕はあの日のことを思い出す。時山文太が転落前、顔の横に手を当てていたのを僕は目撃した。あのときは風でかつらが吹き飛ばされないようにしているのだと思っていた。しかし、実は顔の横にスマートフォンを当てていたのだ。

「待って、全然意味が分からない。スマートフォンで通話している相手を殺すような方法があるの？」

目を白黒させながら、真知子が甲高い声を上げる。

「殺すというのは正確じゃない。『魔弾』にできることは、相手の全身の力を奪うことだ。ただ、屋根の端にいる相手を『魔弾』により倒せば、結果的にその人物を時計台から転落させ、死亡させることになる」

「でも、スマートフォンなんかで、どうやって……？」

話を聞いていた甲斐原が、こめかみを押さえながらつぶやく。

「実は、時山恵子と時山文太が転落したとき、とある人物が隠して設置した防犯カメラが屋上の映像を捉えていたんだよ」

鷹央が言うと、甲斐原は目を見開いた。

「じゃあ、恵子さんが転落する瞬間の映像が残っているということですか⁉」

「いや、そのカメラは時計台の上までは撮影していなかった。しかし、音はしっかりと収録されていたんだ。パンッという破裂音がな。それこそが『魔弾』の音だ」

「……電気なの？　それとも、衝撃波？」

口元に手を当てながら、真知子がつぶやく。鷹央は「ん？　なんの話だ？」と小首を傾《かし》げた。

「だから、あなたがいう『魔弾』の正体よ。被害者はみんなあの時計台から転落した。ということは、あれになにか仕掛けがあるんでしょ。スマートフォンを通じて、遠距離からその仕掛けを作動させ、そして時計台の上にいる人間を転落させる。そうとしか考えられない」

「その方法が、電気か衝撃波っていうことか？」

鷹央は楽しそうに唇の端を上げた。

「警察から聞いた話だと、私の元夫は転落する前に、時計台の内部に入るための扉を開けていた。もしかしたら、他の被害者たちもじゃないの？」

「ああ、そうだ。扉を開けて時計台の中に入ろうとしていた」鷹央は大きく頷いた。

「じゃあ、考えられるのは二つしかない。その扉に高圧電流が流れていて感電したか、内部から外に向けて衝撃波みたいなものが押し寄せてきたか」

「素晴らしい」鷹央は両手を合わせる。「私も最初からその可能性をずっと考えていた。あの時計台に、遠方から操作でき、上にいる人間を電撃や衝撃波などによって転落させるような仕掛けがあると。なんといっても、これまで二十人もの人間が、あの時計台から転落死しているんだからな」

「二十人⁉」

その人数をはじめて聞いたのか、真知子が目を剝《む》く。その隣では、甲斐原も啞然《あぜん》とした表情を浮かべている。

「そうだ。それだけの人々を殺害した設備があの時計台にある。そう信じて私は必死に調べた。しかし、どれだけ時計台の内部を調べても、そんなものは見つからなかった」

言葉を切った鷹央は、隣に座る成瀬を指さす。

「そんな感じで悩んでいたとき、この成瀬が報告をしてきたんだ。時計山病院で転落死した人々の大部分が明らかな自殺であるとな。それで、時山恵子、文太、由梨の三人のみが、『魔弾』の被害者だという可能性が高くなった。状況が劇的に変化したんだ」

「変化というと、どのように？」

甲斐原が眉根を寄せながら訊ねる。

「一つは『魔弾』を使用する条件として、時計台が必要ではない可能性が出てきたってことだ。時計台が現場に選ばれたのは、誘い出す口実があり、さらに『魔弾』で倒すことで転落死させることが出来る場所だったからだ。もし誘い出せるなら、他のビルの屋上だろうが、崖《がけ》だろうがどこでも良かったんだ」

「一つってことは、他にもあるの？」

真知子の質問に、鷹央は大きく頷いた。

「被害者たちが血縁関係だということだ。そうなると、ある仮説が浮かび上がる」

鷹央は口角を上げると、顔の横で左手の人差し指を立てた。

「『魔弾』が作用するのは、時山家の人間だけなんじゃないかという仮説だ」

「時山家だけ？」甲斐原が聞き返す。

「そうだ。『魔弾』の本質は時計台の内部に仕込まれた殺人装置でも、スマートフォンを通して送られてきたものでもない。時山家の血筋に潜んでいたある疾患だったんだ」

「血筋に潜んでいたってことは……」

医師である真知子がつぶやいた瞬間、向かいの席で俯《うつむ》いて黙り込んでいた一志が、突然両手をテーブルに叩《たた》きつけて立ち上がった。

「いい加減にしろ！　さっきから適当なことを言って。なにが『魔弾』だ！　そんな魔法みたいなものの存在するわけないだろうが！」

叫びながら一志が鷹央に向かって手を伸ばしてくる。彼女を守ろうと、僕と鴻ノ池が同時に立ち上がった瞬間、鷹央は迫ってくる一志の眼前で、相撲の『猫だまし』のように両手を勢いよく叩き合わせた。

大きな破裂音が会議室に響き渡ると同時に、一志は「うっ」と唸《うな》って両手で胸を抑え、そして数瞬の硬直のあと、全身の骨が抜かれたかのように崩れ落ちた。

床に力なく倒れこんでいる一志を、僕たちは唖然とした表情で眺める。

沈黙が降りた会議室に、鷹央の凛《りん》とした声が響いた。

「これが『魔弾』の正体、QT延長症候群だ」

6

僕は呆然とその病名を口にする。

「QT延長症候群……」

僕、鴻ノ池、そして成瀬の三人も、『魔弾』の正体について詳しい説明は受けていなかった。分かっていたことと言えば、スマートフォンから発せられた音で、三人の被害者たちが時計台から転落したことぐらいだ。

一志は床に倒れこんだままだが、目はこちらを見ている。どうやら意識は保っているようだった。

「心臓は心筋が電気的刺激により収縮と弛緩《しかん》をくり返すことで、全身に血液を送り出すポンプとしての役割を果たしている。QT延長症候群の患者では、心筋が電気刺激を受けた興奮状態から回復するのが遅くなり、その結果、心電図上で心室の筋肉の興奮を表わすQ波から興奮の終了を表わすT波までの時間が長くなるんだ」

鷹央は再び左手の人差し指を立てると、QT延長症候群について説明をはじめる。

「QT延長症候群には、生まれつき心筋の細胞に異常がある先天性と、薬の副作用や電解質の異常による後天性がある。そして先天性QT延長症候群には遺伝性が認められる型がある」

「遺伝性……」

立ち尽くしている甲斐原がその言葉をくり返す。

「そうだ。たしか時計山病院の最後の院長である時山剛一郎はいとこと結婚したんだよな。お互いQT延長症候群の因子を持っていたので、その子供三人全員に遺伝したんだろう。近親婚だと、どうしてもそのような遺伝性疾患の確率が上がるんだ」

「そのQT延長なんとかっていうのは、どういう症状の病気なんですか?」

甲斐原は頭痛をおぼえているのか、こめかみを押さえながら訊ねる。

「先天性QT延長症候群には様々なタイプがあるので、一概には言えない。心電図で異常を指摘されるだけで、全く症状がないタイプもある。ただ、問題となるのは不整脈発作だ」

「不整脈……ですか」甲斐原がその言葉をくり返す。

「そうだ。QT延長症候群の患者は、さまざまな誘因で発作性の不整脈を起こし、その結果、全身の血液循環に問題が生じて、立ち眩《くら》み、脱力、失神、場合によっては突然死するリスクすらある」

「突然死……」

甲斐原の顔色がさっと青ざめた。

「だから先天性QT延長症候群の患者で、親戚に突然死をした者がいた場合などは積極的に予防の治療を行っていくんだ」

「時山家のQT延長症候群はどんなタイプだったの?」

真知子が低い声で訊ねる。

「時山恵子と時山由梨の親子は、うちの患者だったんで心電図が残っていた。それを見ると、ほんのわずかに平均よりもQTが延長していることが認められた。しかし、平均以上とはいえ正常範囲内なので、普通ならこれだけでは診断はつかないだろう。QT延長症候群としてはごく軽度で、危険性が低いタイプだったはずだ」

「でも不整脈発作は起きた」

真知子のセリフに、鷹央は頷く。

「ああ、そうだ。状況から見ると、数秒間だけでおさまる軽いものなんだろうがな」

「あの……」おずおずと甲斐原が口を開く。「その病気の発作が起きたら、体の力が抜けたり、失神することは分かりました。けれど、どうやって狙ったタイミングでそれを起こすことができるんですか?」

「いい質問だ」鷹央は上機嫌に甲斐原を指さした。「QT延長症候群の誘因となるのは多岐《たき》にわたる。運動、水泳、恐怖や驚きなどの強い情動、そして……」

もったいをつけるように言葉を切った鷹央は、目を細めながら言った。

「音刺激だ」

「音刺激……」

甲斐原と真知子の声が重なった。

「ああ、QT延長症候群の中には、特定の音によって不整脈発作が引き起こされるタイプがある。時山家がまさにそれなんだろう。そして、時山家の人々に発作を引き起こす音、それは『大きな破裂音』だったんだ」

僕と鴻ノ池が顔を見合わせる。

「小鳥先生、最初の由梨ちゃんのって……」

「ああ……、たぶんな」

救急部で初めて由梨に会ったとき、処置台に乗っていた金属製のトレイが落下して大きな音が響き、そして由梨は崩れ落ちた。

精神的なストレスで倒れたのかと思っていたが、実はトレイの落下により生じた大きな音によって、不整脈が起きていた可能性が高い。

「じゃあ、この男はスマートフォンで大きな音を立てて、三人を時計台から落としたの？」

真知子がまだ倒れている一志を睨《にら》みつける。

「そうだ。埋蔵金や母親の遺書などをエサに被害者たちを時計台にのぼらせ、そこから電話をするように言う。そして被害者が内部に入るため、屋根の端にいることを通話で確認したところで、破裂音、おそらくはパーティー用のクラッカーでも電話に近づけて鳴らしたんだ。スマートフォンを耳に当てていた被害者たちは、その強い音刺激により倒れ、屋上から転落したんだ」

鷹央は柏手《かしわで》を打つように両手を合わせる。パンッと軽い音が響いた。

「映像に残っていた破裂音。最初は凶器が発した音だと思っていたんだが、あの音自体が凶器だったんだ。そして、時山家の持つ疾患と反応して『魔弾』となり、被害者たちの心臓を貫いた。もちろん、物理的に心臓を傷つけたわけでもないし、QT延長症候群は心電図以外では診断がつかないので、遺体を解剖されても気づかれることはない」

鷹央は不敵な笑みを浮かべながら一志を睥睨《へいげい》する。

「自分も同じ体質を持つお前は気づいていたんだろうな。破裂音で時山家の人間が発作を起こすと。それを利用して、私利私欲のために身内を殺していったのか。本当に残忍な男だ」

鷹央は「証明終了」というように、左手を振った。

「証拠があるのか⁉」まだ床に手をついたまま、一志は声を荒らげる。

「ん？　なに言っているんだ、お前？」鷹央は挑発的に聞き返した。

「たしかに、私たちの家系は破裂音で発作を起こす。だからと言って、私がそれを利用して三人を殺したとは断定できないはずだ」

「私が通話記録を調べました」ずっと黙っていた成瀬が言う。「被害者の三人は、転落した際、あなたと国際電話で通話をしていた記録が残っています」

「た、たしかに三人と話していた。ただ、それは自殺する前に、私と話したいと言ってきて……」

しどろもどろで釈明する一志を見下ろしながら、鷹央はわざとらしくため息をついた。

「それじゃあ、『確実な証拠』というやつを見せてやろう」

鷹央は出入り口の扉の方を向くと、「おーい、入ってきていいぞ」と声を上げる。

扉がゆっくりと開き、華奢《きゃしゃ》な少女が部屋に入ってきた。その姿を見て、一志の喉《のど》から
ヒューと息が漏れるような音が響いた。

「……一志おじさん」

少女は、一志の姪《めい》である時山由梨は、怒りで飽和した声で言う。

「よくも、お母さんを……」

7

「な、なんで……？　死んだはずじゃ……？　だから、日本に戻って来たのに……」

幽霊でも見たかのように怯えた表情を晒《さら》す一志に近づいた由梨は、手に持っていた
スマートフォンを掲げる。部屋に会話が響いた。

『一志おじさん、本当にこの時計台の中に、お母さんからの手紙があるの？』

『間違いない。思い出したんだ、去年病気が見つかったとき恵子が、自分が死んだら

時計台の中を探してと、私に頼んできたことを。きっと、恵子はそこに、由梨ちゃんへの手紙を隠したはずさ』

『でも、なんでわざわざこんなところに……』

『普通のところに隠していたら、由梨ちゃんに見つかると思ったんじゃないか。だから、自分が死ぬまで絶対に見つからない場所に隠したんだよ。それより、着いたかい？』

『うん、いま内部に入る扉を開けたところ』

『それじゃあ、階段の正面に回り込んで、中を懐中電灯で照らしてごらん』

『回り込んだよ。階段の奥はよく見えない』

『気をつけてな……。足場が狭いから。もし倒れたりしたら、転落しちゃうから気をつけるんだよ。気をつけて……』

次の瞬間、大きな破裂音が会議室の空気を揺らした。一志はびくりと体を震わせる。

「分かるだろ。これは先日、お前と時山由梨の会話を録音したものだ。これなら十分に証拠になる」

鷹央はにやにやと笑いながら一志に言う。

「なんで、こんな……」

もはや言葉が見つからないのか、一志は酸欠の金魚のように口をパクパクと動かした。

「お前はな、罠《わな》にはまったんだよ」

「罠……?」一志は虚《うつ》ろな目で鷹央を見上げた。

「そうだ。成瀬の報告を聞き、『魔弾』の犠牲者は時山家の三人だけかもしれないと分かった時点で、私は今回の『魔弾』の正体に気づいた。そして、すぐに時山由梨の病室に行き、心電図を付けた状態で破裂音を聞かせて、QT延長症候群により音刺激で数秒間の不整脈を起こすことを確認した」

成瀬の報告を聞いた夜、僕たちを帰したあと、そんなことをしていたのか。

「『魔弾』の正体が分かれば、『魔弾の射手』の正体も明らかだ。時山文太が転落直前に電話をかけていたお前ということになる。だが、それが分かっても問題は二つあった。一つはお前が『魔弾』を使った証拠がないこと。そして、お前が海外にいることだ。だから、私と時山由梨は共謀して、お前に罠を仕掛けた」

鷹央は由梨に流し目をくれる。由梨は力強く頷いた。

「まず、シンガポールにはいかない、養子にもならない、実の父親と暮らすとお前に連絡させた」

そのときのことを思い出したのか、由梨の表情が歪む。心底嫌っている甲斐原の娘になると言うのは、嘘《うそ》でも抵抗があったのだろう。そんな由梨を、そばに立つ甲斐原は痛みに耐えるような表情で眺めていた。

「いちおう、他の関係者が『魔弾の射手』である可能性もゼロではなかったので、お前以外には逆に、時山由梨がもうすぐシンガポールに行くという情報を流しておいた」

ああ、先日シンガポール行きを決めたと、甲斐原に伝えるように頼まれたのはそのせいか。

「お前の予定では、保護者になることで時山由梨が母親から受け継いだ時計山病院の土地の権利をかすめ取るつもりだったんだろう。けれど、それができなくなったお前は、これまで通り強硬手段に出た。『魔弾』で殺害して、遺産として土地の権利を奪おうと。私たちの思惑通りにな」

鷹央は心から楽しそうに、忍び笑いを漏らす。

「お前は母親の手紙をエサに、時山由梨を時計台へと向かわせようとした。いやあ、かなり無理がある設定だ。よっぽど焦《あせ》っていたんだろうな。監査が入るまで時間がなかったのか？」

一志の頬が引きつった。どうやら図星らしい。

「最初は、わざわざ時計山病院まで行かず、うちの病院の屋上ででも演技をさせようと思っていた。ただ、それだと一つだけ気になることがあった。お前が用意した、沼本という弁護士の存在だ。さすがに殺人の共犯だということはないと思うが、時山由梨の監視を頼まれている可能性は十分にある。だからこそ、念には念を入れるなら、時山由梨が病院を脱走し、時計山病院から転落したと思い込ませる必要がある。そう提案したところ、時山由梨は積極的に賛成してくれた」

そして、演技が下手でバレる可能性があるからと、僕には一切事前に知らされないまま計画は遂行されたのだ。僕がネタばらしを受けたのは、時計山病院へと向かう車の中だった。

「時計山病院についてからは、遠くから見ても気づかれないようにしながら、私たちも屋上にのぼった。その後、転落防止用のハーネスとロープで時山由梨とうちの小鳥の体をしっかり繋いだうえで、お前に電話をかけたんだ。そして、通話が録音されているとも知らず、お前は『魔弾』を放った」

鷹央は左手を銃の形にすると、一志に向けて「パンッ」とおどけた。

「お前が計画した通り、『魔弾』を受けた時山由梨は脱力して時計台から落下した。しかし、体力だけが自慢のうちの部下がしっかりと支えて、すぐに遠方からは死角になる位置から、時山由梨の体を引き上げたんだ」

誰が体力だけが自慢だ。内心で文句を言いつつ、僕はあのときのことを思い出す。いくら由梨の体が軽いとはいえ、数メートル落下しているだけあって衝撃は極めて大きく、肝を冷やした。支えられた反動で振り子のように揺れた由梨は、時計台の壁に額をそれなりに強く打ちつけ、擦過傷を負ってしまった。

なんとか由梨の体を引き上げたあと、意識を取り戻した由梨を連れて病院の裏手の敷地へと行った。そして、前もって打ち合わせをしていた成瀬と鴻ノ池に連絡し（つまり、計画を知らされていなかったのは僕だけだったのだ）パトカーと救急車を現場に呼んだ。救急車は、天医会総合病院が患者の転院などの際に使用するために所有しているものを、（鷹央が副院長の権限を思い切り利用して）鴻ノ池に運転して来させた。

その後、額から出血している由梨を草むらに寝かせ、その周りをパトカーと救急車で囲んだのだ。まるで、またそこで転落事件が起きたかのように。

そこまでする必要があったのか、はなはだ疑問だったが、鷹央が「沼本が遠くから監視しているかもしれない。可能な限りのリアリティーが必要なんだ」と押し通した。

こうして『転落死』した由梨は、天医会総合病院に運ばれ、そして三階の医局エリアにある、普段はほとんど使われていない統括診断部の当直室に匿《かくま》われた。

シンガポールにいる『魔弾の射手』を誘い出すために。

「一連の計画を済ませたあと、私はお前に連絡したんだ。時山由梨が時計台から転落死したってな。それを信じたお前はすぐに日本に帰国し、まんまとこの会議室、お前を糾弾するための檻《おり》の中に誘い込まれたというわけだ」

鷹央は勝ち誇ったような笑みを浮かべる。

「そうだよな。早く遺産相続の手続きをして時計山病院の土地を手に入れ、それを売って監査が入る前に現金を確保しないといけないからな」

ひとしきりケラケラと笑ったあと、鷹央は唐突に表情を引き締める。

「なあ、一つだけ訊《き》いていいか？」

その声は、これまでの陽気な調子とは異なり、重いものだった。

「どうしてお前はあんなことができたんだ？」

「あんなこと……？」

一志は弛緩しきった表情で鷹央を見上げる。

「自らの保身のためとはいえ、実の妹と弟を殺すことだよ。どうしたら、そんな残酷なことを思いつくんだ。どうして、それを実行できたんだ。私には理解できない」

鷹央がゆっくりと首を振ると、一志の唇がかすかに動いた。

「……復讐《ふくしゅう》だ」

「ん？　なんだって？」

鷹央が聞き返した瞬間、一志は歯茎が見えるほどに唇を歪めて叫んだ。

「これは復讐なんだ！　時山家への復讐だったんだよ！」

「なにを言っているんだ？　お前も時山家の一員だろうが」

「いいや、俺は違ったよ。親父《おやじ》は俺を時山家の人間だとは認めてくれていなかった」

痛々しいまでの自虐《じぎゃく》が籠った口調で一志は言う。

「時山家は代々、あの丘の上で医業を営んできた。親父には医師であることが最大の誇りであり、唯一《ゆいいつ》のアイデンティティーだったんだ。そして、あの男はそれを子供たちにも強要した」

「お前はその方針に反発したんだな」

「ああ、そうだ。俺は医者の他にやりたいことがあったんだ。親父の操り人形なんかになりたくなかったんだ。だから、大学で経済学部に進んだ。親父は烈火のごとく怒って、……俺を勘当したよ」

一志は固めた拳《こぶし》を床に打ちつける。

たしかに、甲斐原から以前聞いた話でも、時山剛一郎と言う人物は、先祖代々医業を営んできたことに、狂信的なまでの誇りを持っていた。

「実家からの援助は全くなくなった。俺は大学に通いながら必死にバイトをして、生活費と学費を稼いだんだ。それに比べ、医大に進んだ文太と、看護大学に入った恵子には、全面的な援助をしていやがった。それだけじゃない、親戚内の冠婚葬祭にも一切呼ばれなくなったんだ。二度と実家の敷居をまたぐなとまで言われた。分かるだろ、俺がどれだけ時山家を恨んでいたか。親父が医療過誤で訴えられ、時計台から落ちて死んだときは小躍りして喜んだよ」

「……お前の親父が転落死したのも、自殺ではなくQT延長症候群のせいかもな。昔、あの時計台は正午に大きな音を鳴らしていた。患者が飛び降りた時計台の上で悼《いた》んでいたところ、間近で鐘が鳴って不整脈がおき、転落した可能性もある」

「どうでもいいさ、そんなこと」

一志は苛立《いらだ》たしげにかぶりを振る。

「俺にとっては、親父がこの世から消えてくれたことが嬉《うれ》しかったんだ。葬式にも出ないつもりだったが、お袋にどうか参列して欲しいって言われてな。お袋だけは勘当されたあとも、親父に気づかれないようになにかと気にかけてくれていたから断れなかった。それで葬式に行ったら、どうだったと思う?」

一志はどこか卑屈に唇の端を上げる。

「文太と恵子が笑顔で近づいてきて、『久しぶりに兄さんに会えて嬉しい』とか『元気な顔が見られて良かった』なんて言い出したんだ。はらわたが煮えくり返ったよ。ただな、時計山病院が潰《つぶ》れて、どんどんと落ちぶれていくあいつらを見るのは悪い気分じゃなかった。だからこそ、最低限の付き合いだけはしてやっていたんだ」

乾いた笑い声が、会議室の空気を揺らした。

「俺は実家から援助を受けられなかった……。だから、あの土地を受け取る権利があるはずだ……。文太や恵子と分けるんじゃなく、俺だけが受け取る権利が……」

熱に浮かされたような口調で一志はつぶやく。自らの両手を見つめる血走った目が、次第に焦点を失っていく。

「だから、二人を『魔弾』で殺したって言うことか」

「そうだ！　あと一人、あと一人殺せば全部成功だったんだ！　それなのに！」

いきなり金切り声を上げた一志は、ばね仕掛けの人形のように勢いよく立ち上がると、突然由梨に向かって飛び掛かった。

「お前さえ死ねば、全《すべ》てうまくいったんだ！」

突然のことに硬直している由梨の喉元に、一志の手が伸びる。

予想外の出来事に誰もが固まっている中、由梨の背後から突き出された拳が、一志の横っ面《つら》に叩き込まれた。

一志の体が地面に叩きつけられる。

「私の娘に指一本触れるんじゃない！」

殴り倒された一志を、甲斐原が怒鳴りつけた。

顔を真っ赤にして息を乱す甲斐原を呆然と見つめつつ、由梨はかすかに唇を開く。

「お父……さん……」

はじめて由梨から『お父さん』と呼ばれた甲斐原は、泣き笑いのような表情を浮かべたあと、おそるおそる由梨の華奢な体を抱きしめた。失った父娘の十七年間を必死に取り戻そうとしているかのように。由梨がそれを拒絶することはなかった。

「さて……と」

成り行きを見守っていた成瀬がのっそりと椅子《いす》から立ち上がると、魂が抜けたような表情で倒れている一志に近づいていく。

「いまのは明らかに暴行未遂ですね。あなたを現行犯で逮捕します」

腰に付いている革製のホルダーから手錠を取り出した成瀬は、それを一志の両手に嚙ませた。ガシャリという音が部屋に響く。

「ちょっと署まで同行願いますよ。もちろん、弟さんと妹さんの転落死事件についても、詳しくお話を伺います」

脱力している一志を強引に立たせた成瀬は、出入り口の扉に近づいていく。

「それじゃあ、私は失礼します。また、あらためて連絡しますので、よろしく」

淡々とそう告げると、成瀬は一志を連れて会議室をあとにした。

「相変わらず、美味《おい》しいところだけ持っていく男だな」

苦笑しながら肩をすくめた鷹央は、まだ娘を抱きしめている甲斐原を見る。

「お前も甲斐原に美味しいところを持っていかれたな。腕っぷしの強さを見せるチャンスだったのに」

「そんなこと、どうでもいいですよ」僕は微笑《ほほえ》みながら言う。「だって、一番理想的な形になったじゃないですか」

「ああ、そうだな」

鷹央も目を細めて、甲斐原と由梨を眺めた。

やがて、ゆっくりと娘から体を離した甲斐原は、ばつが悪そうに視線を下げる。

「ごめん、由梨。……ちょっと興奮してしまって」

「ううん、いいの。あの……ありがとう」

さぐりさぐりと言った様子で、由梨は父親に礼を言った。

「由梨、君に渡したいものがあるんだ」

甲斐原に言われた由梨は、「渡したいもの？」とまばたきをする。

甲斐原はジャケットの内ポケットから分厚い封筒を取り出した。そこには綺麗《きれい》な文字で『愛する由梨へ』と記されていた。

「これって……」

言葉を失う由梨に向かって、甲斐原は優しく微笑みかける。

「そう、お母さんからの手紙だよ。自分がいなくなったら由梨に渡して欲しいって、私に預けてきたんだ」

「お母さんが……」

おずおずと両手を伸ばした由梨はその封筒を受け取ると、慎重に開いて中身を取り出していく。

そこには何十枚もの便箋《びんせん》の束が入っていた。

「お母さんの字だ……」

由梨は便箋の束を強く抱きしめると、瞳《ひとみ》を固く閉じる。

目尻《めじり》から流れた涙が、蛍光灯の光を乱反射した。

「お母さんはやっぱりずっと、私のことを想《おも》ってくれていたんだ」

押し殺した嗚咽《おえつ》が響く会議室のなか、柔らかな時間がゆっくりと流れていった。

エピローグ

「本当にお世話になりました！」制服姿の由梨《ゆり》が快活に言う。

「退院おめでとう、由梨さん」

「元気になって良かったね」

僕と鴻ノ池《こうのいけ》の言葉に、由梨は微笑《ほほえ》みながら頷《うなず》いた。

「皆さんのおかげです。皆さんが、お母さんは私を置いていったりしていないって証明してくれたから……」

言葉を詰まらせた由梨がハンカチで目尻《めじり》を拭《ぬぐ》うと、鷹央《たかお》が大きく胸を反らした。

「ああ、その通りだ。私が『魔弾』の謎《なぞ》を解き明かしたからこそ、全《すべ》てが丸く収まったんだ。いくらでも感謝していいぞ」

「はい、ありがとうございます」

由梨はにっこりと笑みを浮かべると、深々と頭を下げた。

『魔弾』の正体を暴いてから、四日後の昼下がり、僕たちは退院する由梨を見送るため、彼女の病室へと来ていた。

逮捕された時山一志《ときやまかずし》については、昨日成瀬《なるせ》から報告があった。『魔弾』による殺人は「覚えがない」と一貫して否認しているらしい。しかし、録音された由梨との通話と、時山恵子《けいこ》、時山文太《ぶんた》が転落した時刻に電話をしていたという状況証拠から、十分に殺人罪で起訴が可能だと判断され、昨日送検されたということだった。

「それで、由梨ちゃんはこれからどうするの？」

鴻ノ池が訊《たず》ねると、由梨はこめかみを搔《か》いた。

「とりあえず、お父さんに保護者になってもらおうと思います」

「え、それじゃあ甲斐原《かいばら》さんの家に行くの？」

「いえ。さすがにまだ気持ちの整理がついていないんで、しばらくはお母さんと住んでいたアパートから学校に通うつもりです。でも、週に一回はお父さんと食事することにしました。慣れたら、あちらのお家《うち》にもちょっと顔を出せたらなと思っています」

時山恵子が娘に遺《のこ》した手紙には、なぜ甲斐原が恵子と別れなければならなかったのかについて、詳しく書いてあったらしい。それが、固く凍っていた由梨の心を溶かしたのだろう。いま由梨は、躊躇《ためら》うことなく甲斐原のことを『お父さん』と呼んでいる。

十七年間、会うことのなかった父娘《おやこ》の関係を一から築いていくのは、すぐには難しいだろう。けれど、きっと時間をかけてゆっくりと、甲斐原と由梨は、本当の父娘になることができる。僕はそう確信していた。

「あの、皆さんにご報告したいことがあるんです」

僕たちを見回しながら、由梨は朗らかに言う。

「私、お医者さんを目指そうと思います。いまのままだと、かなり勉強しないと間に合いませんけど、頑張って来年医学部を受験しようと思います」

「でも……、それでいいの？」

僕は由梨の顔を見つめる。今回起きた事件の一端に、時山家が医療者であることにこだわってきたことがあるのは間違いない。彼女の選択が、望ましいものなのかどうか、僕には判断が出来なかった。

「はい！　うちの家系が医業を営んできたこととは関係ありません。私は自分の意思で、ドクターになりたいんです。死にたいくらいの苦しみの底から私を救い出してくれた、皆さんみたいなお医者さんに」

僕、鴻ノ池、そして鷹央は顔を見合わせたあと、そろって満面の笑みを浮かべる。

「頑張れ！」「頑張ってね」「頑張れよ」

声をそろえた僕たちに大きく一礼すると、由梨は鷹央に視線を向けた。

「あと、もう一つだけ。鷹央先生は私のライバルです。負けませんから」

鷹央は数回まばたきをしたあと、不敵な笑みを浮かべる。

「おお、いい心意気だ。けれど、医師として私を超えるのは、並大抵のことじゃないぞ」

「いいえ、医師としてじゃなくて、こっちです」

鷹央のセリフを遮った由梨は、そっと近づくと、大きく背伸びをして僕の頬にかすかに唇を当てた。瑞々《みずみず》しい果実のような弾力が肌に伝わってくる。

「それじゃあ、本当にお世話になりました。失礼します」

由梨はバッグを手にして声を張り上げると、逃げるように病室の外に出る。

扉が閉まる寸前、呆然《ぼうぜん》と立ち尽くす僕と、頬を紅く染めてはにかむ視線が一瞬絡《から》んだ。

扉の向こう側に由梨の姿が見えなくなっても、僕はまだかすかに温かい感触が残る頬に手を当てたまま固まり続ける。

ふと目だけ動かして横を見ると、鷹央と鴻ノ池も、あんぐりと口を開いて硬直していた。

「なあ、舞《まい》」十数秒後、金縛りから解けた鷹央が呆《ほう》けた声で言う。「いまのって、まずいよな?」

「……ええ、まずいですよ。相手は未成年の女子高生ですよ。淫行《いんこう》です。逮捕です」

「そういうのじゃないだろ。ちょっとした感謝と親愛の情を表わすもので……」

僕が慌《あわ》てて釈明すると、鴻ノ池は大きく手を振った。

「いえ、違いますね。いまのはそんな軽いものじゃありませんでした。なんて言うか、大人になって汚れた私たちが失った、ピュアな想《おも》いみたいなものが詰まっていました」

「じゃあ、やっぱり通報だな」

鷹央は白衣のポケットからスマートフォンを取り出す。

「やめてください。本当にそんなんじゃないです！」

僕は必死に、本気で成瀬に電話をかけようとしている鷹央を止めようとする。

「小鳥《ことり》先生、見損ないましたよ。いくら同年代の女性に相手にされないからって、高校生に手を出すなんて」

「手なんか出してない！」

「ああいう幼く見える子が好みだったんですか？　それなら、すぐ隣に外見は由梨ちゃんより幼く見えて、付き合っても法に触れない人がいるじゃないですか。なんでそっちにいかず、よりによって犯罪に手を染めて……」

「あっ、成瀬か。やっぱり、ちょっと逮捕して欲しい男がいるんだが……」

「お願いだから話を聞いてくださいって！」

僕たちが騒ぎ立てる声が部屋に響き渡る。

カーテンが開いた大きな窓からは、初夏のうららかな日差しが、患者がいなくなった病室に差し込んでいた。

幽霊と鴻ノ池

天久鷹央の日常カルテ

「お化け屋敷ぃ？」

僕が鼻の付け根にしわを寄せて聞き返すと、鴻ノ池《こうのいけ》は「そうです」と僕の前に一枚のチラシを突き付けてきた。そこには『東久留米《ひがしくるめ》に呪われたホテル出現‼』というおどろおどろしい文字が躍っていた。

「この近くに期間限定で、超リアルでめちゃ怖いお化け屋敷が開業するんです。なんか世界的なお化け屋敷プロデューサーがプロデュースしているらしいですよ」

興奮気味に鴻ノ池がまくしたてた。

『魔弾の射手事件』が終わった翌週の平日、夕方に勤務が終わった僕が屋上にある〝家〟に戻ると、鴻ノ池が待ち構えていて、「お化け屋敷です！」と騒ぎだしていた。

「お化け屋敷プロデューサーって、そんな仕事が存在するんだ……。で、それがどうしたんだよ」

「行きましょう！　ぜひ一緒に行きましょう」

「えー」

思わず不満で飽和した声が漏れてしまう。鴻ノ池は「どういう意味ですか、『えー』

って」と頬を膨らませた。

「そのままの意味だよ。なんでお前とお化け屋敷になんか行かないといけないんだ」

「なにが不満なんですか？　かわいい後輩とお化け屋敷デートができるんですよ。普通なら喜ぶところじゃないですか！」

「いや、お前、外見はかわいいかもしれないけど僕の天敵だし……。そもそもお化け屋敷なんかに興味ない。この前の、廃病院で見たお化けでこりごりだよ」

「それです！」

突然、鴻ノ池が大きな声を出して僕の鼻先に指を突き付けてきた。僕は軽くのけぞってしまう。

「それって……、どれ？」

「この前の廃病院で『幽霊』が出てきたとき、私、怖がって逃げちゃったじゃないですか。覚えています？」

「……そりゃ覚えているよ。お前、僕を生贄《いけにえ》にして自分だけ逃げようとしただろ」

「それは置いといてですね」

「置いといてって……」

「私、ホラー映画とかお化け屋敷とか、全然平気だったはずなんですよ。それなのに、あんなにパニックになったのが自分でもショックで……。というわけで、リハビリというか、平気なところを見せて汚名挽回《ばんかい》をしたいと思うんです」

「……汚名は挽回しちゃダメだろ」

「細かいことはいいですから、今夜でも付き合ってください。で、そのあとご飯とか奢《おご》ってください」

「なんで、僕がそんなことしないといけないんだよ。お前にしか得がないじゃないか」

頭痛がしてきて、僕はこめかみを押さえる。

「いいじゃないですか。今回の『魔弾の射手事件』で、私、けっこう頑張ったでしょ。ご褒美ください よ、ご褒美」

ギャーギャー騒ぎだした鴻ノ池に辟易《へきえき》した僕は、「分かった。分かったよ。連れて行けばいいんだろ」と投げやりに言った。

「やったー！」

鴻ノ池は両手を上げると、ソファーに横になってグラビア雑誌を眺めている鷹央《たかお》に視線を向けた。

「鷹央先生も一緒にどうですか？　お化け屋敷」

「パス。偽物の化け物に興味はない。本物ならまだしも」

鷹央はにやにやと、どこかいやらしい笑みを浮かべてグラビア雑誌を眺めたまま、ひらひらと手を振る。

本物の方が嫌だよ……。僕は内心でつっこみを入れつつ、ため息をついたのだった。

ブラックライトに照らされた薄暗い廊下を歩いていると、突然、わきにある扉が開いて、顔が半分溶けたゾンビが「グガアァァ！」と叫びながら飛び出してくる。

「うおおおっ⁉」

僕は思わず驚きの声をあげながら飛びのいてしまった。腰を引いて息を乱す僕の前で、ゾンビは部屋へと戻っていく。

「うわあ、見ました、いまの。超リアルでしたね。怖かったー。心臓バクバクですよ」

隣にいる鴻ノ池がTシャツに包まれた胸元に手を当てながら、はしゃいだ声を上げる。

「……お前、めっちゃ楽しんでいるな」

「えー、だって楽しいじゃないですか。こんな本格的なお化け屋敷だと思っていませんでした」

「僕もだよ……」

都心からだいぶ離れた場所で期間限定で行われるイベントということで、子供騙《だま》しだろうと高をくくっていたが、とんでもない。

廃業したビジネスホテルを一棟借り切って作られたこのお化け屋敷は、自分がホラー映画の中に迷い込んでしまったかと錯覚させられるほどにクオリティが高く、もはや僕は怖がりすぎて消耗しきっていた。

『世界的お化け屋敷プロデューサー』を舐《な》めていた。まさか、ここまでガチの『恐怖のホテル』を作り出すとは……。

鴻ノ池にそそのかされて、軽い気持ちでやって来たことを僕は心底後悔する。

「なあ、もうリタイアしないか……」

僕は廊下の先にある『非常脱出口』と記された扉を指さす。このお化け屋敷には、恐怖で限界が来た入場者用に、各階に脱出口が設置されていた。そこから外に出ればリタイアできるという仕組みだ。

「何言っているんですか⁉ これからが本番じゃないですか！ 最後のミッションまでしっかりこなして、名誉返上ですよ」

「名誉を返上してどうする……って、もうわざと言っているだろ」

鴻ノ池のテンションについていけず、さらに消耗していく。僕はいたるところにお札が張られたおどろおどろしい廊下を、腰を引き、首をすくめつつ、おそるおそる進んでいく。

ブラックライトに妖しく浮かび上がる矢印に導かれて廊下を曲がった僕は、うずくまる二人の人影に気づいた。

また怪物か？　一瞬、体が強張《こわば》るが、すぐそれがしゃがみこんでしまった若い二人組の女性客だと気づく。

「もう嫌！　もう帰る！　こんな怖いと思わなかった！」

一人の女性が半泣きで言う。もう一人の女性が「大丈夫だって、本物の怪物ってわけじゃないんだから」と必死に声をかけるが、彼女は駄々をこねる子供のように激しく首を横に振った。

「そんなの分かんないじゃん。噂《うわさ》じゃ、ここって昔はお墓で、もともと幽霊が出るって有名な場所だったんだよ。このホテルが潰れたのだって、お化けが出るって噂が広がって、お客さんが来なくなったからだって言うじゃない」

甲高い声で半泣きの女性が言う。

「仕方ないなぁ。それじゃあリタイアしようか」

二人は立ち上がると、連れ立って非常脱出口へと向かっていった。

「まああれが普通の反応だよな。お前みたいに楽しめるやつなんてあんまりいない……」

非常脱出口から出ていった二人を見送り、振り返って鴻ノ池に話しかけた僕は異変に気づく。さっきまで楽しげだったその顔がいまは青ざめていた。

「こ、鴻ノ池、どうかしたか？」

僕が訊《たず》ねると、鴻ノ池はふるふると首を横に振る。

「な、なんでもないでござりまするよ」

「ござりまするよって、お前……」

いったい何があったと言うのだろう？　ほんの十数秒の間に完全に様子が変わり、あの廃病院で幽霊を見たときと同じような感じになっている。

「いえ本当に、何でも……、何でもありません。ただ本物の幽霊が出るかもしれないとか思ったりして……」

いつもとは別人のように弱々しい声でつぶやく鴻ノ池の背後から、ゾンビが近づいてきていることに僕は気づいた。足音に気づいたのか、鴻ノ池は口を半開きにしたまま、頸椎《けいつい》が錆《さ》び付いたかのようなぎこちない動きで振り向く。

「うわあぁぁあ⁉　でたぁあぁぁあ！」

鼓膜に痛みを感じるほどの絶叫が廊下に響き渡る。とっさに両手で耳を押さえた僕を尻目に鴻ノ池は床を蹴って逃げ出した。しかしその行方を遮るかのように前方の扉が開き、そこから全身毛むくじゃらの狼男《おおかみおとこ》が、のそりと姿を現す。

鴻ノ池は声にならない悲鳴を上げると、急ブレーキをかける。ゾンビと狼男はなぶるかのように、ゆっくりと近づいてきた。

狼男の脇を通って先に進むのが正解なんだろうな。

鴻ノ池がいきなり怖がりだしたことで逆に冷静になった僕は、そんなことを考えながら薄暗い廊下を進んでいく。

「おい、大丈夫か」

鴻ノ池に追いつき、声をかけた僕の背中に、冷たい震えが走る。荒い息をつく鴻ノ池の目が完全に据わっていた。

「お、おい、鴻ノ池……？」

僕は声をかけるが、鴻ノ池はぶつぶつと一人でつぶやき続ける。

「挟み撃ちにされた……、逃げ場はない……。もう……斃《たお》すしかない」

鴻ノ池は正面から近づいてくる狼男をきっと見据えると、ゆっくりと重心を落とし、軽く開いた両手を胸の前に構える。完全なる戦闘態勢だ。

「ま、まて、鴻ノ池。相手は本物の怪物じゃない！　スタッフが演じているだけだ。とりあえず落ち着け」

焦った僕が早口で言うが、鴻ノ池はゆっくりとかぶりを振った。

「そうとは言い切れないじゃないですか。だってここは、本物の幽霊が出るかもしれないんですから。疑わしきは投げるだけです。……投げれば全て解決する」

鴻ノ池はくぐもった忍び笑いを漏らす。

あ、こりゃだめだ……。完全に正気を失っている。

鴻ノ池の説得を諦めた僕は、前後から近づいてくる怪物に変装したスタッフたちに声をかける。

「みなさん危険です！　逃げてください！」

怪物たちは一瞬動きを止めるが、少し躊躇《ちゅうちょ》するようなそぶりを見せた後、再び近づきはじめた。

それも仕方ない。一見すると普通の女性にしか見えない鴻ノ池が、大男すらいとも簡単に投げ飛ばす合気道の達人とは夢にも思わないはずだ。

どうしよう。このままじゃパニックになった鴻ノ池がスタッフを投げ飛ばし、大怪《おおけ》我《が》をさせかねない。

僕が迷っていると、狼男が鉤爪《かぎづめ》がついた両手を大きく掲げ、唸《うな》り声を上げながら近づいてくる。それとほぼ同時に、鴻ノ池が動いた。水が流れるかのような滑らかな動きで、狼男の懐へと飛び込んでいく。

「だめだ！」

僕は狼男を守るため、後ろから鴻ノ池を捕まえようとその体に両手を回した。

「はあ！」

鴻ノ池の気合の声が廊下の空気を揺らす。

次の瞬間、僕の天井と床が逆さまになった。

「いやあ、ごめんなさい、小鳥《ことり》先生。思いっきり投げちゃって。背中、大丈夫でした？」

テーブルを挟んで向かいの席でレモンサワーの入ったグラスを持ちながら、鴻ノ池が言う。

「……大丈夫なわけないだろ。いまもずきずき痛いよ」

鴻ノ池とは対照的に、ウーロン茶をちびちびと飲んでいる僕は不機嫌に飽和した声で答えた。

一時間ほど前に狼男を守ろうと鴻ノ池に飛びついた僕は、その勢いを利用され、派手に投げ飛ばされた。合気道の呼吸投げという技らしい。とっさに受け身は取ったが、それでも硬い床に叩《たた》きつけられたのだ。ダメージで数十秒は動けなかった。

突然のトラブルにスタッフたちが怪物の変装を脱ぎ、廊下の明かりをつけたところで恐慌状態に陥っていた鴻ノ池もようやく我に返り、「あ、すみません。つい思いきり投げちゃいました」と頭を掻《か》いたのだった。

……「つい」じゃないよ。

当然僕たちはお化け屋敷を追い出され、仕方がないので近くの居酒屋で食事をとっていた。

「いやあ、けどなんで、私、急に怖くなっちゃったんだろう。途中まで全然平気だったのに」

レモンサワーを一口飲んだ鴻ノ池がつぶやく。

「自分で気づいていないのかよ。本物かもしれないと思ったからだろ」

僕が呆《あき》れ声で言うと、鴻ノ池は「はい？」と小首を傾《かし》げる。

「だからさ、お前はお化け屋敷とかホラー映画みたいに、作り物だとわかっている場合だけ全然怖くなくて、楽しむ余裕もあるんだ」

ピンとこないのか、鴻ノ池はまばたきをくり返す。

「だけど途中にいた二人組の女性が『ここに本物の幽霊が出るかもしれない』って話しているのを聞いて、怪物たちの中に本物が混じっているかもしれないと思いはじめて怖くなった」

そこで一度言葉を切った僕は、鴻ノ池をまっすぐ見る。

「つまりお前は基本的に怖がりだけど、フィクションだと思っている場合だけ平気で、アトラクションとして楽しむことができるんだよ」

鴻ノ池は数秒間、視線を彷徨《さまよ》わせたあと、グラスを置いて胸の前で両手を合わせた。

パンという小気味いい音が響く。

「なるほど、謎が解けました。いやあ、さすがは小鳥先生。統括診断部で鍛えられているだけありますね」

鴻ノ池はアルコールでわずかに頬が赤くなっている顔にコケティッシュな笑みを浮かべると、グラスを掲げた。

「今日はお化け屋敷に行ったかいがありましたね。なんだかんだ言って楽しかったし。というわけで、乾杯しましょ、乾杯」

……いつか絶対こいつを、本物の心霊スポットへ連れて行ってやる。

渋々とグラスを合わせた僕は、上機嫌で再びサワーを飲みだした鴻ノ池を眺めながら内心で決意を固めつつ、ウーロン茶をあおるのだった。

本作は二〇一九年八月に刊行された
『魔弾の射手　天久鷹央の事件カルテ』（新潮文庫）を
加筆・修正の上、完全版としたものです。
完全版刊行に際し、新たに書き下ろし掌編を収録しました。

実業之日本社文庫　好評既刊

仮面病棟

知念実希人

拳銃で撃たれた女を連れて、ピエロ男が病院に籠城。怒濤のドンデン返しの連続。一気読み必至の医療サスペンス、文庫書き下ろし！（解説・法月綸太郎）

ち11

時限病棟

知念実希人

目覚めると、ベッドで点滴を受けていた。なぜこんな場所にいるのか？　ピエロからのミッション、ふたつの死の謎…。『仮面病棟』を凌ぐ衝撃、書き下ろし！

ち12

リアルフェイス

知念実希人

天才美容外科医・柊貴之。金さえ積めばどんな要望にも応える彼の元に、奇妙な依頼が舞い込む。さらに整形美女連続殺人事件の謎が…。予測不能サスペンス。

ち13

レゾンデートル

知念実希人

末期癌を宣告された医師・岬雄貴は、不良から暴行を受け、復讐を果たすが、現場には一枚のトランプが……。最注目作家、幻のデビュー作。骨太サスペンス!!

ち14

誘拐遊戯

知念実希人

女子高生が誘拐された。犯人を名乗るのは「ゲームマスター」。交渉役の元刑事が東京中を駆け回るが…。衝撃の結末が待つ犯罪ミステリー×サスペンス！

ち15

実業之日本社文庫　好評既刊

知念実希人
神秘のセラピスト　天久鷹央の推理カルテ　完全版

左手の聖痕であらゆる病を治すと豪語する「預言者」。鷹央はその「神秘」に潜む真実を明らかできるのか。書き下ろし掌編「詐欺師と小遊鳥」収録の完全版！

ち 1 105

知念実希人
神話の密室　天久鷹央の推理カルテ　完全版

人気小説家とキックボクシングのチャンピオン。二人を襲った、神様の魔法のような「密室」事件の真相は？　書き下ろし掌編「幽霊と鴻ノ池」収録の完全版！

ち 1 106

知念実希人
羅針盤の殺意　天久鷹央の推理カルテ

「頼んだよ……鷹央君」天久鷹央の医学の師、御子神氷魚が死亡した。死の直前、彼女は不思議な言葉を遺しており……。師弟の絆を描く、完全新作短編集！

ち 1 107

知念実希人
スフィアの死天使　天久鷹央の事件カルテ　完全版

天久鷹央と小鳥遊優。二人は出会い、全てはここから始まった。大人気、天久シリーズ最初の難事件！　書き下ろし掌編「白い粉の秘密」収録の完全版。

ち 1 201

知念実希人
幻影の手術室　天久鷹央の事件カルテ　完全版

手術後のオペ室で医師が死亡した。その容疑者は……鴻ノ池!?　部下の窮地に天久鷹央が動き出す。書き下ろし掌編「鴻ノ池の笑顔」収録の完全版。

ち 1 202

実業之日本社文庫　好評既刊

実業之日本社文庫　好評既刊

伊坂幸太郎
砂漠
この一冊で世界が変わる、かもしれない。一瞬で過ぎる学生時代の瑞々しさと切なさを描いた一生モノの傑作長編！　小社文庫限定の書き下ろしあとがき収録。
い12 1

伊坂幸太郎
フーガはユーガ
優我はファミレスで一人の男に語り出す。双子の弟・風我のこと、幸せでなかった子供時代のこと、「アレ」のこと。本屋大賞ノミネート作品！（解説・瀧井朝世）
い12 2

下村敦史
ヴィクトリアン・ホテル
百年の歴史にいったん幕を下ろす高級ホテル。最後の一夜に交錯する善意と悪意に一気読み＆二度読み必至の、エンターテインメントを極めたミステリー！
し10 1

中山七里
嗤う淑女
稀代の悪女、蒲生美智留。類まれな頭脳と美貌で出会う人間すべてを操り、狂わせる――。徹夜確実、怒濤のどんでん返しミステリー！（解説・松田洋子）
な5 1

中山七里
ふたたび嗤う淑女
金と欲望にまみれた〝標的〟の運命を残酷に弄ぶ、投資アドバイザー・野々宮恭子。この女の目的は……人気悪女ミステリー、戦慄の第二弾！（解説・松田洋子）
な5 2

実業之日本社文庫 ち1 205

魔弾《まだん》の射手《しゃしゅ》　天久鷹央《あめくたかお》の事件《じけん》カルテ　完全版《かんぜんばん》

2024年3月15日　初版第1刷発行

著　者　知念実希人《ちねんみきと》

発行者　岩野裕一
発行所　株式会社実業之日本社
〒107-0062　東京都港区南青山6-6-22 emergence 2
電話 [編集]03(6809)0473 [販売]03(6809)0495
ホームページ https://www.j-n.co.jp/
DTP　ラッシュ
印刷所　大日本印刷株式会社
製本所　大日本印刷株式会社

フォーマットデザイン　鈴木正道(Suzuki Design)

ISBN978-4-408-55872-1（第二文芸）